과학 기술과
한국 사회

— 구조와 일상의 과학사회학

현대의 지성 107
과학 기술과 한국 사회
──구조와 일상의 과학사회학

펴낸날/ 2000년 6월 15일

지은이/ 윤정로
펴낸이/ 채호기
펴낸곳/ ㈜문학과지성사
등록번호/ 제10-918호(1993. 12. 16)

서울 마포구 서교동 363-12호 무원빌딩(121-210)
편집/ 338)7224~5 FAX 323)4180
영업/ 338)7222~3 FAX 338)7221
홈페이지/ www. moonji. com

ⓒ 윤정로, 2000. Printed in Seoul, Korea
ISBN 89-320-1165-6

값 14,000원

과학 기술과 한국 사회

— 구조와 일상의 과학사회학

윤 정 로 지음

문학과지성사

2 0 0 0

책머리에

　이 책은 필자가 사회학도로서 과학 기술의 사회적 측면에 관해 쓴 논문 13편을 모은 것이다. 필자는 미국 유학 시절 새로이 부상하고 있던 과학기술사회학 분야의 문헌을 접하면서 관심을 갖게 되었고, 한국의 반도체 산업에 대한 박사 학위 논문을 준비하는 과정에서 더욱 흥미를 느꼈다. 그러나 당시의 어린 소견으로는 한국에서 과학 기술 분야를 전공으로 하여 사회학자로 활동할 가망이 거의 없어 보였다. 귀국 후 시간 강사로 여러 대학에서 강의를 하면서, 우연히 대덕연구단지 내에 자리잡은 한국과학기술원 KAIST 학사 과정의 사회학개론 과목을 맡게 되었다. 과학 기술을 전공으로 하는 학생들에게 「과학 기술과 사회」라는 '부드러운' 강의 제목으로 과학기술사회학의 내용을 가르치고 싶다는 필자의 소망을 밝힌 것이, 마땅히 응모 원서조차 내보지 못할 만큼 교수 충원이 드물었던 시절 전임 교수로 취직까지 하게 되는 행운으로 이어졌다. 과학 기술을 전공하는 교수와 학생들 속에서 매학기 과학기술사회학 강의를 담당하면서, 자연히 필자의 학문적 관심도 이 분야로 모아지게 되었다. 한편으로는 상황적 당위였던 이 선택이 개인적으로 행복한 선택이었으며, 이제는 스스럼없이 전공 분야를 과학기술사회학이라고 말한다.

　필자는 종종 동료 사회학자와 과학 기술자들로부터 한국에서 과학 기술이 사회학적 탐구 대상이 될 수 있는지, 그리고 그것이 사회적으로 얼마나 중요한 의미가 있는지에 대한 질문을 받곤 하였다. 필자 자신도 이보다 10년 앞서기는 했지만 비슷한 의문을 품었던 적이 있었기에, 서운하기보다는 우정 어린 염려와 격려의 채찍으로 받아들일 수 있었다. 또한 이 새로운 분야의 학문적·실천적 중요성에 대해 관심을 불러일으키는 것이 바로 필자의 소임이라는 생각도 하였다.

이런 의구심에 대하여 필자는 두 가지 측면에서 해명하고자 한다. 첫째는 한국에서 과학 기술이 중대한 '사회' 문제의 반열에 들 수 있는지의 문제다. 과학 기술이 함축하고 있는 사회적 의미에 대한 우리의 인식은 최근 몇 년 사이 필자의 상세한 해명이 진부하게 들릴 정도로 급격히 바뀌었다. 서구에서 1960년대 심각해지는 환경 문제와 군비 확장, 세계 평화에 대한 위협 속에 과학 기술이 과학 기술계를 넘어 사회 전체의 관심사가 되면서 본격적인 사회과학적 탐구 대상으로 인식되기 시작하였듯이, 우리나라에서도 최근 정보화, 지식 기반 사회 등의 담론과 함께 유전자 조작, 생명 복제 등의 뉴스와 벤처 바람이 사회적 관심을 뜨겁게 달구면서, 과학 기술에 대한 인문 사회 과학적 탐구의 중요성과 시급성에 대한 인식은 더 이상 소리 높이 외칠 필요가 없어졌다. 이제는 우리 사회에서 급속히 그 역할과 비중이 높아지는 과학 기술에 대해 구체적으로 어떤 관점에서 어떤 문제를 탐구해야 할 것인지를 고민하는 작업이 절실한 과제로 되었다.

둘째, 과학 기술은 범세계적인 보편성의 원리가 통용되는 분야인데, 굳이 별도로 한국의 과학 기술에 대해 분석하는 데 많은 노력을 기울일 필요가 있는지의 문제다. 현재 과학 기술은 서구에서 창출된 지식이 일방적으로 다른 지역으로 전파되고 있고, 서구의 제도와 기준 그리고 규범이 압도적인 권위를 행사하고 있다. 또한 서구의 과학 기술이 광범위한 영역에서 진행되고 있는 사회문화적 동질화 추세에 강력한 촉매 작용을 하고 있음을 부인할 수 없다. 그러나 과학 기술에 관련된 제도와 관행, 과학 기술 지식의 생산과 유통 방식 등이 다양한 측면에서 사회마다 중요한 차이를 보이고 있으며, 동일한 과학 기술의 파급 효과도 사회와 집단에 따라 상이한 양상으로 나타난다. 과학 기술은 범세계적 보편성과 지역적 특수성, 그리고 다양한 변수와 사람들간의 역동적인 교섭 과정 속에서 '사회' 문제로 구체화된다. 따라서 구체적인 사회문화적 맥락 속에서 일어나는 교섭 과정을 실증적으로 규명하는 작업이 과학 기술을 '사회' 문제로 이해하고 실천적 대응책을 모색하는 데 필수적이다.

이 책에 실린 글들은 필자가 이런 생각을 바탕으로 한국 사회 속에서 과학 기술의 문제를 이해하고자 노력한 결과다. 한 권의 책으로 체계를 갖춰 쓴 것이 아니라 각각 별개의 논문으로 발표한 글이다 보니, 각각의 글들 사이에 부분적으로 중복되는 논의가 있다. 이 책에서는 독립된 글로서의 짜임새를 크게 훼손하지 않는 범위 내에서 가능한 한 중복된 부분을 줄였다. 13편의 논문을 크게 3개의 주제로 묶어보았다.

제1부는 한국 사회에서 과학 기술을 바라보는 관점과 서구 과학기술사회학에 대한 비판적 고찰을 통해서 우리에게 현실 적합성이 있는 과학기술사회학의 가능성을 탐색하는 논의를 담았다. 제1장에서는 정부 주도 아래 추진된 우리나라의 급속한 산업화 과정에서 형성된 과학 기술에 대한 인식과 의사 결정 방식에 내포된 문제점에 대한 진단과 대안을 다루고 있다. 경제 성장 위주의 도구적·결정론적 관점에서 벗어나 사회적 교섭 과정의 산물인 포괄적인 '문화'로서 과학 기술을 이해하고, 기존의 효율주의적·배제적 의사 결정 방식에서 탈피하여 다양한 가치와 이해 관계를 아우르는 참여 지향적인 방식을 정착시키기 위한 적극적인 사회적 기반을 조성해야 할 필요성을 강조하였다. 제2장은 현재 한국 사회학계가 처하고 있는 현실적 조건 아래서, 과학기술사회학을 사회학 교육 과정 내에 포함시키는 데 고려해야 할 사안들에 대해 고찰하고 학부 과정 강의 계획안을 제시하

였다. 제3장은 미국 중심의 초기 과학사회학에서 주요한 연구 주제였던 과학의 보상 체계에 대한 업적을 정리하고 평가함으로써 서구 과학사회학의 태동 과정을 소개하고, 이러한 서구의 논의가 한국의 과학 공동체를 이해하는 데 시사하는 바를 탐색하였다. 제4장에서는 1970년대 유럽에서 형성되기 시작하여 현재 서구의 과학사회학 분야를 주도하고 있는 소위 '새로운' 과학사회학, 즉 과학지식사회학의 쟁점과 동향을 살펴보았다.

제2부는 과학 기술과 산업 발전의 관계를 탐색한 글을 모았다. 제5장은 필자의 박사 학위 논문 중 일부를 발췌하여 구성한 글로, 1960년대 중반에 시작된 한국 반도체 산업의 발전 과정을 한국 정부와 국내 민간 자본, 외국 자본간의 관계를 중심으로 분석하였다. 제6장은 개방의 물결 속에 유독 기술 보호주의가 강화되는 새로운 세계 질서 아래서 독자적인 기술 개발 능력을 확보하지 못한 채 본격적인 기술 집약형 산업 구조로 개편하지 않으면 안되는 상황에 처한 우리의 현실을 염두에 두고 과학 기술 기초 연구의 육성 방향과 전략에 대해 탐색한 글이다. 2차 대전 이후 미국과 일본의 군수 산업과 첨단 기술 개발의 관계에 대해 살펴본 제7장과 제8장에서는 최근의 변화가 우리에게 시사해주는 바를 생각해보고자 하였다.

제3부는 필자가 최근에 관심을 기울이고 있는 과학 기술과 여성의 문제를 다루고 있다. 제9장은 한국 과학 기술계의 저조한 여성 참여 현상에 대해 문제를 제기하면서, 1960년대말부터 시작된 서구의 실천적 · 이론적 성과를 배경으로 우리의 현실을 짚어보고 향후 과제를 제시한다. 제10장에서는 전국적 통계 자료와 대덕연구단지의 여성 연구원들에 대한 설문 조사 결과를 통해서 한국 과학 기술계에서 여성의 위상을 실증적으로 규명하였다. 제11장은 정보화의 진전이 여성의 삶에 어떤 의미를 갖고 있는지 살펴본 글이다. 지금까지 드러난 성별 정보 격차와 사이버 스페이스 문화의 문제점과 함께 일터와 가

정, 정체성에 대한 인식의 변화를 중심으로 여성의 삶에 일어나는 변화를 논의하였다. 제12장은 한국에서 정보화에 가장 뒤처진 집단 중하나인 전업 주부의 컴퓨터 수용 과정을 심층 면접 자료를 통해 분석함으로써, 정보 격차의 원인을 밝히고 종래의 정보화 추진 방식에 대한 반성과 개선 방안을 도출하였다. 제13장은 소위 편리한 가전 제품의 도입으로 대변되는 가사 기술의 발전이 실제로 한국에서 여성의 가사 노동 수행 방식에 어떤 관련을 맺고 있는지 분석한 논문이다.

원고를 편집하다 보니 여러 가지로 부족한 점이 드러난다. 무엇보다도 여기 실린 글들이 지난 수년에 걸쳐 틈틈이 쓴 글이기 때문에, 이제는 시의성이 떨어지는 내용이 되지 않았나 하는 우려를 떨칠 수없다. 예컨대 전업 주부의 정보화에 대한 글은 발표된 지 1년도 안되었지만, 올해부터 실시되는 '100만 주부 인터넷 교육' 프로그램 등 정부의 시책과 급진전되는 정보화는 필자의 제언을 무색하게 만들고있다. 그러나 빠르게 바뀌어나가는 우리 사회에서 각각의 글이 씌어진 시점의 문제 의식과 현실을 기록해두는 것이 의의가 있다는 믿음으로 이 책에서는 부분적으로 수정 보완하는 데 그쳤다. 더욱 중요한점은 일부 지엽적인 문제는 해결되었지만 근본적으로는 필자의 문제의식이 아직도 유효한 것으로 남아 있다는 사실이다. 제3부 '과학 기술과 여성'에 실린 글들은 우리나라에서 이런 문제에 대해 사회적 관심을 불러일으키는 데 보탬이 되었다는 점에서는 자부심을 갖고 있다.

필자로서는 이 머리글 쓰기가 무척 어려운 일이었다. 막상 책을 내놓으려고 하니 한없이 부끄러웠기 때문이다. 그러나 학자로서 한 단계를 정리하고 반성의 자료로 삼아야겠다는 각오로 부끄러움을 무릅쓰고 이 책을 내놓는다. 철없이 들어서서 머뭇거리며 걸어온 학문의길을 매듭짓고, 이제 새로운 정진의 이정표를 세워 힘차게 매진하는 계기로 삼고자 한다.

이 책이 나오기까지 많은 분들의 도움을 받았다. 무수히 떠오르는 추억 속에 느껴지는 과분한 은혜가 책을 내는 과정에서 가장 큰 즐거움으로 남는다. 지면의 제약으로 일일이 열거하지 못하지만, 감사의 마음은 깊이 간직하고 있음을 말씀드리고 싶다. 먼저 학문의 길을 걷도록 지도하고 격려해주신 서울대학교와 하버드 대학의 선생님들께 감사드린다. 소중한 배움의 기회를 누리도록 재정 지원을 제공해준 하버드 대학과 하버드-옌칭 연구소에 감사드린다. 필자에게 연구 수행의 기회를 주신 공동 연구팀과 귀중한 자료를 제공하고 조사에 응해주신 여러분들께, 이 자리를 빌려 고마움을 전할 수 있기를 바란다. 공동으로 발표한 제10장의 글을 이 책에 싣도록 흔쾌히 허락해주신 김명자 선생님께 감사드린다. 하버드 대학 한국연구기금, 한국과학기술원, 한국과학재단, 한국학술진흥재단, 교육부 등의 연구비 지원은 큰 도움이 되었다. 과학 기술계의 국외자인 필자에게 새로운 경험의 기회를 주고 진취적이고 학구적인 분위기로 독려해주신 한국과학기술원의 선배·동료 교수님들의 관심과 배려에 깊은 감사를 표한다. 진지한 호기심과 날카로운 비판, 도발적인 질문으로 교수로서의 기쁨과 책임, 도전을 느끼게 해준 학생들을 진심으로 고맙게 생각한다. 여러 선배와 동학, 친구들로부터 받은 지적 자극과 따뜻한 위로는 잊을 수 없는 고마움이다. 졸저의 출판을 흔쾌히 맡아주신 문학과지성사의 김병익 선생님, 채호기 사장님께, 그리고 필자의 게으름과 부주의를 참아가며 원고를 꼼꼼히 다듬어주신 편집부 여러분들의 노고에 심심한 감사를 드린다.

매일 새벽 축원해주시는 할머니, 지극한 정성으로 보살펴주시는 부모님, 동기간의 정을 넘어 동지애를 느끼는 동생들, 깊은 마음으로 성원해준 남편, 지혜로운 벗이며 조언자로 자란 딸 주연은 무엇보다 큰 힘으로 나를 지탱해주었다. 어려운 고비에서 바르고 선한 삶의 모

습을 보여주신 부모님께 변변치 못하지만 나의 첫 작품인 이 책을 바
친다.

2000년 6월
대덕 연구실에서
윤정로

차례

제1부

과학기술사회학의 가능성

제1장
과학 기술과 한국 사회

1. 머리말

최근 한국 사회에서는 과학 기술[1]의 중요성이 유례없이 강조되고 있다. 이는 세계무역기구 WTO 체제의 출범으로 구체화된 국제 질서 개편이 우리에게 한편으로는 국제화 · 세계화를 추진하면서 동시에 다른 한편으로 국가와 민족의 정체성과 자존 · 자주 · 자율을 확보하여야 하는 이중적 과제를 부과하고 있으며, 이런 과제의 해결에 중심적 역할을 담당하는 것이 바로 과학 기술이라는 상황 인식에서 비롯된다. 선진 산업국의 강력한 자유 무역 요구와 과학 기술 패권주의에 따라 움직이는 새로운 국제 질서 아래서는 과학 기술이 경제력 · 군사력 · 외교력을 위시한 총체적 국력의 원천이며, 따라서 과학 기술 자립이 국가 주권의 핵심을 이루게 된다는 것이다. 이렇게 한국 사회의 생존과 번영을 위해서 무엇보다도 과학 기술의 획기적 발전에 주력해야 한다는 주장이 강력한 영향력을 발휘하고 있다. 1960년대 이후 정부가 내세운 '조국 근대화'의 전시 효과적 상징이며 구호였던

---

1) 과학과 기술의 개념 구분과 양자 사이의 관계에 대하여는 다양한 논의가 있으나 (홍성욱, 1994: Pinch and Bijker, 1989), 이 글에서는 과학 기술이라는 용어로 양자를 포괄하여 다루기로 한다.

과학 기술 자립이 이제 국가 경영의 절대 명제로 바뀐 것이다(과학기술처 · 과학기술정책관리연구소, 1994; 김진현, 1993; 신용하, 1995).

그러나 다른 한편으로는 한국 사회에서 과학 기술에 대한 의혹과 불안, 우려와 비판의 목소리가 높아지고 점점 큰 호소력을 얻고 있다. 자동차와 공장에서 배출되는 매연, 농약과 화학 첨가물로 안심하기 어려운 식품, 산업 재해와 직업병, 태아 성(性) 감별로 초래된 성비(性比) 불균형, 첨단 병기에 의한 인명 살상 등 우리는 도처에서 일상적으로 과학 기술 개발과 이용에 수반되는 부정적 결과를 접하며 점점 위태롭게 느끼고 있다. 특히 환경 문제가 심각해짐에 따라, 과학 기술로 인하여 우리의 생존의 토대가 근본적으로 붕괴되는 데 대한 두려움이 절실하게 다가오고 있다. 최근 핵폐기물을 비롯한 각종 산업 폐기물과 생활 쓰레기 처리, 고속 철도 노선 등을 둘러싸고 발생하고 있는 사태들에서 볼 수 있듯이, 한국 사회에서 과학 기술의 원치 않는 부산물 처리 방식이 심각한 사회적 갈등을 야기하는 원인으로 자리잡게 되었다. 앞으로 우리가 부딪치는 다양한 사회 문제와 그 해결을 위한 선택에서 과학 기술이 핵심을 이루게 될 가능성은 더욱 높아지고 있다.

이제 한국 사회에서 과학 기술은 적극적으로 개발되어야 하지만 동시에 오도된 개발과 오용 · 남용이 초래하는 부작용을 교정하고 원천적으로 저지하여야 한다는 회피할 수 없는 사회적 요구와 책임에 직면하고 있다. '기술 유토피아 technopia' '과학주의 scientism' '반(反)과학주의 anti-scientism' 등 과학 기술에 대한 일방적이고 맹목적인 예찬이나 매도가 이러한 요구의 충족에 도움이 되지 못한다는 것은 명백한 사실이다. 과학 기술의 개발과 이용은 초(超)사회적 · 내재적 · 자율적 · 자기 규제적인 기제에 따르는 것이 아니라, 구체적인 사회 문화적 맥락 속에서 이루어지는 인간의 역사 만들어가기 활동의 일부이기 때문이다. 과학 기술은 한국 사회의 발전과 그 성원들의 복지와 삶의 질 향상에 기여할 수 있는 하나의 강력한 잠재력으로서 존재한다. 그 잠재력이 바람직한 방향으로 현재화되기 위해서는 사회 구성원들의 적극적인 관심과 개입이 필수적으로 요청된다.

이 글은 한국 사회에서 과학 기술이 중대한 사회적 문제로 부상하고 있는 현재의 시점에서, 정부 주도의 경제 개발 계획과 산업화가 본격적으로 추진된 이후의 과학 기술 개발과 적용 과정을 검토하고자 한다. 이것은 향후의 바람직한 과학 기술 발전 방향과 그 실천적 대안을 모색하는 데는 기존의 관념과 제도, 관행에 대한 비판적 성찰이 선행되어야 하기 때문이다. 논의의 초점은 과학 기술 개발과 이용의 구체적 사례나 내용, 경과에 대한 기술(記述)보다는 그 과정을 관통하고 있는 한국 사회의 과학 기술에 대한 시각과 관념, 의사 결정 방식에 내포되어 있는 문제점을 파악하고 대안을 모색하는 데 두고자 한다. 먼저 한국 사회에서 과학 기술이 차지하는 의미와 위상에 대하여 분석하고 대안적 시각을 제시한다. 다음에는 과학 기술의 사회적 관리에 연관된 쟁점으로 정부의 역할과 시민 참여에 대하여 살펴본 후, 마지막으로 구체적인 실천 대안을 제시해보고자 한다.

2. 과학 기술의 사회적 의미

I. '도구'로부터 '문화'로서의 과학 기술로

1993년에 개봉된 영화 「쥬라기 공원」은 최첨단의 컴퓨터 기술과 과학 기술적 상상력을 결합하여 경탄할 만한 구경거리를 만들어냈으며, 전세계적으로 사상 최대의 관객 동원과 흥행 수입을 거두었다. 이 영화는 한국에도 수입되어 공전의 히트를 기록하였고, 컴퓨터 화상(畵像) 처리 기술에 대한 관심을 높이는 하나의 계기를 제공하였다. 1994년 5월 17일자 주요 일간지에는 제2기 국가과학기술자문회의가 출범 1주년을 맞아, 정보화 사회의 고부가 가치 산업인 첨단 영상 산업을 국가 고속 정보 통신망 사업의 핵심 산업으로 육성 · 지원할 것을 촉구하는 '첨단 영상 산업 진흥 방안'을 대통령에게 보고하였다는 기사가 실렸다. 이 기사에는 「쥬라기 공원」단 한 편의 영화로 거둔 수익금 규모가 한국의 연간 텔레비전 세트 총생산량이 창출하는 부가 가치보다도 크다는 사실이 이런 건의를 뒷받침하는 논거로 제시되었다. 이 보고의 후속 조치로 1994년 12월에는 '첨단 영상 산업 진흥법'이 제정되기에 이르렀다(과학기술처, 1995: 80~84).

　단편적이기는 하나, 이 사례는 한국 사회에 널리 유포되어 있는 도구적 · 경제 중심적 과학 기술관을 보여주고 있다. 한국에서 과학 기술이 사회적으로 주목을 받기 시작한 것은 1960년대부터였으며, 그것은 정부가 강력히 추진하고 있던 경제 개발 계획의 일환으로 조직적인 과학 기술 진흥 정책을 수립하기 시작한 데 기인한 바가 적지 않다. 국내 과학 기술계의 지적 · 사회적 기반이 지극히 취약한 가운데 경제 성장을 지상 목표로 추구하던 정부가 과학 기술 진흥을 주도하였다는 사실은 중요한 함의를 갖는다. 즉, 과학 기술이 경제 성장의 수단으로 규정되며, 과학 기술 정책은 경제 성장 정책에 종속되는 위치를 차지하게 된 것이다. 이후 정부의 과학 기술에 대한 관심은 과학 기술의 개발과 공급을 통하여 산업 경쟁력을 제고함으로써 궁극적으로 경제 성장의 목표를 달성하는 데 집중되어왔다.[2] 1960년대 중반 과학 기술 전담 행정 기관의 신설(1967년 과학기술처의 설치로

---

2) 한국 과학 기술 정책의 전개 과정에 대한 자세한 논의는 과학기술처(1987), 김문조 (1983), 김환석(1991: 302~14)을 참조하라. 한국의 경제 정책에서 실제로 과학 기술이 중요한 역할을 담당하기 시작한 것은 '수출 드라이브'에서 '기술 드라이브'로 경제 발전 전략의 기조가 전환된 1980년대 이후부터였다. 1970년대까지는 대부분의 생산 시설과 기술이 일괄적으로 외국에서 도입되었으며, 한국 과학 기술 부문의 역할은 도입 기술의 소화나 그 적용 과정에서 생기는 문제 해결을 위한 초보적 개량의 수준에 국한되었다.

귀결됨)을 건의한 행정개혁조사위원회의 보고서는 "과학 기술을 최대한으로 도입하여 최단시일 내에 최대한의 경제 효과"를 거두는 것이 과학 기술 정책의 근간을 이루어야 한다고 기술하고 있다(과학기술처, 1987: 18). 정부의 정책뿐만 아니라 일반 시민 심지어는 과학 기술 분야의 전문가들에게도 이런 시각이 자리잡게 되었다.

현대 사회에서 과학 기술이 역동적인 생산력이며 엄청난 위력을 지닌 경제적 도구임은 명백하다. 그러나 경제적 도구로서의 의미만을 강조하다 보니, 과학 기술의 개발과 이용에 있어서 여타의 사회적·문화적·생태적 가치 등은 무시될 수밖에 없었고, 그것이 우리의 삶과 사회에 주는 함의에 대한 성찰이 부족하였음을 부인할 수 없다. 또한 즉각적이며 가시적인 경제 효과와 효율성을 강조하다 보니, 과학 기술에 대한 국민적 이해의 확보나 합의의 도출에는 무관심한 채, 과학 기술은 소수의 전문가들만이 이해하고 통제할 수 있으며, 따라서 과학 기술에 관련된 사회적 의사 결정은 전문가들에게 맡겨야 하는 것으로 간주하게 되었다. 결과적으로 과학 기술은 대다수의 사회 구성원에게서 유리되어 '신비화'되고, 이런 상황은 '기술 유토피아'의 환상이나 '반(反)과학주의'적 분위기가 쉽게 확산될 수 있는 토양을 제공하게 된다.

이제 과학 기술 발전이 우리의 사회 발전과 삶의 질 향상에 적극적으로 기여하기 위해서는 과학 기술의 의미에 대한 인식의 전환과 재구성이 필요하다. 우선 현실적으로, 전지구적 차원의 환경 문제 해결을 위하여 '지속 가능한 개발 sustainable development'을 도모한다는 대의명분 아래 환경과 무역을 연계하여 각국의 산업 생산을 규제하려는 선진 산업국들의 움직임, 소위 '그린 라운드 Green Round'의 바람은 종래에 한국 사회가 과학 기술에 부여하던 '경제적' 가치의 내용과 의미마저도 시급히 수정되어야 함을 의미한다. 다시 말해서, 과학 기술의 경제적 유용성의 구성 요소에 생태적 가치가 새로이 포함되어야 한다는 것이다.

그러나 더욱 중요한 인식의 전환은 '문화'로서 과학 기술의 사회적 의미를 이해하는 것이다. 일상적으로 문화는 학문·문학·예술 등 인간의 고차원의 정신적 활동과 그 산물을 의미하는 용어로 사용된다. 사회과학적 용어로서 문화란 보다 넓은 의미로 사용되어, 가치·규범·관습·지식·기술·물질적 재화 등을 포함하여 어떤 주어진 사회의 구성원들이 영위하고 있는 총체적인 생활 양식을 의미한다. 문화는 인간을 여타 동물과 구별해주는 요인이며, 어떠한 사회도 문화 없이는 존재할 수가 없다.

과학 기술은 이 두 가지 방식의 정의에 공히 합당한, 현대 사회의 핵심적인 문화를 구성하고 있다. 우선, 현대 과학 기술은 그 자체가 창조적인 정신 활동일 뿐만 아니라 인간의 다른 정신적 활동 내용과 방법, 표현 양식 등에 대하여 미치는 영향력과 권위가 증대하고 있다. 앞서 언급한 「쥬라기 공원」은 컴퓨터 기술이 영화 예술에 접목된 경우다. 다음으로, 보다 넓은 의미의 문화로서 과학 기술은 우리의 생활 양식에 광범위하고 심대한 영향력을 행사하고 있으며, 앞으로 그 영향력이 증대할 추세다. 평범한 하루의 일과나 주위를 돌아보면 순식간에 깨달을 수 있듯이, 우리가 일상 생활에서 거의 무의식적으로 접하는 과학 기술의 산물이 우리의 생활 양식을 규정하고 있다. 과학 기술은 또한 경제, 정치, 법, 교육, 종교 등 제반 사회 제도에 스며들어 영향을 미치고 있다. 더욱 중요한 점으로, 과학 기술은 최고의—거의 유일한—권위를 인정받는 지식과 진위 판단의 원천으로서 우리의 사고 방식과 행동 양식, 가치관의 기준을 제공하며, 하나의 세계관을 구성하고 있다(김남두, 1991; 김재권, 1995).

'문화'로서의 과학 기술에 대한 이해는 두 가지 측면에서 중요한 함의를 갖는다. 첫째는 우리의 일상적 삶과 과학 기술의 유기적 관계에 대한 감수성을 높여준다는 점이다. 문화는 특정한 사회의 구성원들에 의하여 만들어지고 공유(共有)되어 축적·전수·전승·변화되는 것으로 인간의 일상적 삶과 분리될 수 없기 때문이다. 둘째는 한국 사회의 문화적 정체성과 과학 기술의 관계다. 장차 자유로운 정보, 상품, 사람의 흐름 속에서 지리적 국경선의 의미는 약화되고, 독자적인 문화적 정체성이 국가와 민족의 정체성 확보와 존립에 관건이 될 것으로 예상된다. 과학 기술은 상대적으로 보편성이 강한 문화 품목으로서 범세계적 문화의 수렴화 경향에 강력한 촉매인 것이 사실이며, 문화적 정체성 확보와 과학 기술은 무관한 것으로 인식되어 왔다. 그러나 실제로 문화가 그것이 배태된 사회적 배경과 불가분의 관계를 맺고 있음은 사회과학적 상식이며, 따라서 과학 기술의 개발과 이용 및 그 결과도 사회문화적 맥락과 무관할 수 없다. 이런 인식은 한국 사회에서 과학 기술의 발전이 문화적 정체성과 발전에 적극적으로 기여할 수 있는 출발점이 될 것이다(윤정로, 1994a).

II. '과학 기술 결정론'으로부터 '사회적 과정'으로서의 과학 기술로

한국 사회에서는 과학 기술에 대하여 긍정적·낙관적 인식이 압도적이었다. 과학 기술은 사회 발전과 번영의 원천이며, 궁극적으로 모든 사회 구성원들에게 더 나은 '삶의 질'을 보장할 것으로 기대되었다. 1960년대 이후 급속한 산업화를 통하여 물질적 생활 수준이 향상됨에 따라, 산업화를 뒷받침하는 과학 기술에 대하여 긍정적으로 평가하고, 과학 기술의 발전이 물질적 풍요 이외에 다른 많은 문제들에 대한 해결책까지도 제공해주리라는 낙관적 시각이 확산되었다. 특히 1980년대 '기술 드라이브' 정책으로 과학 기술 발전이 국가 발전 전략의 핵심을 이루게 되면서, 낙관적 과학 기술관이 하나의 '이데올로기'로 동원되기 시작하였다. 기술 드라이브 정책과 시기적·내용적으로 맞아떨어지면서 풍미하게 된 '정보화 사회론'이 대표적인 사례다(김문조, 1983; 김환석, 1991: 306~19).

정보화 사회론은 현대 사회가 정보 통신 기술의 발전과 확산으로 인하여 모든 부면에서 근본적 변화를 경험하는, 질적으로 새로운— 2세기 전에 농경 사회에서 산업 사회로 전환된 것과 마찬가지로 중대한 의미를 갖는—발전 단계에 진입하고 있다는 인식을 바탕으로 하는 미래 사회론으로서, 1980년 토플러의 저서 『제3의 물결』 출판과 함께 대중화되어 전세계적으로 급속히 전파되었다.[3] 인류의 문명에 농업 혁명이라는 제1의 물결과 산업 혁명이라는 제2의 물결을 거쳐 이제 정보 혁명이라는 거대한 제3의 물결이 밀려오고 있으며, 제3의 물결은 기존 산업 사회의 폐단을 극복하여 아주 새롭고 이상적인 문명의 출현으로 이어질 것이라는 토플러의 주장은 한국 사회에서도 대단한 선풍을 일으키게 되었다. 매스컴과 지식인들은 앞다투어 필연적으로 도래하거나 또는 우리가 목표로 삼아야 할 바람직한 미래 사회상으로 정보화 사회를 소개하고, 정부는 당면한 경제적 · 정치적 위기를 돌파하는 새로운 정책에 대한 영감의 원천과 정당화의 논리로서 이용하였다. 정보 산업 육성을 비롯한 정부의 과학 기술 관련 제반 정책의 이론적 준거가 되어온 정보화 사회론의 논리 속에서 과학 기술은 우리에게 '선진 복지 사회'를 선사할 것으로 전망되고 있다.[4]

과학 기술에 대한 이러한 인식은 '과학 기술 결정론'적 관점에 바

---

3) 정보화 사회론의 선구적 이론은 1970년대 풍미하였던 탈산업 사회 post-industrial society론이다. 그러나 탈산업 사회론의 핵심적 이론가며 1973년에 『탈산업 사회의 도래』라는 저서를 출판함으로써 그 용어의 전파에 기여한 다니엘 벨도 1980년대부터는 정보화 사회라는 용어를 즐겨 사용하고 있다. 정보화 사회 개념의 연원과 비평은 Lyon(1995)을 참조하라.

4) 예컨대, 1986년에 작성되어 제6차 5개년 계획(1987~1991)부터 정부 시책에 반영된 '2000년대를 향한 과학 기술 발전 장기 계획'은 2001년까지 "GNP 3.1%의 과학 기술 투자"를 통하여 "세계 10위권의 기술 선진국" 수준에 도달함으로써 GNP 규모 "세계 15위의 경제 주요국"과 수출입 규모 "세계 10대 교역국"이 되어 "선진 복지 사회"가 구현되고 "범국민적인 정보화 시대"가 도래할 것으로 전망하였다(과학기술처, 1987: 63~68). 「새 삶을 열어가는 과학 기술」이라는 21세기위원회 보고서(1994)의 제목이 시사하듯이, 이런 인식은 변함없이 이어지고 있다.

탕을 두고 있다. 과학 기술 결정론이란 한마디로 독자적인 존재 양식과 발전 법칙을 가진 과학 기술이 사회의 변화를 주도하며, 더 극단적으로는 과학 기술이 사회의 가장 중요하고 근본적인 결정 요인으로서 역사의 '원동력'으로 작용한다는 관념이다.[5] 이런 관점에서는 과학 기술이 가치 중립적·초사회적인 성격을 지니며, 사회와 독립적으로 자율적이며 예정된 autonomous and pre-determined 과정을 따라 발전하는 것으로 간주한다. 또한 과학 기술과 사회의 관계에 있어서 과학 기술이 사회에 미치는 영향만을 인정하고 주목할 뿐, 역으로 사회가 과학 기술의 성격이나 발전에 미치는 영향은 부인하거나 무시함으로써, 양자간의 관계를 쌍방적 상호 작용이 아닌 일방적 인과 관계로 파악한다.

　과학 기술 결정론이 내포하고 있는 중요한 문제점은 과학 기술과 그 변화를 '주어진 것 givens'으로 간주함으로써, 사회 변화와 역사 형성의 과정에서 인간의 역할을 왜소하게 만들어버린다는 점이다. 사회의 '바깥'에 존재하는 과학 기술의 내재적 발전 법칙이 발현됨으로써 사회 '내부'의 변화가 좌우된다면, 인간이 사회 변화의 내용과 경로, 방향에 대하여 개입할 수 있는 여지는 지극히 제한될 수밖에 없다. 인간은 능동적인 역사 형성의 주체가 아니라 과학 기술에 이끌려가고 순응할 수밖에 없는 무력하고 수동적인 존재에 불과하게 된다. 다양한 형태로 제시된 기존의 과학 기술 낙관론이나 비관론 또는 무

---

5) 과학 기술 결정론은 문학·철학·사회과학 이론 등 광범위한 분야에서 다양한 형태로 표출되고 있으며, 오늘날 사회 이론뿐만 아니라 우리들의 의식 속에서도 대단히 강력한 영향력을 발휘하고 있다(Mackay, 1995). 그러나 과학 기술 결정론의 개념이 명확히 정립되지 못한 채 다양한 쟁점과 광범위한 편차를 가진 이론들을 포괄하는 하나의 총칭(總稱)으로 사용되고 있어 혼란을 일으키는 경우가 많다. 예컨대, 흔히 기술 결정론의 비조로 지목되고 있는 K. Marx의 사회 변동 이론이 실제로 기술 결정론적인지의 여부에 대한 열띤 논쟁이 용어의 개념적 혼란에 기인하고 있다는 비판이 제기되었다(Bimber, 1990). 과학 기술 결정론에서 제기되는 다양한 쟁점들에 대한 논의는 Winner(1977)를 참조하라.

용론(無用論)은 그 인식의 차이에도 불구하고 기본적으로 과학 기술 결정론적 시각을 공유하고 있다.

최근 한국 사회에서도 산업화와 과학 기술의 역기능이 누적되어 일상 생활에 직접적 피해를 끼치게 되면서 과학 기술에 대한 인식에 변화의 조짐이 보이고 있다. 일례로 1992년에 전국의 20세 이상 성인을 대상으로 실시한 설문 조사 결과에 의하면, 응답자의 약 65% 정도는 과학 기술의 해악보다는 이점이 크고 미래의 에너지 위기도 과학 기술로 해결할 수 있다고 보지만, 응답자의 86%가 신기술을 개발하고 도입할 때 즉각적 이익보다 장기적 부작용이나 위험을 먼저 고려해야 된다는 의견을 지지하고 있으며, 환경 오염을 가장 심각한 부작용으로 보고 있다. 과학 기술에 대하여 전폭적인 기대와 신뢰를 보내던 과거와는 달리, 이제 그 유용성은 인정하되 수반되는 역기능에 대한 우려와 경계가 높아지고 있다(한국사회과학연구협의회, 1992).[6] 과학 기술 결정론적 관점은 이런 인식의 변화를 실천에 옮길 수 있는 방안을 강구하는 데 심각한 제약을 가하게 된다.

'과학 기술 결정론'이나 또는 그에 대칭되는 '사회 결정론'은 현상의 일면만을 부각시키는 편향적 관점이며, 따라서 현대 사회에서 과학 기술과 사회가 맺고 있는 역동적 관계를 파악하기에는 미흡한 이론이다. 과학 기술과 사회 각계의 상대적 자율성을 인정하면서 양자 간의 유기적 관계에 주목하는 것이 이론적으로 보다 바람직하고 실천적으로 유용한 시각임에 틀림없다. 실제로 근래에 들어와 과학 기술에 대한 역사적 · 사회 과학적 연구는 결정론적 시각에 배치되는

---

6) 이런 인식의 변화는 정부의 공식 문건에도 반영되어, 1994년도 과학 기술 연감은 '국민과 함께 하는 과학 기술'이란 부제를 달고 있으며, 앞서 언급한 '2000년대를 향한 과학 기술 발전 장기 계획'의 연동 계획으로 1994년에 수립된 '2010년을 향한 과학 기술 발전 장기 계획'에서는 "인간 · 자연 · 사회 · 문화와 조화를 이루는 과학 기술" 및 과학 기술 발전의 역기능에 대해 관심을 표명하고 있다(과학기술처, 1995: 과학기술처 · 과학기술정책관리연구소, 1994).

경험적 증거를 구체적으로 제시하고 있으며, 과학 기술과 사회간의 쌍방적 상호 관계에 대한 인식의 중요성을 강조하고 있다. 과학 기술은 예정된 경로에 따라 발전하는 것이 결코 아니며, 과학 기술이 사회에 '충격 impact'을 미치는 것은 사실이지만 그것이 과학 기술 자체에 내재되어 있거나 일률적인 것이 아니라 정치적·경제적·문화적 요인 등 광범위한 '사회적' 변수에 따라 가변적이고, 사회도 과학 기술에 '충격'을 미치고 있다는 사실이 밝혀지고 있다. 또한 과학 기술이 지속적인 사회적 '교섭 negotiation' 과정의 산물이며, 과학 기술의 사회적 결과도 구체적인 사회 문화적 맥락 속에서의 사회적 '교섭' 과정에 의하여 그 내용과 방향이 결정된다는 사실도 밝혀지고 있다. 요컨대 '사회의 과학 기술적 형성 및 구성 scientific/technological shaping and construction of society'과 함께 '과학 기술의 사회적 형성 및 구성 social shaping and construction of science/technology'에 동시적 관심을 기울여야 하며, 과학 기술과 사회간에 엄격한 강제 관계 compulsory relationship가 존재한다기보다는 다양한 요소의 선택적 조합을 통하여 다양한 양태를 취할 수 있는 광범위한 연계 links가 존재한다고 상정하여야 한다는 것이다(윤정로, 1994b; 이영희, 1995; Mackay, 1995; Pinch and Bijker, 1987; Winner, 1986). OECD의 한 보고서(1989)에서는 이런 관점을 '사회적 과정으로서의 기술 technology as a social process'이라는 용어로써 압축적으로 표현하고 있다.

3. 과학 기술의 사회적 관리
──정부와 시민 참여

　현대 사회에서 과학 기술의 개발과 활용에는 바람직한 결과와 함께 불가피하고 쉽사리 파악되지 않는 직·간접적 부작용과 위험 risk

이 따르고 있다. 과학 기술의 파급 효과도 제일적(齊一的)uniform인 것이 아니라 사회 집단에 따라 차별적이다. 과학 기술은 보편선(普遍善) universal good이 아니라 이중성(二重性)을 지니고 있다. 따라서 과학 기술에 대한 사회적 관리 social management of science and technology를 통하여 이점(利點)의 극대화와 폐해의 극소화를 도모하고 공공 이익을 보호하여야 할 필요성이 제기된다. 이는 이해 관계를 규제하고 관련자(집단)간의 갈등을 조정하여 사회적 합의를 도출하고 시행에 옮기는 작업, 즉 과학 기술에 관련된 사회적 기획 planning, 의사 결정, 집행 과정을 의미한다.

일반 시민과 전문가 모두 과학 기술에 대하여 표명하는 관심과 우려는 최근에 들어 보다 특정화·구체화되고 있다. 과학 기술 일반의 긍정적·부정적 효과나 제어 불가능성에 대한 우려보다는 특정 과학 기술과 특정 사안에 대한 관심으로 전환되고 있다는 것이다. 따라서 과학 기술의 사회적 관리도 대체로 특정 과학 기술이나 과학 기술군(郡)에 대한 예측 forecasting, 평가 assessment, 제어 control, 조정 reshaping 등을 구체적인 내용으로 함으로써 주로 정책 문제와 관련된다. 과학 기술 예측은 특정의 과학 기술(군)이 주어진 기간중에 거치게 될 발전의 속도, 방향, 정도에 대하여 기술적 technical으로 정통한 전문가들에 의하여 수행되는 추정 작업으로, 그 자체가 목적이라기보다는 기획에 도움을 주는 강력한 수단이다. 과학 기술 평가는 과학 기술 프로그램의 본질, 중요성, 위상, 장·단점 및 득실을 체계적으로 분석하여 그 사회적 영향 — 특히 이차적·간접적 영향 — 을 총체적으로 규명하고, 그것을 시민들에게 가시화함으로써 장기 계획과 정책 수립 기반을 제고하고 궁극적으로는 바람직한 방향으로 제어·조정할 것을 목표로 한다. 과학 기술의 사회적 관리, 특히 과학 기술 평가와 제어 및 조정의 주역을 누가 맡아야 하는지의 문제는 사회적 가변성 contingency이 있으며 중요한 정치적 쟁점이 될 수 있다.[7]

<표-1>　　　　　　　　과학 기술 활용의 책임에 대한 의견

1992년도 설문 조사[1]			1995년도 설문 조사[2]	
책임자＼응답자	일반 국민	과학 기술인	책임자＼응답자	일반 국민
정부 · 정치가	43.3 %	60.6 %	정부	22.6 %
기업가 · 관리자	28.6	23.9	학교	18.4
과학자 · 기술자	16.6	7.6	과학 기술자	16.4
일반 국민	9.7	6.4	일반 국민	15.3
언론인	0.4	0.2	기업	12.8
기타	1.4	1.2	언론	6.7
			기타	7.7
합계	100.0 %	99.9 %	합계	99.9 %
(응답자 수)	(524)	(406)	(응답자 수)	(477)

자료: 한국사회과학연구협의회, 1992: 106; 김선건 외, 1995: 32.
주: 1) "과학 기술의 활용으로 부작용도 일어납니다. 이러한 부작용이 일어나는 것은
　　 누구의 책임이 가장 크다고 보십니까?"라는 문항에 대한 응답 결과다.
　 2) "과학 기술을 올바로 활용하기 위해서는 누가 가장 중심적인 역할을 해야 한다
　　 고 생각하십니까?"라는 문항에 대한 응답 결과다.

　　앞서 언급한 대로, 한국에서도 사회 구성원 대다수가 과학 기술의
사회적 관리 필요성에 대하여 인식하고 있다. 그러면 한국 사회에서
누가 과학 기술의 사회적 관리에 중심적 역할을 담당하여야 하는가?
<표-1>에 제시된 설문 조사 결과에 의하면, 가장 많은 사람들이 정부
의 역할이 중요하다고 응답했고, 특히 과학 기술인들이 정부의 역할
을 중시하고 있다. 그런데 일반 국민을 대상으로 한 1992년과 1995년
의 조사 결과를 비교하면 몇 가지 흥미로운 변화가 보인다. 우선 정
부가 응답 순위 1위를 지키고는 있지만, 그 비중이 43.3%에서 22.6%

---

7) 과학 기술의 사회적 관리에 관한 다양한 시각은 Teich(1986), 외국의 과학 기술 평
　가 제도는 이영희(1994)의 글에 자세히 소개되어 있다.

로 현격히 감소하였다는 점이다. 기업가의 경우도 순위(2위→5위)와 비중(28.6%→12.8%) 모두 저하되었다. 반면, 일반 국민(9.7%→15.3%)과 언론(0.4%→6.7%)의 비중은 현격히 증가되었으며, 새로이 학교(18.4%)가 중요한 행위자로 추가되었다. 총괄적으로 1992년에는 정부, 기업가, 과학 기술자에게 거의 전적인 책임이 돌려졌던 데 반하여, 1995년에는 정부, 학교, 과학 기술자, 일반 국민, 기업, 언론이 함께 책임을 나누어야 하는 것으로 응답자들이 인식하고 있다. 이것은 과학 기술의 바람직한 사회적 관리에 대한 응답자들의 적극적 의식 및 욕구의 상승과 무관하지 않을 것으로 보인다.

실제로 한국에서는 사회적으로 과학 기술이 어떻게 관리되어왔으며, 정부는 어떤 역할을 해왔는가? 앞에서 기술한 바와 같이 한국 사회에서 과학 기술은 유력한 경제 성장의 도구로서 사회 구성원들의 복리와 행복도 증진시켜줄 것으로 기대되어왔으며, 정부는 주로 과학 기술의 도입·개발·공급·활용의 효율성을 제고하는 데 관심을 기울여왔다. 정부의 과학 기술 행정 체제는 정책 수립과 집행 기능에 역점을 두는 반면, 정책의 내용을 평가하여 다음 정책 수립에 반영할 수 있는 평가 기능은 경시하고 있다. 특히 과학 기술 정책을 사회 복지와 삶의 질, 문화 등의 다양한 차원에서 평가하는 제도는 마련되어 있지 못하다. 단지 과학 기술 산물의 부작용을 안전성의 차원에서 규제하는 기능이 관련된 행정부처 내에 미약하게 분산되어 있을 뿐이지만,[8] 이런 제도도 운영이 부실하게 이루어지고 있는 실정이다. 예를 들어 심각해지는 환경 문제에 대처하기 위한 일종의 과학 기술 평

---

8) 예컨대, 통상산업부의 기초공업국 기초화학과에서는 화학 산업 환경 오염 방지, 생활공업국 화학공업과에서는 오존층 보호를 위한 특정 물질의 제조 규제를 담당하고, 정보통신부의 정보통신지원국 정보통신진흥과에서는 컴퓨터의 역기능 방지, 농림수산부의 농업정책실 환경농업과는 농업 환경의 오염 방지, 건설교통부의 교통안전국 자동차기술과는 자동차의 안전 기준 관리, 항공국 운항과는 항공기 운항 안전 업무를 담당하고 있다(김선견 외, 1995: 29).

가로 실시되어온 환경 영향 평가는 요식 행위에 불과하고 오히려 환경 파괴의 면죄부 노릇만 한다는 비난을 받고 있다(김선건 외, 1995: 28~29).

한국 과학 기술 정책의 수립 과정은 효율 중심적 · 엘리트주의적 관점에 입각한 배제적 exclusionary 성격이 지속되어왔다. 과학 기술 정책에 관한 한, 한국 정부는 이해 당사자인 시민들로부터 고립되어 고도의 '자율성'을 견지하여왔다. 바꾸어 말하면, 시민들의 삶과 밀접한 관계를 맺고 있는 과학 기술 정책의 입안과 시행에 있어서도 시민들이 참여할 수 있는 통로는 거의 열려 있지 않았다는 것이다. '전 국민의 과학화'나 '과학 기술의 대중화'라는 구호는 이미 확정된 정책에 대한 정부의 홍보와 선전 —— 그 효과마저 의심스러운 —— 에 그치고, 과학 기술과 관련하여 광범위한 사회적 합의를 도출하기 위한 의식적 · 적극적인 노력은 찾아보기 어려운 실정이었다. 배제적 정책 수립은 과학 기술 정책에 대한 국민들의 불신과 저항, 사회적 갈등을 빚어낼 수 있으며, 이는 최근 핵폐기물 처리 시설 부지 선정을 둘러싸고 일어난 사태들에서 극명히 드러난 바 있다(윤정로, 1994c; 이영희, 1994).

요컨대, 한국에서는 아직 과학 기술의 사회적 관리를 위한 제도적 장치와 관행이 정립되지 못하였다. 사회 구성원들은 정부가 과학 기술의 진흥과 더불어 사회적 관리에도 적극적으로 나서주기를 기대하는 반면, 정부의 과학 기술 정책은 정부 주도적 공급 위주의 틀에서 벗어나지 못하고 있다. 이런 상황을 타개하기 위하여 한국 과학 기술 정책의 시야가 확대되어야 한다는 것은 언급할 필요조차 없는 당연한 사실이다. 그러나 한편 〈표-1〉에 제시된 설문 조사 결과는 이 문제와 관련하여 또 다른 시사점을 던지고 있다. 사회 구성원들 사이에서 과학 기술의 올바른 활용은 정부나 기업에게만 책임을 미룰 것이 아니라 사회의 각계각층, 그리고 특히 일반 국민들이 나서서 중심적 역할을 맡아야 할 과제라는 인식의 전환이 최근에 들어 급격히 진행되고 있다는 점이다. 이는 사회 구성원들의 참여 지향적 participatory 정책 수립 과정 또는 시민 참여 public participation에 대한 욕구가 강력히 표출되고 있는 것으로 볼 수 있다.

그러면 한국 사회에서 시민 참여가 활성화되는 참여 지향적 · 민주적 방식의 과학 기술 정책이 관철되기 위하여 요구되는 사회적 기반은 무엇인가? 오늘날 과학 기술 지식의 가속적 확대 · 심화 · 전문화추세 속에서 대다수의 시민들은 과학 기술적 사안에 대하여 상대적으로 무지하며, 전문 과학 기술자들의 판단을 받아들이고, 그 판단이 '올바른' 판단이기를 기대할 수밖에 없다. 다른 한편, 과학 기술자들은 과학 기술을 구상하고 개발하며 전문 지식을 요구하는 과학 기술적 사안과 정책 결정에 직접적으로 영향력을 행사할 수 있는 위치를 점하고 있다. 그러나 과학 기술 정책은 기술적 technical 성격과 더불어 정치적 성격을 갖는다. 여타의 사회적 의사 결정과 마찬가지로, 과학 기술 정책에 있어서도 기술적 요소만을 고려하여 해결할 수 있는 것은 지극히 사소한 사안에 국한될 뿐이다. 과학 기술 정책은 기술적 장점과 더불어 광범위한 사회적 지지 기반을 확보할 때만이 성공적으로 입안되고 수행될 수 있다. 따라서 과학 기술의 사회적 의미와 역할에 대하여 각성된 의식과 소양을 갖춘 시민과 과학 기술 전문가 집단이 형성되어 이들이 과학 기술 정책 결정 과정에 적극적 참여와 개입을 요구할 때 비로소 민주적이고 참여 지향적인 과학 기술의 사회적 관리가 실현될 수 있는 기반이 마련될 것이다.

4. 맺음말
—— '두 문화'의 극복을 위하여

최근 한국 사회에서도 과학 기술의 발전이 중요하다는 인식과 더불어 그 사회적 함의에 대한 관심이 고조되고 있다. 과학 기술이 산업 경쟁력이나 국가 경쟁력 제고의 수단으로서뿐만 아니라 사회 구성원들의 복리와 삶의 질, 문화, 환경 등의 다양한 측면에서 어떤 역할과 의미를 지니는지에 대한 관심이 높아지고 있다. 필자는 이런 시점에서 과학 기술이 사회의 여타 부문과 상보적으로 발전하여 사회 구성원 모두의 삶의 질 향상에 기여할 수 있는 방향을 모색하는 데 있어서 가장 기본적이고 중요한 과제 중의 하나가 광범위한 사회 구성원들의 과학 기술에 대한 건전한 이해를 확보하는 것이라고 본다.

1950년대 후반 영국의 물리학자이자 작가인 스노우Charles P. Snow는 '두 문화two cultures'라는 용어로 과학 기술과 인문학 사이에 간극이 확대되는 현상에 대해 우려를 표명하였다. 두 문화가 각기 영역의 본질과 의미에 대한 진지한 대화와 이해의 노력 없이 독자적인 경로를 따라 발전함으로써 발생한 상대방에 대한 무지와 오해, 반목은 현대 사회의 위기를 초래하고 있다고 보았다. 스노우는 특히 인문학 분야의 과학 기술 문화에 대한 무지와 편견에 비판적이었으며, 과학도 문화의 일부분으로 정당한 평가를 받아 교양 교육의 중심이 되어야 함을 역설하였다(Snow, 1964).

한국 사회에서도 '두 문화' 사이의 간극이 존재하여왔음을 부인할 수 없다. 과학 기술 전문가들은 자기들만이 이해하고 접근할 수 있는 과학 기술 지식에 대하여 배타적이고 엘리트주의적인 우월감 속에서 일반 시민의 과학 기술에 대한 이해를 높이는 데 별로 관심을 기울이지 않고, 일반 시민들은 과학 기술에 대하여 무관심, 무지, 오해, 편견을 갖거나 맹목적으로 숭배하고 있는 듯한 경향이 보인다. 과학 기술의 본질과 그것이 인간의 삶과 맺고 있는 관련성을 이해함으로써, 급속히 변화하는 과학 기술에 대한 무력감과 신비감을 극복하고 과학 기술이 제공하는 이점(利點)의 선택과 또한 과학 기술이 야기하는 문제점 및 그 해결책에 대하여 비판적·적극적으로 바라볼 수 있는 안식이 광범위한 시민층에 확산될 때 진정한 의미의 바람직한 과학 기술 발전과 활용이 뿌리를 내릴 수 있다고 본다. 다시 말하면, 다수의 사회 구성원들이 과학 기술에 대하여 흥미와 친숙함을 느끼고 과학 기술의 발전도 인간의 자유와 선택, 제어 능력이 행사될 수 있는 영역으로 간주하는 인식을 공유해야 한다는 것이다.

이런 인식을 제고하기 위한 하나의 방안으로 과학 기술 관련 교육의 개선을 들고자 한다. 추상적이고 완성된 형태의 과학 기술 지식의 주입·전수에 편중되어 있는 현재의 초·중·고·대학에서의 과학 기술 관련 교육이 과학 기술의 사용자, 소비자, 관리자 그리고 일부분은 생산자로서의 사회적 의식과 책임을 일깨워줄 수 있는 방향으로 강화되어야 한다고 본다. 여러 선진 산업국에서 과학 기술이 중대한 사회적 문제로 부상할 때마다 과학 기술 관련 교육의 개편을 시도하였다는 사실은 매우 시사적이다. 또한 시민 단체 활동의 활성화를 통해 '고삐 풀리고' '폭주하는' 과학 기술에 대하여 제동을 가하고 광범위한 사회 구성원들의 참여 속에서 민주적 방식으로 합의를 도출하는 사회적 의사 결정 방식이 정착되어야 한다. 마지막으로, 현대 사회에서 "어떠한 사회적·인간적·정신적 사실도 기술만큼 중요한 의미를 지니지 못하지만 또한 동시에 기술만큼 그렇게 알려지지 않은 주제도 없다"는 프랑스 사회비평가 자크 엘륄Jacques Ellul의 진단 (Teich, 1986: 40에서 재인용)은 오늘날 한국의 현실에도 적합성을 지닌다고 보며, 한국 사회의 구체적 맥락 속에서 인문학적·사회과학적 문제로서의 과학 기술에 대한 진지한 지적 탐구 작업이 본격화되어야만 하는 시점에 이르렀음을 강조하고자 한다.

참고 문헌

과학기술처(1987), 『과학 기술 행정 20년사』.

──── (1995), 『과학 기술 연감 1994: 국민과 함께 하는 과학 기술』.

────, 과학 기술정책관리연구소(1994), 『2010년을 향한 과학 기술 발전 장기 계획』.

김남두(1991), 『인문적 과학 교육을 위한 테제』, 유네스코한국위원회 워크숍, 『교양 과학 교육 어떻게 할 것인가?』, pp. 8~11.

김문조(1983), 「과학 기술과 한국 사회의 미래」, 한국사회학회 편, 『한국 사회 어디로 가고 있나』, 현대사회연구소, pp. 221~37.

김선건·김필동·김현주·노병일·노태천·박대식·윤정로·조성겸 (1995), 『과학 기술 발전과 한국인의 삶의 질』, 한국사회학회 사회학대회 발표 자료, 동아대학교.

김재권(1995), 「과학과 기술에 관한 철학적 성찰」, 『제2회 한민족 철학자 대회 발표문 요약집』, pp. 91~103.

김진현(1993), 『한국은 어떻게 가야 하는가: 국격(國格)·국력…… 선진화를 위한 제2 독립 운동』, 매일경제신문사.

김환석(1991), 「과학 기술의 이데올로기와 한국 사회」, 한국산업사회연구회 편, 『한국 사회와 지배 이데올로기』, 녹두, pp. 291~323.

대통령 자문 21세기위원회 편(1994), 『21세기의 한국』, 서울프레스.

신용하(1995), 『21세기 한국과 최선진국 발전 전략: 한국이 미국·일본·독일을 추월하는 길』, 지식산업사.

윤정로(1994a), 「과학 기술과 문화」, 2010년을 향한 과학 기술 발전 장기 계획의 기본 방향 전문가 초청 발표 원고.

──(1994b), 「'새로운' 과학사회학: 과학지식사회학의 가능성과 한
　　계」, 『과학과 철학』 5, 통나무, pp. 82~110.

──(1994c), 「토론: 이영희, 과학 기술과 기술 영향 평가」, 한국사회
　　학회 편, 『한국 사회 개혁의 과제와 전망』, 새길, pp. 250~53.

이영희(1994), 「과학 기술 정책과 기술 영향 평가」, 한국사회학회 편,
　　『한국 사회 개혁의 과제와 전망』, 새길, pp. 214~49.

──(1995), 『과학 기술과 사회의 상호 관계』, 과학기술정책관리연구
　　소 연구 보고 95-25.

한국사회과학연구협의회(1992), 『과학 기술과 사회 문화에 대한 과학 기
　　술인의 의식 조사 및 과학 기술의 득실에 대한 국민의 인식과 태
　　도 연구』, 한국과학기술진흥재단 연구 보고서.

홍성욱(1994), 「과학과 기술의 상호 작용」, 『창작과비평』 22, pp.
　　329~50.

Bimber, B.(1990), "Karl Marx and the Three Faces of Technological
　　Determinism," *Social Studies of Science* 20, pp. 333~51.

Lyon, David(1995), "The Roots of the Information Society Idea,"
　　Information Technology and Society, edited by N. Heap et al.,
　　Thousand Oaks, California: Sage, pp. 54~73.

Mackay, Hughie(1995), "Theorising the IT/Society Relationship,"
　　Information Technology and Society, edited by N. Heap et al.,
　　Thousand Oaks, California: Sage, pp. 41~53.

OECD(1989), *New Technologies in the 1990s: A Socio-Economic
　　Strategies*, Paris.

Pinch, T. J. and W. E. Bijker(1987), "The Social Construction of Facts and
　　Artefacts," *The Social Construction of Technological Systems*, edited
　　by W. E. Bijker, T. P. Hughes and T. J. Pinch, Cambridge: MIT
　　Press, pp. 17~50.

Snow, Charles P., [1959](1964), *The Two Cultures and a Second Look*, Cambridge: Cambridge University Press.

Teich, Albert H.(ed.)(1986), *Technology and the Future*, New York: St. Martin's Press.

Winner, Langdon(1977), *Autonomous Technology: Technics-out-of-Control as a Theme in Political Thought*, Cambridge: MIT Press.

————(1986), *The Whale and the Reactor: A Search for Limits in an Age of High Technology*, Chicago: University of Chicago Press.

제2장

과학 기술
──한국 사회학의 새로운 영역

1. 한국 과학기술사회학의 가능성

현대 사회에서 과학 기술의 중요성은 언급할 필요조차 없는 사실
이다. 최근 한국 사회에서도 과학 기술 발전의 중요성에 대한 인식과
더불어 과학 기술에 대한 사회적 관심이 급격히 고조되고 있다. 최근
자주 접하게 되는 '과학 기술 입국' 등의 구호에서도 알 수 있듯이 국
가 경쟁력의 근간으로서 과학 기술 발전이 강조되고 있다. 반면, 심
각한 환경 파괴로 명백히 드러나듯이 '폭주하는' 과학 기술 발전에
대한 우려의 목소리도 높아지고 있다. 그러나, 과학 기술에 대한 한
국 사회학계의 관심은 아직 극히 제한되어 있는 상태다. 과학 기술과
관련된 한국 사회학자들의 관심은 대부분 탈산업 사회론·정보화 사
회론 또는 과학 기술 혁명론 등으로 대표되는, 최근의 급속한 과학
기술 발전이 가져오는 사회적 영향의 일부를 탐구하는 데 집중되어
있는 듯하다. 서구의 학계에서는 과학 기술이 이미 사회학의 고유 영
역으로 확고한 위치를 차지하고 있으며, 과학기술사회학[1]은 최근에

―――――――――――――
1) 과학과 기술의 개념적 구분과 양자 사이의 관계에 대하여는 다양한 논의가 있으나,
   일반적으로 과학이 양자를 포괄하는 총칭으로 사용되기도 한다. 따라서 서구 학계
   에서는 과학과 기술을 포괄하는 개념으로 과학사회학sociology of science이라는

이르러 더욱 활발한 성장을 기록하고 있는 분야다.

1930년대부터 선구적으로 과학사회학 분야의 연구를 계속하였던 머튼Robert K. Merton[2]은 과학 기술에 대한 사회학자들의 무관심을 개탄하면서, 과학이 중요한 '사회 문제'로 인식됨으로써 과학이 함축하고 있는 사회적 의미에 대하여 과학자뿐만 아니라 사회 전반의 관심이 고조되는 것과 때를 같이하여 과학에 대한 사회학적 관심이 일어날 것이라고 예견한 바 있다([1952] 1973). 이 예견은 미국과 유럽의 경우에 적확한 것이었다. 미국에서는 경쟁적인 핵무기 개발과 실험으로 과학 기술 발전의 사회적 결과에 대한 관심이 높아지는 가운데, 1957년 미국에 한발 앞서 소련이 스푸트니크 1호 인공 위성 발사에 성공함으로써 자국의 과학 제도와 과학 교육에 대한 위기 의식이 확산되면서 과학사회학이 사회학의 전문 분과로 정립되기 시작하였다. 유럽의 경우에는 1960년대 미국과 비교하여 유럽 과학 기술의 상대적 후진성에 대한 우려가 높아지면서 과학 제도의 개선과 과학 기술의 발전에 대한 사회적 관심이 높아지게 되었다. 다른 한편에서는 과학 기술 발전의 부정적 결과에 대한 환멸과 더불어 '반(反)과학적' 분위기가 확산되었다. 이런 상황 아래서 과학 기술의 적극적 개발과 오도된 과학 기술 개발과 이용의 저지 · 교정이라는 사회적 요구의 충족에 기여할 수 있는 분야로서 과학에 대한 사회과학적 탐구가 본격적으로 이루어지게 되었다(윤정로, 1992; 1994).

이런 상황을 고려하여볼 때, 한국 사회학계가 한국 사회의 중요한 사회적 문제로 부상하고 있는 과학 기술 부문에 대한 적극적 연구 활

명칭이 통용되어왔으며, 이 글에서도 이런 관례를 따르기로 한다. 그러나 관심 영역을 더욱 명확히 부각시킬 필요가 있는 경우에는 과학기술사회학이라는 명칭을 사용하기로 한다.
2) 한국에서 대표적인 구조 기능주의 이론가로 널리 알려져 있는 머튼은 만년에 미국 사회학회 소식지에 실린 인터뷰에서 자신의 가장 의미 있는 학문적 업적으로 과학 사회학 분야의 개척과 연구 성과를 첫째로 꼽고 있다(Yan, 1991: 4).

동과 더불어 사회학 교육 과정 내에 과학기술사회학 분야를 포함시키는 작업이 바람직하며 시의적절하다는 것이 필자의 견해다. 이 글에서는 현재 한국 사회학계의 현실적 조건을 염두에 두고 과학기술사회학 분야의 연구와 교육에 관련된 몇 가지 측면에 대하여 고찰해 보고자 한다. 먼저 과학기술사회학의 문제 의식과 내용을 간략히 논의한 후에, 과학기술사회학 교과목의 개설 현황과 명칭, 운영 방안 및 예상되는 사회 진출 분야와 전망에 대하여 살펴보고, 마지막으로 학부 과정 강의 계획안의 예를 제시하고자 한다.

2. 과학기술사회학의 문제 의식과 내용

I. 서구 학계의 동향과 현실 적합성

과학사회학은 1950년대말부터 머튼의 주도 아래 미국에서 지적·제도적으로 사회학의 전문 분과로서 모습을 갖추기 시작하였으며, 1970년대초부터는 유럽의 젊은 연구자들을 중심으로 새로운 흐름들이 형성되면서 역동적으로 발전하여왔다. 미국에서는 주로 기존의 사회학과 대학원 과정을 통하여 과학사회학 분야에 대한 관심이 뿌리를 내린 반면, 유럽에서는 기존의 사회학과 이외에도 과학 기술의 사회적 측면에 관련된 제반 분야의 연구와 교육을 담당하기 위하여 새로이 설립된 학제적(學際的) interdisciplinary 프로그램의 일부로 과학사회학이 자리잡게 되었다. 서구의 과학사회학은 사회학뿐만 아니라, 과학사, 과학철학, 과학정책학, 인류학, 기호학, 심리학 등의 인접 학문과 자연과학 및 공학 등 광범위한 분야로부터 지적 자원을 흡수하면서 발전하여왔다. 따라서 오늘날의 과학사회학은 학제적 성격을 강하게 띠고 있으며, 대단히 다양한 관점과 방법론, 연구 영역을 포괄하고 있다.

과학사회학 전공자들의 학문적 배경을 살펴보면, 서구에서는 사회학 이외의 자연과학 및 공학 분야에 조예가 깊은——대학원 과정의 교육과 전문적 연구 경험까지 있는——과학사회학자들이 상당한 수에 이르고 있다. 이들은 종래의 사회학적 훈련만으로는 접근하기 어려웠던 과학 기술의 내용에 대한 전문 지식을 바탕으로 과학 기술의 다양한 부면에 대하여 새로운 관점에서 분석을 가함으로써, 최근 서구 과학사회학계에서 강력한 지적 영향력을 행사하고 있다. 그러나 이것이 과학사회학 분야를 전공하기 위하여는 고도의 과학 기술 지식에 대한 이해가 필수 요건임을 의미하는 것은 아니다. 전적으로 사회학적 전통에 충실한 과학사회학의 접근 방식도 지속적으로 활력을 유지하고 있으며, 광범위하고 강력한 현실적 적용 가능성이 있는 연구 결과들을 산출하고 있다. 요컨대, 상이한 측면의 비교 우위에 입각한 과학사회학 내의 다양한 접근 방식들은 각기 필요하고 고유한 역할을 수행하는 상보적인 관계에 있으며, 사회학적 사고의 배양이 과학사회학 분야의 훈련 과정에 핵심적이라는 것이다.

　　과학사회학 분야의 문제 설정이나 접근 방식, 개념 도식들은 그 모학문인 사회학과의 관련성에 있어서 상당한 편차를 보이고 있다. 일부는 사회학에서 축적된 자원에 전적으로 의존하며 그 연구 결과가 사회학 일반에 쉽게 활용될 수 있는 반면, 다른 한편으로는 과학사회학 분야에 특유한 것으로 특정 주제를 벗어나 일반화하기는 상당히 어려운 것도 있다. 일례로 서구 과학사회학계의 주요한 연구 영역의 하나인 과학지식사회학, 그리고 특히 이 분야에서 최근에 활발히 진행되고 있는 인식론적·방법론적 논의들은 과학기술사회학계 내에서의 영향력과 그 급진적 잠재력에도 불구하고, 청중의 범위가 한정되어 있어 여타 분야에서는 별다른 영향력을 발휘하지 못하고 있다.

　　서구 과학사회학계의 주목되는 최근 동향 가운데 하나는 종래에 비교적 관심이 적었던 기술에 대한 사회학적 분석에 관심이 급속히 고조되고 있다는 점이다.

마지막으로, 서구 과학기술사회학계의 연구는 그 연구 대상이 과학 기술 분야의 선진국에 거의 전적으로 집중되어 있다. 현재 과학 기술이 서구에서 선구적으로 발전되어 기타 지역의 사회로 전파되고 있음은 부인할 수 없다. 그러나 이 사실 때문에 여타 지역의 과학 기술 활동과 제도에 대하여도 서구의 과학 기술 활동이나 제도와 같아질 것이라거나 같아져야만 한다는 검증되지 않은 판단을 내리는 수렴론적 경향을 경계할 필요가 있다. 한국과는 많은 차이가 있는 현실에 바탕을 두고 있는 서구 과학기술사회학 연구 업적의 적용과 일반화에는 세심한 주의가 요구된다. 따라서, 서구에서 발전되어온 과학기술사회학을 충실히 소개하는 데 주력하는 교과목 구성은 지양되어야 한다.

이상에서 언급한 서구 학계의 동향으로부터 한국 사회학계의 과학기술사회학 연구 및 교육과 관련하여 도출할 수 있는 함의는 무엇보다도 사회학적 훈련에 의하여 우위를 확보할 수 있으며 한국 사회에 현실 적합성이 있는 영역에 대한 연구와 교육에 노력을 경주해야 된다는 점이라고 본다. 또한 과학기술사회학 분야에 대하여 광범위하고 탄력적으로 그 범위를 해석하는 입장을 취함으로써, 사회 진출 기회와의 연계를 강화하기 위하여 과학 기술 정책 및 연구 개발 관리 등을 포괄할 수 있는 다양한 내용의 교과목을 구성하는 것이 바람직하다고 본다.

II. 과학기술사회학의 주요 내용

과학기술사회학 연구와 교육은 사회학적 문제 의식과 관점을 통하여 과학 기술과 사회 사이의 역동적 관계를 이해함으로써, 궁극적으로는 현재 한국의 과학 기술이 직면하고 있는 문제를 찾아내고 바람직한 해결책을 모색하는 분석적 능력을 배양하는 데 목표를 두고자 한다. 이 분야의 교육은 현실적으로 의미가 있는 주제와 생활 주변에서 쉽게 발견할 수 있는 소재에 대한 분석을 중심으로 구성하여 과학기술사회학 이론과 방법론을 이해할 수 있도록 하는 것이 바람직하다. 그러나 아직 한국의 사례에 대하여 이 분야에서 축적된 연구 업적이 불충분하기 때문에, 당분간은 외국의 사례 분석에 대한 비판적 검토를 통하여 비교 분석적 관점을 획득하는 전략을 병행할 수밖에 없다.

과학기술사회학 과목의 내용은 담당 교수에 따라 다양하게 구성될 수 있다. 필자는 현대 과학 기술의 특성과 사회적 의미, 과학 기술 제도 · 문화의 사회적 가변성과 재조직 가능성이라는 문제 의식을 배경으로 강의 내용을 다음과 같이 5개 부문으로 구성하고자 한다.

1) 문제와 관점

강의의 서론에 해당하는 부분으로서, 여기에서는 과학 기술과 사회와의 관계에 대한 다양한 관점을 살펴봄으로써 과학 기술에 대한 종래의 사고 방식에 의문을 제기하고 정당한 사회학적 탐구 대상으로서의 과학 기술에 대한 시각을 확립하는 데 목표가 있다. 즉, 과학 기술이 인간의 삶에 미치는 영향에 대한 의식의 결여나 무력감을 극복함으로써 과학 기술의 발전도 인간의 자유와 선택, 제어 능력이 행사될 수 있는 영역으로 인식할 수 있도록 하는 것이다. 이를 위해서는 과학 기술이 단순한 추상적 지식이나 특정의 유용성 추구를 위한 물질적 도구로 존재하는 것이 아니라, 과학 기술이 인간의 일상적 생활 방식에 바탕을 두고 있으며 자연과 세계에 대한 이해의 형식과 내용을 규정하는 세계관으로서의 역할을 수행하고 있음에 대한 적절한 이해가 요구된다.

이 부문의 구체적 내용으로는 먼저 과학/기술의 개념과 이런 개념화 작업에 연결되어 있는 과학 기술과 사회의 관계에 대한 다양한 관점 —예컨대, 과학 기술 결정론, 사회적 구성주의, 행위자 네트워크, 기술 체계론 등 —을 고찰한다. 다음에는 신흥 공업국으로서의 한국의 위상에 초점을 맞추고 과학 기술의 문제를 국제 체제와 연결하여 고찰한다. 마지막으로는 과학 기술에 대한 비판적 시각으로서 페미니즘, 마르크시즘 및 기타 '대안적' 과학 기술 등의 관점을 검토한다.

2) 과학 기술의 사회 조직

이 부분은 사회 제도로서의 과학 기술, 즉 과학 기술 활동과 과학 기술자 사회 내부의 사회적 구조와 과정에 대한 분석으로 이루어져 있다. 이 영역은 과학기술사회학의 정립 초기부터 주로 사회학 분야의 훈련 과정을 거친 연구자들에 의하여 활발한 연구 활동이 이루어져왔으며, 사회학 전반의 연구 동향과 밀접한 관련을 맺으면서 발전하여왔다. 이 영역에서는 과학 기술, 특히 과학의 규범 구조, 일탈 행동과 사회 통제, 보상 체계와 계층 구조, 과학자의 경력 career, 커뮤니케이션과 네트워크, 전문 분과 scientific specialty의 발전 등에 대한 많은 연구 업적이 축적되어 있으므로, 담당 교수의 관심에 따라 어느 부분이라도 선택이 가능하다.

이 글에 제시된 강의 계획안에서는 국문 참고 문헌의 이용 가능성을 고려하여, 초기 과학기술사회학에서 압도적 영향력을 행사하였던 머튼의 구조기능주의적 패러다임의 핵심 요소인 규범 구조와 보상 체계 그리고 계층화에 초점을 맞추었다. 이외에도 전통적으로 과학 기술사회학의 주요 관심사가 되어왔던 근·현대 과학 기술의 제도적 기원에 대하여 오늘날까지 널리 읽히고 있는 고전적 분석, 그리고 현대 과학 기술 활동의 특성에 대한 과학 기술자 자신들의 체험에 입각한 기술과 저널리즘적 기술, 최근의 과학기술사회학적 관점에 입각한 민족지 ethnography적 기술을 포함하였다.

44

3) 과학 기술의 변화와 혁신

1970년대 유럽의 젊은 연구자들을 중심으로 형성되기 시작하여 과학 지식의 내용에 대한 사회학적 분석을 목표로 함으로써 일반적으로 '과학지식사회학 sociology of scientific knowledge'으로 불리게 된 과학기술사회학의 조류가 오늘날 서구 과학기술사회학계를 주도하고 있다. 과학지식사회학은 특히 현대 사회의 과학 기술에 관련된 다양한 부면에 대하여 근본적으로 새롭고 흥미로운 관점과 문제를 제기함으로써, 우리가 흔히 과학 기술에 대하여 갖고 있는 환상과 신화에서 벗어나 새로운 방식으로 과학 기술을 바라볼 수 있도록 하였다. 그러나 이 분야는 상당한 수준의 철학적 논의와 과학 기술 지식에 대한 이해를 요구하기 때문에, 사회학과 학부 수준의 과학기술사회학 과목에서는 이 분야를 본격적으로 취급하기에 어려움이 있으며, 이 분야에 치중하다보면 학생들의 흥미 유발에 부정적 효과를 미칠 수 있다는 생각이 든다.

따라서 이 글에 제시된 강의 계획안은 이 분야의 형성에 커다란 영향을 미쳤고 광범위한 학문 영역에서 이미 익숙하게 소개되어 있는 토마스 쿤 Thomas S. Kuhn의 관점을 중심으로 과학 지식의 생산과 변화 과정에 대하여 사회학적으로 이해할 수 있도록 구성하였다. 기술의 경우에는 과학지식사회학에서 주장하는 소위 구성론적 constructivist 관점이 훨씬 쉽고 광범위하게 설득력을 얻을 수 있으며, 구체적 사례 연구를 이용하면 학생들의 이해를 도울 수 있다. 대단히 다양하고 강력한 이론들이 발전되고 있는 기술 혁신에 관하여는 여기에서는 방대한 양의 참고 문헌 대신 개설서 정도만 소개하였다.

4) 과학 기술 정책과 관리

과학 기술 정책과 관리는 다양한 시각과 분야에 바탕을 두고 접근할 수 있다. 이 글에서는 이점(利點)을 극대화하고 부정적 효과를 극소화하는 방향으로 과학 기술을 발전시키고 이용하는 데 있어서 정부의 역할과 과학 기술에 관련된 의사 결정 과정에 초점을 맞추었다. 구체적 내용으로는 기술 예측technology forecasting, 위험도 평가risk assessment, 기술 영향 평가technology assessment, 기술 제어 technology control, 기술 조정technology reshaping, 시민 참여public participation 등을 포함하였다.

　일반 시민과 전문가 모두 과학 기술에 대하여 표명하는 관심과 우려는 최근 들어 더욱 특정화·구체화되고 있다. 다시 말하면 과학 기술 일반의 긍정적·부정적 효과나 제어 불가능성에 대한 우려보다는 특정 기술과 특정 사건에 대한 관심으로 전환되고 있다는 것이다. 따라서 과학기술사회학 과목에서 과학 기술 정책과 관리를 취급할 경우에 일반적 논의보다는 구체적 사례에 대한 분석을 중심으로 강의를 진행하는 것이 더 효과적이라고 판단된다. 이 글의 강의 계획안에서는 국문 및 영문 참고 문헌의 이용 가능성을 고려하여, 최근 한국 사회에서 과학 기술 정책과 관련하여 중요한 문제로 되어 있는 원자력 발전 기술을 사례 연구의 대상으로 선택하였다.

5) 과학 기술과 삶의 질
　이 부분에서는 과학 기술이 인간의 삶에 어떤 변화를 가져오는지를 고찰함으로써 강의의 결론으로 삼고자 한다. 과학 기술이 인간의 삶에 미치는 '충격'은 일률적인 것이 아니라, 과학 기술의 종류, 사회 문화적 상황, 기타 다양한 사회적 변수에 따라 가변적일 수 있다. 따라서 이 부분에 대하여는 구체적인 사례 분석에 의거하여, 인간의 행동과 사회적 관계가 과학 기술의 변화에 따라 어떤 적응 과정을 거치게 되며 또한 특정 사회의 문화적 유형과 선호에 따라 기술이 어떻게 형성되며 조정되게 되는지에 대하여 이해하고 분석할 수 있는 능력을 배양하는 것이 더욱 바람직하고 효과적인 교육 방법으로 판단된다.

이 부분과 관련하여 주로 일·노동의 성격과 과정, 통신 매체, 군사 기술, 에너지, 환경, 의료, 생명공학 등의 영역에 많은 연구 업적이 축적되어 있다. 그러나 사회학과 여타 교과목과의 중복을 피하고 또한 학생들이 일상 생활에서 친숙하게 느낄 수 있는 주제를 선택하기 위하여, 강의 계획안에는 전기와 냉장고 등의 가전제품 도입이 가사 노동과 가정 생활에 미치는 영향, 개인용 컴퓨터와 전자 놀이 기구가 어린이와 성인의 자아 개념 및 사회적 상호 작용에 미치는 영향을 구체적인 분석 대상으로 선택하였다.

3. 과학기술사회학 교과목

I. 교과목 개설 현황

1994년 현재 전국적으로 총 32개 대학에 사회학과가 설치되어 있다. 최근 '한국사회학회 21세기 사회학 교과 과정 특별위원회'(1994)에서 수집한 16개 대학 사회학과의 교과 과정과 필자가 조사한 바에 의하면, 과학기술사회학 교과목 설정 현황은 〈표-1〉과 같다. 32개 사회학과 중에서 과학기술사회학 분야가 정규 교과 과정으로 편성되어 있는 학과가 학부에서는 4개, 대학원에서는 5개에 불과하다. 학부, 대학원 모두 대학마다 개설 과목의 수는 하나고, 그 명칭은 예외 없이 과학사회학으로 되어 있다. 이외에 필자가 재직하고 있는 한국과학기술원에서 학부에 2과목, 대학원에 1과목이 교양 과목으로 설정되어 있다. 그러나 과학기술사회학 강좌가 매년 개설되는 대학은 더욱 제한되어 있으며, 교과 과정에 편성되어 있다고 하더라도 실제로는 강좌 개설이 이루어지지 않거나 몇 년에 한번씩 개설되는 정도에 그치고 있다. 물론, 사회학 특강, 특수사회학 등 다른 명칭으로 과학기술사회학 강좌가 개설될 수도 있으나, 극히 드문 경우다. 1994년에 국민대학교 야간학부에 과학사회학과 설립이 인가됨으로써, 1995년 도부터 학사 과정 신입생을 모집할 예정이다.

이와 같은 과학기술사회학 강좌 개설 상황은 빈약한 연구 및 교수 인력과 맞물려 있다고 볼 수 있다. 현재 한국에서 이 분야를 전공하고 있는 박사학위 소지자의 수는 손가락으로 꼽을 수 있는 정도다. 최근 산업사회학 등의 분야를 전공한 젊은 사회학자들이 특히 과학 기술 정책과 관련된 연구에 참여하면서 이 분야에 관심을 기울이는 것은 대단히 고무적인 현상이다.

그러면 사회학과 외부의 인접 과목 개설 현황은 어떠한가? 행정학·경영학 등에서는 과학 기술 정책 및 연구 개발, 기술 경영 등의 문제에 관하여 일찍이 관심을 보여왔고, 현재 과학 기술 정책 및 경영 분야의 전문 인력 양성을 위한 프로그램을 자연과학, 공학 분야와

〈표-1〉 과학기술사회학 교과목 개설 현황

	대 학	교과목명	교과 구분	학년: 학기	학점
학	강원대	과학사회학	전공 선택	4: 1	3
	고려대	과학사회학	전공 선택	4	3
	서울대	과학사회학	전공 선택	4: 2	3
	한양대	과학사회학	전공 선택	3: 2	3
부	과기원	과학 기술과 사회	교양 선택		3
		과학사회학	교양 선택		3
대	강원대	과학사회학 연구	전공		3
	고려대	과학사회학	전공		3
학	서울대	과학사회학 연구	전공		3
	성균관대	과학사회학	전공		3
원	충남대	과학사회학 연구	전공		3
	과기원	과학기술학 특강: 과학사회학	선택		3

자료: 한국사회학회 21세기 사회학 교과 과정 특별위원회(1994).

연계하여 설치하고자 하는 활발한 움직임이 전개되고 있다. 그러나 학부 수준에서 과학기술사회학과 밀접한 관련을 맺고 있는 것은 교양 교육의 개선에 대한 논의라고 볼 수 있다. 특히 교양 과학 교육의 개선 방향으로 '인문적' 과학 교육, 즉 과학을 '문화적·사회적·역사적 현상'으로 다루는 과학의 역사, 과학의 철학, 과학과 사회, 과학 정책 등에 관한 교과목의 도입이 강조되고 있다(김남두, 1991; 김명자, 1991; 김영식, 1991). 이미 여러 대학에서 '과학(기술)과 사회' '과학과 문화' '환경과 인간' 등의 교양 과목이 개설되고 있으며, 앞으로 이런 성격의 과목이 늘어날 것으로 보인다. 그런데 이런 과목들은 사회학 전공자가 담당하는 경우는 거의 없고, 주로 인접한 자연과학이나 공학을 전공한 이들이 담당하거나 과학사 전공자들이 담당하고 있다.

최근 주로 과학사 전공자들을 중심으로 "과학의 성격 및 특성, 과학의 사회문화적 측면, 사회 발전에의 과학의 역할 등에 대한 이해를 공통의 학문 목표"(김명자·김영식·이필렬, 1992: 26)로 한다는 '과학학과 Department of Science Studies'의 설립을 위한 작업이 활발히 추진되어왔다. 1994년 전북대학교에 자연과학대학 소속으로 과학학과 설립이 인가됨으로써 최초로 학부 과정의 독립된 학과로 자리잡게 되었다. 다학제적인 접근을 기반으로 하는 과학학과의 교과 과정 편성과 교수진 충원 계획에 과학사회학도 포함되어 있기는 하나, 기본적으로 과학사 및 과학철학을 중심으로 구성되어 있다. 더욱이 사회학과 밀접한 관련을 맺고 있는 '과학 기술과 사회'라는 과목을 과학사의 일부로 간주하고 있는 점을 주목하여야 한다.

II. 교과목 명칭

서구 학계에서는 과학과 기술을 포괄하여 취급하는 사회학 분과의 명칭으로 과학사회학 Sociology of Science이 통용되어왔으며, 이런 관례에 따라 한국에서도 현재 사회학과의 교과 과정에는 과학사회학이라는 명칭으로 교과목이 편성되어 있다. 그러나 앞으로는 그 관심 영역을 보다 정확히 나타낼 수 있는 '과학기술사회학 sociology of science and technology'이라는 명칭을 사용하는 것이 바람직하다고 판단된다.

서구에서는 학문 분과의 명칭으로 과학사회학 이외에 'social studies of science' 또는 'science, technology and society(STS)' 등의 다양한 용어도 사용되고 있다.[3] 1976년에 창설된 이 분야의 국제적 전문 학회인 '과학학회 Society for Social Studies of Science(4S)'는 그 공식 학회지로 『과학, 기술 그리고 인간의 가치 Science, Technology, and Human Values』를 발행하고 있다. 미국 사회학회에서는 '과학, 지식과 기술 Science, Knowledge and Technology'을 과학사회학 분과의 명칭으로 사용하고 있다. 또한 서구의 대학에서는 과학 기술을 다루는 사회학 교과목들이 그 교육 내용의 초점을 간결하게 서술적으로 나타내는 다양한 명칭으로 개설되고 있다.

그러나 사회학계에서 국제적으로 가장 광범위한 회원을 보유하고 있는 국제사회학회 International Sociological Association에서는 초기에 과학사회학이라는 용어를 사용하던 분과의 명칭을 과학기술사회학 Sociology of Science and Technology으로 변경하였다. 따라서 한국 사회학계에서는 이 분야 과목에 대한 포괄적 명칭을 과학기술사회학으로 통일하는 것이 대외적으로 분명한 이미지를 구축하는 데 유리할

---

3) 1971년 영국에서 Science Studies라는 과학사회학 분야의 전문 학술지가 간행되기 시작하여 1975년도에 Social Studies of Science로 개명되었는데, 이후 이 학술지의 명칭이 과학사회학의 학제적 성격을 나타내는 명칭으로 널리 사용되게 되었다. 서구의 유수 대학들이 과학사회학 분야의 교육과 연구를 위하여 사회학과 외에도 '과학 연구 Science Studies' '과학, 기술 그리고 사회 Science, Technology and Society' 등의 명칭을 가진 프로그램을 운영하고 있으며, 과학사회학이 이런 학제적 분야의 일부분으로 간주되기도 한다.

것 같다. 만약 교과 과정에 하나 이상의 과학기술사회학 과목을 편성한다면, 물론 과학사회학과 기술사회학으로 구분하거나 또는 그 구체적 내용에 적합한 교과목 명칭을 사용하는 것이 바람직하다.

III. 교과목 운영 방안

지난 3년 간 과학기술사회학에 관련된 학부와 대학원 과목을 강의한 필자의 경험에 의하면, 과학 기술 분야를 전공하는 학생들을 가르치는 데 가장 어려움을 느끼는 점은 학생들이 인간의 여타 문화 활동과 비교하여 과학 기술에 부여하는 특수성과 우월감을 극복하고 문화적·사회적 현상의 일부로서의 과학 기술에 대한 탐구의 필요성과 유용성을 납득시키는 점이었다. 반면, 인문사회과학 분야를 전공하는 학생들에게는 과학 기술에 대한 무관심을 극복하고 탐구 대상으로서의 호기심을 유발하는 것이 가장 어려운 문제였다. 문화가 사회학의 주요한 탐구 영역임에도 불구하고, 과학 기술이 문화의 일부분이라는 인식은 별로 가지고 있지 않다는 인상이었다. 예를 들어, 일간 신문에서 취급하는 과학 기술 관련 기사에 관심을 기울이는 학생은 거의 없었다.

따라서 과학기술사회학 교과목을 성공적으로 운영하는 데 있어서 첫째 과제는 수강생들이 과학 기술에 대한 무관심, 오해, 편견, 공포 등에서 벗어나 흥미와 친숙함을 느끼도록 하는 것이다. 이를 위해서는 교과서를 중심으로 추상적인 전문 지식을 축약하여 전달하는 교육 방식은 지양되고, 학생들의 적극적 참여가 강조되어야 한다. 효과적인 과학기술사회학 교육을 위해서는 다양한 학습 교재와 교육 방법을 동원하여, 쉽게 이해할 수 있는 구체적인 문제와 사례를 바탕으로 한 비디오 자료 관람, 직접 관찰, 토론, 현장 방문 등의 교육 방법을 적극적으로 활용하여야 한다.

그러나 현재 한국에서 과학기술사회학 교육을 위하여 쉽게 이용할

수 있는 학습 교재는 지극히 제한되어 있으며, 담당 교수 개개인의
노력으로 교육 자료와 기법을 개발하고 동원하는 데는 분명히 한계
가 있다. 따라서 교과서를 비롯한 다양한 교재 개발, 국내외 정보와
자료의 교환 및 개발, 교육 방법에 대한 아이디어와 의견 교환 등을
위한 과학기술사회학 전공자들의 공동 노력이 시급히 요청되며, 이
런 작업을 뒷받침하기 위한 학회 차원의 노력도 필요하다고 본다.

4. 사회 진출 분야와 전망

최근 한국에서 과학 기술에 대한 사회적 관심이 증대하면서 과학
기술과 사회, 문화와의 관계에 대한 종합적인 이해를 갖춘 인력이 필
요하다는 인식이 급격히 높아지고 있다. 우리나라에서는 이공계 분
야 교육과 인문사회과학 분야 교육이 고등학교 교과 과정부터 엄격
히 구분되어 있으며, 현재까지의 과학 기술 인력 양성은 개별 과학
기술 전문 분야의 인력 양성에 치중하여왔다. 그 결과 과학 기술의
선진화를 위해서는 과학 기술 활동에 대한 국민적 이해와 지지가 필
요함에도 불구하고 많은 국민들이 과학 기술에 대하여 무지하고 무
관심하며, 과학 기술과 인문사회과학 분야를 연결할 수 있는 인력이
배출되지 못함으로써 한국 과학 기술 발전에 저해 요인으로 작용하
고 있다는 인식이다. 가장 흔히 지적되는 고충 가운데 하나가 과학
기술 연구 개발 활동을 효율적으로 조직하고 관리할 수 있는 전문 인
력이 부족하다는 것이다.

과학기술사회학에 국한된 것이 아니라 다학제적인 과학기술학 일
반에 관한 것이기는 하나, 1992년도 현재 한국에서 필요 인력의 총
수가 3,400여 명 정도며, 1996년까지는 연평균 340명, 그리고 그 이
후부터는 510명 정도씩 증가할 것이라는 추산이 제시되었다(김명자

외, 1992: 14~19). 이것은 고용 기관의 의향보다는 연구자들의 희망이 더 강력히 반영된 상당히 낙관적인 추정치로 볼 수 있다. 1993년도 '한국과학기술원 과학기술학과 설치 타당성 조사위원회'에서 과학 기술 관련 기관을 대상으로 실시한 설문 조사 결과에 의하면, 65% 이상의 응답자들이 과학기술학 전공 인력의 사회적 수요가 증가 추세를 보일 것으로 전망하고 있다. 구체적으로 응답자 자신의 직장에 국한하여 질문하였을 때에도, 응답자 가운데 88%가 자신의 직장에서 현재 과학기술학 전공 인력을 필요로 하고, 62%가 3년 이내에 전공 인력을 채용하기 시작할 것이며, 74%가 앞으로 인력 수요가 증가할 것이라고 응답하였다. 현재의 어려움과 인력 수요가 집중되어 있는 부문은 주로 기업과 정부 출연 연구소의 연구 개발 조사, 기획, 관리, 정보 지원, 행정 등으로 나타났다.

　과학 기술 발전과 바람직한 과학 기술 문화 창달을 위한 사회문화, 정책, 행정, 관리 기반이 중요성하다는 인식이 확산됨에 따라, 과학기술사회학 전공 인력의 진출 직종과 조직이 매우 다양해지고 수요가 증대될 수 있을 것으로 예측된다. 앞으로 과학기술사회학 전공 인력이 진출할 수 있을 것으로 쉽게 예상할 수 있는 부문은 다음과 같다.

　　기업: 연구 개발 조사 · 기획
　　정부 출연 연구소: 기획, 정책 연구, 연구 관리, 연구 정보 지원, 인사 총무, 홍보
　　기업 부설 연구소: 기획, 연구 개발 조사 · 관리 · 평가, 연구 정보 지원
　　언론 및 출판: 과학부, 문화부, 출판 기획 · 저술 · 번역 · 편집

　그러나 아직까지 이런 부문에서의 사회학 전공자에 대한 수요는

잠재적 수요에 불과하다. 잠재적 수요를 현재화하여 사회학 전공자의 진출을 도모하기 위해서는 다음과 같은 노력이 필요하다. 우선, 사회학 일반 및 과학기술사회학의 내용과 유용성에 대한 적극적 홍보가 필요하다. 필자의 개인적이며 단편적 경험이기는 하나, 대다수의 과학 기술자들과 관련 직종 종사자들은 사회학에 대하여 초등학교부터 고등학교까지 배우는, '무조건 외워야만 하고 지겨운 사회 과목'이라는 인상 이외에 아는 바가 전혀 없다는 느낌이다. 이들은 '사회 과목' 전공자가 과학 기술에 대하여 흥미를 갖고 분석하고자 하는 과학기술사회학이라는 분야가 존재한다는 사실 자체에 놀라워하며, 과학기술사회학에서 취급하는 내용의 구체적인 예를 들어 설명한 연후에야 그 유용성에 대하여 수긍하는 입장을 취한다. 특히, 과학 인용 색인 science citation index(SCI) 자료 및 인용도 분석을 비롯하여 현재 과학 기술계에서 보편적으로 사용되고 있는 여러 가지 기준과 관행이 사실은 과학기술사회학적 연구와 직접적으로 관련되어 있음을 구체적인 예를 들어 설명하는 게 효과적이었다는 것이 필자의 경험이다. .

둘째, 과학기술사회학 분야와 관련된 사회 진출을 위해서는 사회학과의 교과 과정에서 조사 방법론과 통계 분석 등의 과목에 대한 교육 내용과 실습이 강화되어야 한다. 필자는 사회학자 중에서는 이런 방면의 전문성을 주장할 만한 위치가 아님에도 불구하고, 조사 연구의 디자인과 설문서 작성, 통계를 비롯한 분석 방법에 관련하여 자주 자문을 요청받았는데, 바로 이런 분야에서 사회학의 전문성이 가장 직접적으로 가시화될 수 있다고 본다.

5. 강의 계획안

I. 강의 계획과 기본 독서물

강의 계획은 담당 교수의 재량에 따라 토론, 현장 방문, 비디오 관람 등에 자유로이 시간을 할애하여 가변적일 수 있으나, 원칙적으로 현행 한 학기 16주에서 교과목 소개, 중간고사와 기말고사, 정리와 강의 평가 실시를 위하여 두 주일을 제외하고 총 14주로 구성하였다.

과학 기술이 인간의 여타 사회적 활동과 얼마나 밀접한 관련을 맺고 발전해왔는지를 이해하기 위하여, 대단히 평이하고 재미있는 다음의 두 저서를 강의 주제별 참고 문헌과 더불어 기본적인 독서물로 부과하면 도움이 될 것이다.

레지스Regis, E.(1993), *Who Got Einstein's Office?*(과학세대 역, 『아인슈타인 방의 사람들』, 웅진출판).

왓슨Watson, J. D.(1968), *The Double Helix*(하두봉 역, 『이중 나선』, 전파과학사).

II. 강의 주제와 참고 문헌

1) 문제와 관점

제1주 과학 기술의 사회학적 의미와 관점

송성수(1995), 「기술과 사회의 관계를 어떻게 파악할 것인가」, 송성수 편역, 『우리에게 기술이란 무엇인가』, 녹두, pp. 13~47.

윤정로(1994), 「'새로운' 과학사회학: 과학지식사회학의 가능성과 한계」, 『과학과 철학』 5, 통나무, pp. 82~110.

Pytlik, Edward, Donald Lauda, David Johnson(1985), *Technology, Change and Society*, Worcester, MA: Davis Publications, pp. 3~25.

Teich, Albert H.(ed.)(1986), *Technology and the Future*, New York: St. Martin's Press, pp. 31~46.

Webster, Andrew(1991), *Science, Technology, and Society*, New Brunswick, NJ: Rutgers University Press(김환석·송성수 역, 『과학 기술과 사회』, 한울, pp. 13~52).

Winner, Langdon(1986), *The Whale and the Reactor*, Chicago: University of Chicago Press, pp. 3~39.

제2주 국제 체제와 과학 기술

김환석(1990), 「정보 기술 혁명과 신흥 공업국: 기술 종속성 문제를 중심으로」, 『경제와 사회』 8, pp. 71~106.

장영배·송위진(1990), 「신흥 공업국 기술 발전론의 비판적 검토」, 『사회와 사상』 19, pp. 186~203.

Ancarani, Vittorio(1995), "Globalizing the World: Science and Technology in International Relations," *Handbook of Science and Technology Studies*, edited by Sheila Jasanoff et. al., Thousand Oaks, CA: Sage, pp. 652~70.

Schott, Thomas(1993), "World Science: Globalization of Institutions and Participation," *Science, Technology and Human Values* 18, pp. 196~208.

Shrum, W. and Shenhav, Y.(1995), "Science and Technology in Less Developed Countries," *Handbook of Science and Technology Studies*, edited by Sheila Jasanoff et. al., Thousand Oaks, CA: Sage, pp. 627~51.

제3주 과학 기술 비판: 페미니즘, 마르크시즘

오조영란·홍성욱 편(1999), 『남성의 과학을 넘어서』, 창작과비평사.

윤정로(1999), 「과학 기술과 여성, 무엇이 그리고 왜 문제가 되는가」, 『물리학과 첨단 기술』, 8:3, pp. 3~8.

Noble, David F.[1977](1979), *America by Design*, New York: Oxford University Press.

Wajcman, Judy(1991), *Feminism Confronts Technology*, University Park: Pennsylvania State University Press, pp. 1~26.

2) 과학 기술의 사회 조직

제4주 근대 과학 기술의 출현과 전문 직업화

Ben-David, Joseph(1971), *The Scientist's Role in Society: A Comparative Study*, Englewood Cliffs, NJ: Prentice-Hall, pp. 75~185.

Merton, Robert K.[1938](1970), *Science, Technology and Society in Seventeenth Century England*, New York: Harper and Row.

Ziman, J.(1976), *The Force of Knowledge: The Scientific Dimension of Society*(오진곤 역, 「누가 과학자였나?」, 『과학사회학』, 정음사, pp. 48~79).

제5주 과학 기술자의 일과 문화

Barnes, S. B. and R. G. A. Dolby(1970), "The Scientific Ethos: A Deviant View," *European Journal of Sociology* 11, pp. 3~25.

Kidder, Tracey(1981), *Soul of a New Machine*, Boston: Little, Brown, and Company 또는 New York: Avon.

Latour, Bruno and Steve Woolgar[1979](1986), *Laboratory Life: The Construction of Scientific Facts*, Princeton, NJ: Princeton Univ. Press.

Merton, Robert K.(1973), *The Sociology of Science: Theoretical and Empirical Investigations*, Chicago: University of Chicago Press(석

현호 · 양종회 · 정창수 역, 『과학사회학』 I, 민음사, pp. 502～21, 620～54).

Watson, J. D.(1968), 『이중 나선 』, 하두봉 역, 전파과학사.

제6주 과학 기술자 사회의 구조: 보상 체계와 계층화

윤정로(1992), 「과학에서의 보상 체계」, 『한국 산업 사회의 현실과 전망』, 한국사회사연구회 논문집 38, pp. 67～88.

Cole, Stephen(1992), *Making Science: Between Nature and Society*, Cambridge, MA: Harvard University Press.

Latour, Bruno and Steve Woolgar[1979](1986), *Laboratory Life: The Construction of Scientific Facts*, Princeton, NJ: Princeton Univ. Press, pp. 187～233.

Merton, Robert K.(1973), *The Sociology of Science: Theoretical and Empirical Investigations*, Chicago: University of Chicago Press(석현호 · 양종회 · 정창수 역, 『과학사회학』 II, pp. 533～793).

Zuckerman, Harriet(1977), *Scientific Elite*(송인명 역, 『과학 엘리트』, 교학사).

3) 과학 기술의 변화와 혁신
제7주 과학 지식의 생산과 변화

윤정로(1994), 「'새로운' 과학사회학: 과학지식사회학의 가능성과 한계」, 『과학과 철학』.

Bohme, Gernot(1977), "Models for the Development of Science," *Science, Technology and Society: A Cross-Disciplinary Perspective*, edited by Ina Spiegel-Rosing and D. Price, Beverly Hills, CA: Sage, pp. 319～54.

Kuhn, Thomas S.[1962](1970), *The Structure of Scientific Revolutions*(김

명자 역, 『과학 혁명의 구조』, 동아출판사).

Merton, Robert K.[1938](1970), *Science, Technology and Society in Seventeenth Century England*, New York: Harper and Row, pp. 208~38.

제8주 기술의 사회적 구성

송성수 편저(1999), 『과학 기술은 사회적으로 어떻게 구성되는가』, 새물결.

제9주 기술 변화와 기술 혁신

김환석(1990), 「기술 혁신의 관점에서 본 한국의 자본주의 발전」, 『현대 한국의 생산력과 과학 기술』, 한국사회사연구회 논문집 22, pp. 11~65.

송성수 편역(1995), 『우리에게 기술이란 무엇인가』, 녹두, pp. 361~97.

Clark, N.(1985), *The Political Economy of Science and Technology*, Oxford: Basil Blackwell, pp. 100~56.

Kim, L.(1997), *Immitation to Innovation*, Boston: Harvard Business School Press.

Layton, E.(1977), "Conditions of Technological Development," *Science, Technology and Society: A Cross-Disciplinary Perspective*, edited by Ina Spiegel-Rosing and D. Price, Beverly Hills, CA: Sage, pp. 197~222.

OECD(1992), *Technology and the Economy: The Key Relationships*, Paris: OECD, pp. 23~88.

4) 과학 기술 정책과 관리

제10주 과학 기술과 정부의 역할

과학기술처(1987),『과학 기술 행정 20년사』.

김종범(1993),『과학 기술 정책론』, 대영사.

김진현(1993),『한국은 어떻게 가야 하는가: 國格·國力…… 선진화를
    위한 제2 독립 운동』, 매일경제신문사, pp. 194~97, 202~41.

정근모(1994),「주요국의 과학 기술 개발 현황과 우리의 기술 국제화 전
    략」,『현상과 인식』 18, pp. 65~92.

Salomon, Jean-Jacques(1977), "Science Policy Studies and the
    Development of Science Policy," *Science, Technology and Society:
    A Cross-Disciplinary Perspective*, edited by Ina Spiegel-Rosing and
    D. Price, Beverly Hills, CA: Sage, pp. 43~70.

제11주 기술 예측, 위험도 평가, 기술 영향 평가

이영희(1994),「과학 기술 정책과 기술 영향 평가」, 한국사회학회 편,
    『한국 사회 개혁의 과제와 전망』, 새길, pp. 214~49.

이영희·김병목(1997),『유럽의 기술 영향 평가』, 과학기술정책관리연구
    소 연구 보고, 97-2.

Mazur, Allan(1980), "Societal and Scientific Causes of the Historical
    Development of Risk Assessment," *Society, Technology and Risk
    Assessment*, edited by J. Conrad, London: Academic Press, pp.
    151~57.

Pytlik, Edward, Donald Lauda, David Johnson(1985), *Technology, Change
    and Society*, Worcester, MA: Davis Publications, pp. 274~89.

Rayner, Steve and R. Cantor(1987), "How Fair Is Safe Enough?: The
    Cultural Approaches to Societal Technology Change," *Risk Analysis*
    7, pp. 3~13.

제12주 기술 제어, 기술 조정, 시민 참여

김경동 · 홍두승 편(1992), 『원자력과 지역 이해』, 서울대학교 출판부.

이필렬(1999), 『에너지 대안을 찾아서』, 창작과비평사.

Campbell, John(1988), *Collapse of an Industry: Nuclear Power and the Contradictions of U. S. Policy*, Ithaca, NY: Cornell University Press, pp. 73~91, 110~35.

Morone, Joseph G. and E. J. Woodhouse(1989), *The Demise of Nuclear Energy: Lessons for Democratic Control of Technology*, New Haven: Yale University Press.

Webster, Andrew(1991), *Science, Technology, and Society*, New Brunswick, NJ: Rutgers University Press(김환석 · 송성수 역, 『과학 기술과 사회』, 한울, pp. 153~83).

5) 과학 기술과 삶의 질: 사례 연구

제13주 가전제품의 발전과 가사 노동, 가정 생활의 변화

윤정로(1999), 「가사 기술과 한국 여성의 삶」, 심영희 · 정진성 · 윤정로 공편, 『모성의 담론과 현실』, 나남, pp. 343~60.

Cowan, Ruth S.(1983), *More Work for Mother*, New York: Basic(김성희 외 역, 『과학 기술과 가사 노동』, 학지사).

Wajcman, Judy(1991), *Feminism Confronts Technology*, University Park: Pennsylvania State Univ. Press, pp. 81~109.

제14주 개인용 컴퓨터

정보사회학회 편(1998), 『정보 사회의 이해』, 나남.

Turkle, Sherry(1984), *The Second Self*, New York: Simon and Schuster.

———(1995), *Life on the Screen*, New York: Simon and Schuster.

Waltz, David(1986), "The Prospects for Building Truly Intelligent Machines," *Technology and the Future*, edited by A. H. Teich, New York: St. Martin's Press, pp. 366~88.

참고 문헌

김남두(1991), 「인문적 과학 교육을 위한 테제」, 유네스코 한국위원회 워크숍 자료집, 『교양 과학 교육 어떻게 할 것인가?』, pp. 8~11.

김명자(1991), 「교양 과학 교육 운영의 문제점과 개선 방안」, 유네스코 한국위원회 워크숍 자료집, 『교양 과학 교육 어떻게 할 것인가?』, pp. 21~39.

김명자 · 김영식 · 이필렬(1993), 「과학학 관련 학과 설치에 관한 연구」, 『1992년도 교육부 학술연구조성비 연구보고서』.

김영식(1991), 「교양 과학 교육의 목표와 과제」, 유네스코 한국위원회 워크숍, 『교양 과학 교육 어떻게 할 것인가?』, pp. 1~7.

윤정로(1992), 「과학에서의 보상 체계」, 『한국 산업 사회의 현실과 전망』, 한국사회사연구회 논문집 38, pp. 67~88.

―――(1994), 「'새로운' 과학사회학: 과학지식사회학의 가능성과 한계」, 『과학과 철학』 5, pp. 82~110.

한국과학기술원 과학기술학과 설치 타당성 조사위원회(1993), 『과학기술학과(전공) 설치 타당성 조사 보고서』, 한국과학기술원.

한국사회학회 21세기 사회학 교과 과정 특별위원회 편(1994), 『사회학 교과 과정 모음집』.

Bauer, Henry H.(1990), "Barriers Against Interdisciplinarity: Implications for Studies of Science, Technology, and Society(STS)," *Science, Technology and Human Values* 15, pp. 105~19.

Cutcliffe, Stephen H.(1990), "The STS Curriculum: What Have We Learned in Twenty Years?" *Science, Technology and Human Values* 15, pp. 360~72.

Hollander, Rachelle D. and Nocholas H. Steneck(1990), "Science and Engineering-Related Ethics and Values Studies: Characteristics of an Emerging Field of Research," *Science, Technology and Human Values* 15, pp. 84~104.

Merton, Robert K.[1952](1973), "The Neglect of Sociology of Science," *The Sociology of Science*, by Robert K. Merton, Chicago: University of Chicago Press, pp. 210~20.

Teich, Albert H. and Barry D. Gold(1986), "Education in Science, Engineering and Public Policy: A Stockmaking," *Social Studies of Science* 16, pp. 685~704.

Yan, Ming(1991), "An Interview with Robert K. Merton: Knowledge Transcends National Boundaries," *Footnotes* 19(8), p. 4.

Zehr, Steven(1991), *Syllabi and Instructional Materials for Science and Technology*, Washington, D. C.: American Sociological Association.

제3장

과학에서의 보상 체계

1. 머리말

자주 접하게 되는 '과학 입국' 또는 '과학 기술 입국'이라는 구호가
나타내듯이, 최근 한국 사회에서는 과학 기술 발전이 중요하다는 인
식과 더불어 과학 기술에 대한 사회적 관심이 급격히 고조되고 있다.
그러나, 과학 기술에 대한 한국 사회학계의 관심은 아직 극히 제한되
어 있는 상태다. 과학 기술과 관련된 한국 사회학자들의 관심은 대부
분 탈산업 사회론, 정보화 사회론 또는 과학 기술 혁명론 등으로 대
표되는, 최근의 급속한 과학 기술 발전이 가져오는 사회적 영향의 일
부를 탐구하는 데 집중되어 있는 듯하다. 서구의 학계에서는 과학 기
술이 이미 사회학의 고유 영역으로 확고한 위치를 차지하고 있으며,
과학 기술의 구조와 문화, 지식 내용의 다양한 측면에 대한 분석과
논의가 활발히 진행되어왔다.

이 글은 한국학계에 아직 생소한 분야인 과학사회학을 단편적으로
나마 소개함으로써 과학에 대한 사회학적 연구의 다변화에 기여하고
또한 한국의 과학 제도와 활동에 대한 이해를 위한 경험적 연구의 토
대를 마련해보고자 하는 의도에서, 과학의 보상 체계 reward system에
대한 서구의 연구 업적을 정리·평가하고자 한다. 우선 과학사회학

에서 보상 체계에 대한 관심의 위상과 지적 맥락을 살펴본 후, 보상 체계의 작동 방식에 대한 다양한 시각과 분석을 소개한다. 마지막으로 이런 서구의 논의가 한국의 과학 제도와 과학 공동체를 이해하고 경험적 연구를 위한 구체적인 접근 방식을 모색하는 데 시사해줄 수 있는 바를 탐색해보고자 한다.

2. 과학사회학의 성립과 보상 체계 연구

과학사회학은 사회학의 분과로서 비교적 짧은 역사를 가지고 있다. 오늘날의 의미에서 과학사회학이라 불릴 수 있는 논문으로 최초의 박사학위가 수여된 것은 1936년이었다.[1] 그러나, 과학사회학이 지적·제도적으로 사회학의 전문 분과로서 모습을 갖추기 시작한 것은 1950년대말에 이르러서였다.[2] 이는 머튼이 일찍이 예견하였던 바와 같이(Merton, [1952] 1973c), 과학 기술이 중요한 '사회 문제'로 인식됨으로써 과학이 함축하고 있는 사회적 의미에 대하여 과학자뿐만 아니라 일반인들의 관심이 고조되는 것과 때를 같이하는 것이었다.[3]

---

1) Robert K. Merton이 오늘날에도 널리 읽히고 있는 고전적 업적인 "Science, Technology, and Society in Seventeenth Century England"라는 논문으로 하버드 대학에서, 그리고 S. C. Gilfillan이 기술 혁신에 관한 논문으로 컬럼비아 대학에서 박사학위를 취득하였다(Zuckerman, 1988: 511~12).

2) Collins and Restivo(1983)는 과학사회학이 1930년대에 제기된 마르크시즘적인 과학사 해석 — 예컨대, Hessen(1931)이나 Bernal(1939) — 에 대한 반향으로부터 기원하여 성립한 것으로 본다.

3) 1945년 원자 폭탄 투하 이후 동서 냉전의 상황 아래서 경쟁적인 핵무기의 개발과 실험으로 과학 기술 발전의 사회적 결과에 대한 관심이 높아지게 되었다. 1957년 미국에 한발 앞서 소련이 스푸트니크 1호 인공 위성의 발사에 성공하자, 미국에서는 자국의 과학 제도와 과학 교육에 대한 위기 의식이 확산됨으로써 과학이 사회 문제화하는 중요한 계기가 되었다고 할 수 있다.

당시 과학사회학의 정립에 주도적 역할을 담당한 이들은 머튼과 그의 제자들이었으며, 머튼은 이후 과학사회학 분야의 개척자, 그리고 지적 지도자로서 확고부동한 위치를 차지하였다(Ben-David, 1978; Ben-David and Sullivan, 1975; Collins and Restivo, 1983; Knorr Cetina, 1991; Star, 1988; Storer, 1973; Zuckerman, 1988). 이후 과학사회학은 사회학뿐만 아니라, 과학사, 과학철학, 과학정책학, 언어학, 기호학, 인류학, 심리학 등의 인접 학문과 자연과학 및 공학 등의 광범위한 분야와 연계 — 물론 긴장을 수반하는 — 를 맺고 지적 자원을 흡수하면서 다양한 방향으로의 역동적인 발전 과정이 진행되어왔다.[4] 따라서 오늘날의 과학사회학은 학제적(學際的)interdisciplinary 성격을 강하게 띠고 있으며, 다양한 이론적 시각과 연구 영역을 포괄하고 있다.[5]

그러나 크게 보아 과학사회학은 그 연구 영역에 있어서 세 가지로

---

4) 가장 두드러진 발전으로는 1960년대 후반부터 유럽의 젊은 연구자들을 중심으로 출현하기 시작한, 과학 기술 지식의 인지적(認知的) 측면에 대한 사회학적 분석을 목표로 하여 머튼의 패러다임에 도전을 가하는 소위 '새로운' 과학사회학의 정립이다. 이러한 발전에는 과학철학과 과학사 분야의 새로운 시각, 특히 토마스 쿤의 업적(Kuhn, [1962] 1970)이 중요한 영향을 미친 것으로 알려져 있다(Barnes, 1982; Ben-David, 1978; Collins and Restivo, 1983; Knorr Cetina, 1991). 벤-다비드는 이 '새로운' 과학사회학의 출현을 그 주창자들의 교육 배경과 사회적 위치에 관련시키는 지식사회학적 설명을 제시하였다(Ben-David, 1978).

5) 1971년 『과학학 Science Studies』이라는 과학사회학 분야의 전문 학술지가 영국에서 발행되기 시작하였으며, 1975년 이후 『과학의 사회적 연구 Social Studies of Science』로 개명되었다. 이 학술지의 서명이 과학사회학의 학제적 성격을 나타내는 명칭으로 널리 사용되게 되었다. 오늘날 서구의 유수 대학에서는 과학사회학 분야의 교육과 연구를 위하여 사회학과 외에도 '과학학Science Studies' '과학 기술과 사회 Science, Technology and Society' 등의 다양한 명칭을 가진 학제적 연구를 지향하는 독자적인 프로그램들이 운영되고 있다. 또한 과학사회학자들 중에는 자연과학과 공학에 조예가 깊은 — 대학원 과정의 교육과 전문적인 연구 경험까지 있는 — 다양한 학문적 배경을 가진 이들의 수가 증가하고 있다(Ben-David, 1978; Collins and Restivo, 1983; Spiegel-Rosing, 1977).

구성되어 있는 것으로 볼 수 있다. 첫째는 사회 제도로서의 과학, 즉 과학 활동 scientific activity과 과학 공동체 scientific community의 사회 문화적 구조와 과정에 대한 분석, 둘째는 과학 지식의 개념적·이론적 내용에 대한 사회학적 분석, 그리고 마지막으로는 과학과 사회문화적 환경 사이의 상호 작용, 즉 과학의 발전이 미치는 사회적 영향과 기타 사회 제도와 문화의 변화가 과학에 미치는 영향의 탐구다. 과학의 보상 체계는 첫째 연구 영역에서 전통적으로 중심적인 주제가 되어왔다.

과학사회학 분야의 문제 설정이나 접근 방식, 개념 도식들은 그 모학문인 사회학과의 관련성에 있어서 상당한 편차를 보이고 있다. 일부는 사회학에서 축적된 자원에 거의 전적으로 의존하며 그 연구가 시사하는 바는 일반적인 사회학 지식의 확대에 쉽게 활용되는 반면, 적용 영역이 특정 주제나 과학 분야에 국한됨으로써 일반화시키기 어려운 연구들도 있다. 과학의 보상 체계에 대한 연구는 전자의 경우로, 사회학 전반의 연구 동향과 밀접한 관련을 맺으면서 발전하여왔다. 과학사회학이 사회학의 분과로 정립된 이후 곧 보상 체계에 대한 경험적 분석이 과학사회학 연구의 주요한 초점으로 부상하였다. 이는 당시 사회학 분야에서 구조 기능주의적 시각에 입각한 보상 체계와 그 결과로서의 계층 구조에 대한 연구가 활발히 진행되고 있었던 것과 결코 무관할 수 없다.

보상 체계가 과학사회학 분야의 매력적인 연구 주제로 부상하게 된 직접적 계기는 머튼의 1957년도 미국 사회학회 회장 취임 연설이 발표됨으로써 마련되었다(Merton, [1957] 1973d). 머튼은 현대뿐만 아니라 역사적으로도 과학자들 사이에 흔히 일어나는, 과학 지식 발견의 우선권 priority 확보를 둘러싼 심각한 갈등과 분쟁에 주목하였다. 머튼에 의하면, 과학자들의 이런 행동 양식은 과학자 개인의 이기심이나 성격에 원인이 있는 것이 아니라, 오히려 과학의 제도적 특성으로부터 파생되는 결과다. 공인된 지식의 확대라는 제도적 목표에 따라 독창성 originality이 중시되고 공동 소유라는 과학 특유의 규범으로 인하여 과학자들이 자신이 발견한 과학 지식에 대하여 향유할 수 있는 권리가 동료 과학자들에 의한 독창성의 인정에 국한된 상황에서, 성취를 강조하는 제도적 규범이 내면화된 과학자들은 우선권 문제에 민감한 반응을 보이지 않을 수 없으며, 극단적으로는 표절, 자료 위조, 비방 등의 일탈 행위까지 야기될 수 있다는 것이다. 머튼은 과학적 발견에 대한 적절한 인정이 이런 일탈 행위를 통제하고 과학의 제도적 목표를 달성하는 데 필요조건이 된다고 본다. 따라서, 보상의 배분 과정에 대한 경험적 분석이 과학 활동과 과학 공동체의 다양한 측면을 이해하는 데 대단히 중요하게 된다. 이후 머튼은 과학 특유의 규범 구조와 관련지어 보상 체계의 개념과 특성을 이론적으로 정교화하는 작업을 계속하였다(Merton, 1973a; 1973e; 1973f; 1977; Merton and Zuckerman, 1973). 이런 '분석적 패러다임'의 정립과 함께 새로운 계량 분석 기법의 발전에 도움을 입어 1960년대에는 과학의 보상 체계에 대한 경험적 분석이 활발해지게 되었다.

3. 과학의 규범 구조

과학의 보상 체계에 대한 분석은 과학의 규범 구조와 불가분의 관계를 맺고 있었다. 과학사회학이 출현하여 정립되었던 1940~50년대는 서구 사회학계에서 구조 기능주의 이론이 지배적 영향력을 행사하던 시기였다. 구조 기능주의적 관점이 기본적으로 가정하는 바에 의하면, 사회는 상호 연관된 부분(사회 제도 또는 구조)으로 이루어진 유기체와 마찬가지고, 각기 사회 제도는 전체 사회의 유지와 존속을 위하여 요구되는 기능을 수행하며 규범적 또는 도덕적 함의(合

意) normative or moral consensus에 의하여 통합되어 있다는 것이다. 따라서, 과학이 사회의 다른 부분과 구별되는 하나의 독자적인 사회 제도로 존속하기 위해서는 고유한 제도적 목표와 그 성원들에게 구속력을 갖는 규범과 가치를 가지고 있어야만 한다.

탁월한 구조 기능주의 이론가였던 머튼은 과학의 규범 구조를 체계적으로 밝힘으로써 사회 제도로서의 과학을 분석하기 위한 정지 작업을 하였다. 머튼에 의하면, 하나의 사회 제도로서 과학의 목표는 경험적 사실에의 부합 여부와 논리적 일관성의 기준에 의하여 '공인된 지식의 확대extension of certified knowledge'에 있다. 머튼은 과학자들의 행동에 지침을 제공함으로써 이런 목표 달성에 필수불가결한 네 가지의 기본 규범을 설정하였다(Merton, 〔1942〕1973b).[6] 첫째는 보편주의universalism로, 새로운 과학 지식의 진위나 중요성이 그 생산자나 지지자의 개인적·사회적 속성 — 예컨대, 인종, 국적, 종교, 성, 연령, 사회적 지위 등 — 에 상관없이 보편적으로 적용되는 기술적·학문적 덕목technical and scholarly merit에만 의거하여 평가됨을 의미한다. 과학자로서의 경력career도 객관적인 재능과 연구 업적에 의하여 결정될 것을 요구한다. 보편주의는 과학의 국제적·비정의적(非情誼的) impersonal·익명적 성격과 가장 직접적으로 관련된 규범이다.

둘째, 공동 소유communism, communality의 규범은 과학 지식의 소유권이 그 발견자에게 독점적으로 귀속되는 것이 아니라 과학 공동체 또는 인류 전체에 귀속됨을 의미한다. 과학자들은 새로운 지식과 정보를 타인과 함께 자유로이 공유하여야 한다. 즉, 과학자들은 자신의 새로운 발견을 숨김없이 완전히 공표하고 자신이 사용한 자료와

---

6) 이 네 가지 이외에도 Merton(1973d)은 독창성 originality과 겸허 humility를, Bernard Barber는 합리성 rationality과 개인주의 individualism의 규범을 지적하였다 (Mulkay, 1977: 98).

기법을 타인에게도 이용할 수 있도록 제공하여야 한다.

셋째는 무사무욕(無私無慾) disinterestedness으로, 과학자들이 자신의 출세나 명성, 경제적 이득 등의 개인적 이해 관계에 얽매이지 않고 과학 그 자체를 위하여 활동함을 의미한다. 이 규범에 따르자면, 과학자들의 연구 활동은 연구 주제의 인기, 인정(認定)과 보상의 가능성, 정치적 또는 종교적 장벽 등에 상관없이 진리 추구에 대한 관심에 의하여만 인도되어야 한다. 또한 새로이 제시된 과학 지식과 증거는 자신이 주장하거나 선호하는 이론에 호의적인지의 여부에 상관없이 공정하게 평가되어야 한다.

넷째, 조직화된 회의주의(懷疑主義) organized skepticism는 모든 지식에 대하여 비판적으로 검토할 것을 요구한다. 새로이 제시된 지식은 그 출처의 권위 — 예컨대 과학, 종교, 정치 등 — 에 상관없이 모두 동등하게 엄격한 공인 과정을 거쳐야 한다. 과학자들에게는 다른 연구자뿐만 아니라 자기 자신에 의하여 제시된 지식, 그리고 더 나아가서는 이미 공인된 지식에 대하여도 당연한 것으로 받아들이지 말고 끊임없이 비판적인 태도를 취할 것이 요구된다. 이 규범은 과학 지식과 연구의 잠정적 tentative 성격을 강조한다.

머튼에 의하면, 이상에 열거한 규범들은 성문화(成文化)되어 있지는 않지만, 오랜 기간에 걸쳐 과학이라는 사회 제도의 구성원인 과학자들 자신이 보여준 행동과 과학에 대한 언술(言述) 및 기술(記述)을 분석해보면 추론해낼 수 있다는 것이다(Merton, 1973b: 269).[7] 이런

----

7) 최근에 담화·텍스트 분석 discourse and text analysis의 관점에서 접근하는 연구자들은 과학자들의 언술과 기술, 행동의 내용과 방식이 가변적이며 상황 의존적 context-dependent, situationally contingent이라는 점에 착안하여, 과학자들의 언술과 기술, 행동 자체를 문제시하여야 한다는 입장을 취한다. 이들은 과학자들의 언술과 기술을 과학의 진면목을 묘사하는 것으로 액면 그대로 받아들여 과학의 규범을 정식화하는 머튼의 입장은 너무 나이브하며, 오히려 그런 언술과 기술의 사회적 창출 과정에 분석의 초점이 맞추어져야 한다고 한다(Gilbert and Mulkay, 1984).

규범들은 과학 지식의 확대를 위해 효율적인 기술적(技術的) 처방일 뿐만 아니라, 과학자들에게 내면화되어 과학자로서의 양심을 형성하는 도덕적 처방으로 작용함으로써 근대 과학의 에토스를 이룬다 (Merton, 1973b). 과학의 에토스 또는 '제도적 명령 institutional imperatives'에 대한 머튼의 도식은 과학사회학의 발전 초기에 광범위한 동의를 얻었다.[8] 이것은 그의 도식이 과학 지식의 객관성과 중립성을 강조하는 당시의 통념적 과학관을 명료화하였을 뿐만 아니라 자유 민주주의 liberal democracy를 옹호하는 미국 학계의 정치적 이데올로기와 부합하였던 데서도 그 이유를 찾아볼 수 있다(Mulkay, 1977). 그런데 구조 기능주의적 관점에서 과학의 규범 구조에 대한 논의는 실제로 이런 규범이 과학 공동체에서 일어나는 사회적 과정에 어떻게 적용되고 있는지를 경험적으로 검토함으로써 완결될 수 있다. 특히, 과학 제도의 유지와 기능에 관건이 되는 보상의 분배가 이런 규범에 따라 이루어지는지의 여부는 중요한 문제가 되었다.

4. 과학의 보상 체계

I. 과학의 제도적 특수성

보상 체계 reward system란 사회 구성원의 성공적인 역할 수행 role performance에 대한 제도화된 반대 급부의 배분 방식을 의미하며, 차별적 보상 분배의 결과가 계층화 현상으로 나타난다. 대부분의 사회 제도는 어떤 형태로든지 보상 체계가 있다. 그러나 구성원에게 기대

---

8) Harriet Zuckerman은 과학의 규범 구조와 관련하여 장기간에 걸쳐 전개된 다양한 논쟁을 정리하면서, 이 논쟁이 궁극적으로는 머튼의 분석 틀 전반에 관하여 의문을 제기하고 대안적 관점을 취하는 계기를 제공하였으며, 따라서 머튼 자신이 제시한 조직화된 회의주의의 규범에 대한 自己例示的 사례라고 지적한다(Zuckerman, 1988: 514~26).

되는 역할과 그 성공적 수행 척도, 보상 종류, 배분 양태는 각기 사회 제도에 따라 다양한 차이를 보이고 있다. 그렇다면 과학의 보상 체계는 어떤 특성이 있는가?

먼저, 과학자들에게 기대되는 역할부터 살펴보자. 과학자들은 연구, 교육, 행정, 과학 공동체의 시민으로서의 임무 등 다양한 역할을 담당한다. 이런 다양한 역할들이 기능적 중요성에 있어서 동일한 것으로는 규정되지 않는다. 공인된 지식의 확대라는 과학의 제도적 목표에 의하여, 과학에서 일반적으로 최고의 비중이 부여되는 역할은 새로운 과학 지식의 산출과 직접적으로 관련된 연구다. 기타의 역할은 국지적 수준에서만 영향력을 행사할 뿐이다(Mulkay, 1977; Zuckerman, 1988).

그러면, 과학자들의 성공적인 연구 역할 수행은 어떻게 측정될 수 있는가? 과학 지식의 공적 public 성격과 공동 소유의 규범에 의하여 과학자들의 연구 활동은 그 결과가 출판 publication[9])되었을 때만이 과학적 발견에 대한 권리가 부여된다. 따라서, 출판된 연구 업적의 양, 즉 논문의 수가 연구자로서의 역할 수행에 대한 개략적인 척도로 자주 사용된다.[10]) 그러나 모든 연구 업적이 질적으로 동일한 것은 아니다. 예컨대, 어떤 과학자는 다작(多作)이나 과학 지식 발전의 기여도는 미미한 경우도 있고, 또한 과작(寡作)이지만 중요한 업적으로 평가받을 수도 있는 것이다. 과학 논문들 사이의 질적 차이를 고려하기 위한 방안으로 자주 이용되는 척도가 동료 과학자들에 의한 인용 citation의 정도다. 즉, 특정 논문이나 과학자의 연구 업적이 다른 논

---

9) 단순한 인쇄 printing가 아니라 제출된 원고에 대한 제도화된 심사 과정을 거치는 출판 publication 제도의 역사적 확립 과정과 의미에 대하여는 Merton and Zuckerman([1971] 1973)을 참고하라.

10) '출판 아니면 도태 publish or perish'라는 미국 학계의 작동 방식에 대한 통념은 이런 경향을 반영한다고 볼 수 있다. 개별 과학자들의 논문 출판 생산성에 관련된 기존 연구 업적의 개관을 위해서는 Fox(1983)를 참고하라.

문에서 인용되는 빈도를 지적(知的) 영향력의 지표로 간주하는 것이다.[11] 어떤 한 논문에서 인용된 다수의 문헌들이 동일한 영향력을 행사하는 것이 아니기 때문에, 인용의 빈도도 지적 영향력의 정확한 지표로서는 불충분하다. 그러므로 연구자로서의 역할 수행의 질적 차이를 측정하기 위하여 질문지나 면접 등을 통한 동료 과학자들의 직접적이고 주관적인 평가가 도입되기도 한다.

양질의 연구 업적 산출의 반대 급부로서 과학자들에게 돌아가는 보상은 무엇인가? 여타의 사회 제도와 마찬가지로 물질적 보상을 포함하는 다양한 유형의 보상이 있을 수 있다. 그러나 과학의 특수성은 대부분의 과학자들에게 있어서 동료 과학자들로부터의 인정(認定) peer recognition, professional recognition이 일차적 중요성을 갖는 보상으로 간주된다는 점에 있다(Merton, 1973d; 1973e).[12] 과학 지식의 공적 성격에 의하여, 과학자는 자신이 산출해낸 과학 지식에 대한 접근과 이용 방식을 통제할 수 있는 독점적 소유권을 행사할 수 없다. 새로운 과학 지식의 산출자로서 과학자들에게 부여되는 권리는 단지 과학 지식의 확대에 기여한 바를 타인으로부터 인정받는 데 국한된다. 과학에서 유의미한 문제 설정과 해결 방식에 대한 평가는 관련된 과학 공동체에서 채택되는 기준, 즉 과학자들 사이의 인지적 합의 cognitive consensus에 의하여 결정된다. 따라서, 유능한 동료 과학자 집단의 인정이 과학의 기여도에 대한 가장 확실한 증거가 된다

---

11) 1961년 *Science Citation Index*가 편집되기 시작한 이후, 인용 분석 citation analysis
   이 과학사회학 내에서 계량적 분석을 지향하는 하나의 조류를 형성하여 다양한
   분석 기법과 적용 영역이 개발되었다.

12) Bourdieu에 의하면, 과학의 보상 체계의 특수성은 과학 지식의 생산자가 자신의
   경쟁자들인 동료 과학자들 이외에는 다른 고객이 전혀 없다는 사실에서 비롯된다
   고 한다. 따라서 과학자들은 자신의 생산물에 대한 가치 — 평판, 위신, 권위, 능
   력 등 — 를 자신의 경쟁자로서 동시에 과학 지식을 생산해내는 다른 과학자들로
   부터 평가받을 수밖에 없게 된다. 이 점에서 과학은 예술과 마찬가지로 고도의 자
   율성이 있는 사회 제도로서 작동하게 된다(Bourdieu, 1975: 23).

(Mulkay, 1977). 동료 과학자들의 인정은 포상(褒賞), 명예학위, 학술 단체 회원권, 명명(命名) eponymy 등 다양한 형태의 명예로 표출될 수 있다. 과학에서 동료들의 인정은 이런 무형(無形)의 명예뿐만 아니라, 다른 종류의 유형(有形) 자원, 특히 연구를 위한 인적·물적 자원으로 용이하게 변환되는 특징이 있다.[13]

II. 보상 체계와 보편주의

과학의 보상 체계와 관련하여 과학 사회학자들에게 가장 관심 있는 문제로 부각된 것은 보상의 배분 양태와 그 기제였다. 과학에서 보상의 분배 양태에 관한 기존의 경험적 분석들은 상당히 일관성 있는 결과를 제시한다. 과학은 보상이 비교적 소수의 수혜자에게 집중되어 있는 고도로 계층화된 highly stratified 사회 제도라는 것이다. 과학에서는 거의 모든 것 — 과학자 개인을 비롯하여 연구 집단, 연구실, 연구 기관, 대학, 전문 학술지, 연구 분야, 이론, 방법뿐만 아니라 보상의 일종인 포상에 이르기까지 — 에 끊임없이 등급이 매겨지고 차별적 위신이 부여된다. 과학 공동체에서는 소수의 엘리트가 지배적 영향력을 행사하며, 연구에 필요한 자원과 보상이 소수의 과학자에게 불균형적으로 집중되어 있다. 이런 계층화의 구조는 학문 분야, 보상 형태, 수혜자의 수준, 국가의 차이에 상관없이 비슷하게 나타난다(Alison and Stewart, 1974; Cole and Cole, 1973; Kash, et al. 1972; Mulkay, 1977; Zuckerman, 1977). 더욱이 이러한 계층 구조에서 서로

---

13) Latour and Woolgar([1979] 1986: 187~233)는 과학자들의 관심이 동료 과학자들로부터의 인정이 아니라 신용 credibility의 축적과 전환에 있음을 강조함으로써 전자의 설명력을 약화시키는 '경제학적' 모델을 제안한다. Bourdieu(1975)의 영향을 받은 이들의 관점에 의하면, 과학 제도는 근대적인 시장과 비슷한 방식으로 작동하며, 과학자들은 자신의 신용을 극대화하기 위한 다양한 투자 전략을 끊임없이 모색하는 신용 투자가와 유사하다. 그러나 이들도 신용의 변환 가능성에 대하여는 대동소이한 관념을 갖고 있다.

다른 위치를 점하는 과학자들은 확연히 차이가 나는 기회 구조에 직면하게 되며, 그 결과 과학자들의 경력이 쌓이면서 불평등과 계층 구조가 계속적으로 자기 강화되는 과정을 겪는 경향을 보인다(Cole and Cole, 1973: 37~60; Merton, 1973f; 1977).

과학에서 엄격한 계층 구조가 존재한다면, 이론적으로 중요한 의미를 갖는 문제는 이러한 계층화의 원천과 기제다. 머튼의 패러다임에 의하면 원칙적으로 과학의 보상 체계는 역할 수행의 탁월성에 따라 차별적 보상이 부여되는 보편주의의 원리에 입각하여 작동하도록 되어 있다. 과학자의 역할 가운데 최고의 비중이 부여되는 연구자로서의 역할, 즉 연구 업적research performance이 계층 구조를 결정하는 가장 중요한 원천이 되어야 한다. 따라서 과학의 보상 체계에 관한 경험적 분석의 일차적 관심은 보편주의가 실제로 구현되는 정도, 즉 과학자들의 연구 업적과 부여되는 보상 사이의 상관 관계를 밝히는 데 집중되었다.

다양한 표본과 지표, 분석 기법을 사용하고 있는 다수의 연구 가운데 몇 가지 예를 살펴보자. 크레인(Crane, 1965)은 사회적 위신에 차이가 있는 미국의 3개 대학에 근무하는 150명의 생물학 · 정치학 · 심리학 교수들에 대한 면접 조사 자료에 카이 자승 chi-square을 이용하여, 재능(박사학위 취득 학교의 위신)과 과학적 생산성(한 권의 단행본이나 동일한 주제에 관련된 4편의 논문을 하나의 단위로 하는 '주요 업적'), 인정(과학자 개인이 얻은 명예의 수) 사이의 높은 상관 관계를 확인하였다. "최우수 학생들이 최우수 대학에 의하여 선발되며, 이들 가운데 최우수 학생들이 최고의 과학자들로부터 훈련을 받도록 선발되어, 고도로 선별된 바로 이 집단으로부터 다음 세대의 가장 생산적인 과학자가 배출된다"(Crane, 1965: 713). 그러나 크레인의 연구에서는 각 지표의 질적 측면과 학문 분야별 차이를 고려하는 방법론적 치밀성이 결여되어 있으며, 그 분석 결과는 저자도 인정하였듯이 시사적인 것으로 받아들여져야 한다(1965: 700).

하겐스와 해그스트롬(Hargens and Hagstrom, 1967)은 대학원 수준의 교육을 담당하는 576명의 미국 물리학자와 생물학자를 대상으로, 과학의 계층 구조상의 지위(현재 소속 대학의 위신)에 미치는 학위 취득 대학의 위신과 과학적 생산성(최근 5년 간의 연구 업적의 수)의 상대적 영향력을 측정하여, 크레인과 유사한 분석 결과를 얻었다. 이 연구 결과도 생산성과 인정을 측정하기 위하여 선택된 지표의 부적합 때문에 일반화에 한계가 있다. 즉, 소속 대학의 위신이라는 집합적 수준의 지표 이외에 개인 과학자들 사이의 편차를 반영할 수 있는 지표가 부가적으로 사용되어야 하고, 생산성의 지표로는 경력 전체에 걸친 연구 업적이 더 합당하다는 것이다.

코울 형제(Cole and Cole, 1967; 1973)는 세련된 방법론을 사용하여 주의 깊게 선정된 120명의 미국 물리학자를 표본으로, 학위 취득 대학의 서열, 연구의 양(출판된 논문의 수)과 질(인용 빈도), 인정(수상, 소속 대학의 서열, 동료 과학자들 사이의 지명도) 사이의 관계를 조사하였다. 분석 결과는 과학자의 역할 수행과 보상의 배분 사이에 높은 상관 관계가 존재한다는 것이다. 이들의 결론에 의하면,

대부분의 다른 사회 제도에 비하여 과학은 보편주의의 이상에 근접하고 있다. 경제·정치뿐만 아니라 다른 전문직 공동체 내에서도 보편주의적 기준에 대한 이념적 코미트먼트commitment와 실제적 작동 방식 사이에 [과학에서보다] 더 큰 괴리가 존재하고 있는 듯하다. 과학에서도 보편주의의 원리에 저촉되는 사례가 다수 발견되기는 하지만, 이런 이탈 사례들은 일반적으로 전체 과학 공동체가 연구 목표를 향하여 나아갈 수 있도록 하기 위하여 무의식적으로 개인을 '희생'시키는 계산 방식의 산물이다.(1973: 247)

영국의 58개 대학에 근무하는 1,537명의 화학 교수들에 대한 면밀한 조사에 기초한 블룸과 싱클레어(Blume and Sinclair, 1973)의 분석도 과학적 생산성(최근 5년 간 출판된 논문의 수)과 연구의 질(현재 진행되고 있는 연구의 중요성에 대한 동료 과학자〔응답자〕들의 평가), 과학적 생산성과 인정, 연구의 질과 인정 사이에는 각각 +.63, +.66, +.75의 감마gamma 값을 나타냄으로써 강력한 상관 관계를 확인하였다. 이 분석에서 사용된 인정의 지표는 최근 5년 간 초청자 비용 부담의 해외 초청 회수, 연구실을 방문한 외국 고위 과학자의 수, 연구비 배정 심사위원회의 현직 위원직, 학회의 평의회 의원직이나 편집 고문직, 포상 수, 왕립학회 회원직을 토대로 측정된 것으로서, 장기간의 경력 전체에 걸쳐 축적된 연구 업적에 대한 보상의 성격을 강하게 띠고 있다. 저자들의 의도대로 영국 과학의 보상 체계의 성격을 파악하기 위해서는, 과학자들의 연령과 경력 전체에 걸친 연구 업적의 양과 질이 고려되어야만 한다.

개스톤(Gaston, 1970)은 영국의 20개 대학과 3개 연구소에 근무하는 203명의 고(高)에너지 물리학자들을 면접 조사하여 수집한 연구 생산성, 인정, 출신 배경, 현재 소속 기관에 대한 자료를 기초로 보상 체계의 작동을 분석하였다. 결론은 보상의 배분이 연구 생산성 이외의 어떤 다른 요인에 의해서도 유의미한 영향을 받지 않는다는 것이다. 단지 실험 연구보다 이론 연구에 상대적으로 높은 보상이 주어지는 경향이 나타나는데, 이것도 관련된 과학자들의 사회적 속성에 기인하는 것이 아니라 이론 연구가 과학 지식의 발전에 더 큰 가치를 지니기 때문에 발생하는 현상이므로 결코 보편주의의 원칙에 위배된다고는 볼 수 없다고 한다. 그는 미국과 영국의 물리학자, 화학자, 생물학자들에 대한 비교 분석을 통하여 학문 분야간의 인지적 차이와 국가간의 사회구조적 차이에도 불구하고 과학의 보상 체계는 보편주의의 원리를 충실히 준수하는 방식으로 움직이고 있다는 결론을 내리고 있다(Gaston, 1978).

위에 든 예에서 나타나는 바와 같이, 기존의 경험적 분석들은 대체로 과학에서 보상이 연구의 양과 질 모두에 높은 상관 관계를 가지고 있다는 결과를 보여주고 있다. 그러나, 과학의 보상 체계에서 보편주의의 실현 여부에 대한 더 세련된 논의를 위해서는 보상의 배분에 미치는 연구의 양과 질의 상대적 영향력이 평가되어야 한다. 과학적 지식의 확장에 대한 기여도에 비례하는 보상의 배분이 진정한 의미의 보편주의며, 따라서 연구의 양이 아니라 연구의 질이 기준으로 되어야 하기 때문이다. 코올 형제(Cole and Cole, 1967; 1973)는 연구의 양과 질 사이에는 높은 상관 관계가 존재하며, 동료 과학자들 사이에서의 평판이나 사회적으로 위신이 높은 대학의 교수직을 얻는 데 있어서 출판된 논문 편수보다는 인용 빈도가 가장 중요한 결정 요인으로 작용한다는 분석 결과를 얻었다. 개스톤(Gaston, 1970; 1978)의 분석도 비슷한 결과를 얻고 있다. 주커만(Zuckerman, 1977)은 미국 노벨상 수상자들에 대한 연구에서 과학의 계층 구조에서 상층부로 갈수록 연구의 질이 평가의 기준으로 작용한다는 사실을 밝혔다.

이상의 분석들에서는 대체로 연구 업적 — 특히 인용 빈도에 의하여 측정된 연구의 질 — 과 보상의 배분 사이에 나타나는 높은 상관 관계가 보편주의의 작동에 대한 증거를 제시하는 것으로 간주되었다. 그러나 이런 해석에 대해 의문이 제기되었다. 멀케이(Mulkay, 1980)는 이런 상관 관계가 허위 관계spurious relationship에 불과하거나 최소한 보편주의의 작동을 증명해주지는 못한다고 주장한다. 인용 빈도는 보상의 일종이며, 인용 빈도와 기타의 지표로 측정된 보상 사이에 나타나는 높은 상관 관계는 단지 여러 종류의 보상이 소수의 동일한 과학자들에게 집중적으로 돌아간다는 사실을 보여줄 뿐이다. 그러므로, 어떤 이유로 이런 소수의 과학자들이 다양한 종류의 보상의 대부분을 차지하게 되는가라는 기본적인 질문에 대한 해답이 제

78

시되었다고는 볼 수 없다는 것이다.

이런 문제제기에 대하여 머튼의 패러다임을 따르는 연구자들은 특수주의적 particularistic 요인이 개입하여 인용의 유형이 유의미하게 왜곡될 수 있는 가능성은 거의 없다고 본다. 비교적 소수의 과학자가 출판 논문의 수와 인용 빈도에 있어서 압도적 비중을 차지하고 있는 것이 사실이기는 하나, 자주 인용되는 문헌들에 대한 인용 빈도의 대부분이 단기간 내에 이루어지는 경향을 보이고 있다. 따라서, 여러 분야에서 그렇게 단기간 내에 높은 빈도로 이루어지는 인용 과정을 소수의 과학자가 독점한다는 것은 불가능하다. 인용 유형은 소수의 과학자들에 의하여 전적으로 통제되거나 특정 집단의 의도적인 집합적 결정의 산물은 아니라는 것이다(Zuckerman, 1988: 528~29).[14] 결국 이런 논의는 과학자들의 인용 관행에 대한 심층적 연구의 필요성에 주의를 환기시킨다.

그러나 과학 공동체 내의 보상 배분에 있어서 특수주의적 요인들이 어느 정도 작용하고 있는 데 대하여는 인상적 관찰뿐만 아니라 다수의 체계적 분석이 이루어져왔다. 소위 학연(學緣)이라는 것으로, 객관적인 연구 업적에 상관없이 학위를 취득한 대학과 소속 기관, 학문적 후원자의 위신이 과학자들의 경력에 영향을 미친다는 것이다. 일찍이 크레인(Crane, 1965), 하겐스와 해그스트롬(Hargens and Hagstrom, 1967)이 학위 취득 대학과 현재 소속 대학의 위신에 상관관계가 있음을 발견한 이후 다수의 연구자들에 의하여 그 분석이 정교화되었다(Chubin, Porter and Boeckmann, 1981; Long, 1978; Long, Allison and McGinnis, 1979; Reskin, 1977; 1979). 더욱이, 과학자의 연구 생산성이 학위 취득 후 최초의 직장이나 이후에 옮긴 직장의 위신

---

14) 인용 빈도가 높은 과학자들의 논문은 역시 자주 인용되는 다른 엘리트 과학자들에 의해서뿐만 아니라 비교적 인용 빈도가 낮은 과학자들에 의해서도 동일한 정도로 인용되고 있다는 Cole(1970)의 발견은 이에 대한 하나의 방증이 될 수 있다.

에는 유의미한 영향을 미치지 않는 반면, 소속 기관의 위신과 환경은 그 기관에 취직한 이후의 연구 생산성에 강력한 영향을 미친다는 사실도 발견되었다(Long, 1978; Long and McGinnis, 1981). 보편주의가 가장 고도로 구현된다고 하는 과학 공동체 위계 질서의 최상층부에서도 마찬가지로 이런 현상을 볼 수 있다(Zuckerman, 1977).[15]

최근에 이르러 활발해진 과학 공동체 내에서의 여성의 위치에 대한 연구들은 과학 공동체 전반에 걸쳐 작용하고 있는 특수주의적 요인에 대하여 가장 명백한 증거를 제시한다. 직위, 급료, 승진, 포상 등 다양한 모든 보상에서 남녀 과학자 사이에는 현격한 차이가 난다. 여성 과학자는 전공 분야, 교육 배경, 경력 연수(年數)가 동일한 남성 과학자들에 비하여 약 60% 정도의 논문 편수와 인용 빈도를 가진다. 그러므로 보상의 성격차(性隔差) gender disparity는 연구 생산성의 차이에 의하여 설명되는 부분이 있기도 하지만, 문제는 연구 생산성의 효과를 통제한 후에도 여성 과학자는 남성에 비하여 보상에 차별을 받고 있다는 점이다(Cole, J., 1979; Zuckerman, 1988: 530).

이러한 특수주의적 요인의 작용은 대체로 머튼이 제시한 '누적적 우위(優位) cumulative advantage'의 원리에 의하여 설명된다(Merton, 1973b; 1973f).

개인적인 자기 선택과 제도적인 사회적 선택 과정이 상호 작용을 일으켜 주어진 활동 분야의 기회 구조에 접근할 수 있는 개연성에 계속적으로 영향을 미친다. 일단 개인의 역할 수행이 엄격한 제도적 기준을 만족시키면…… 그 개인은 자신의 작업(과 그에 부수되는 보상)

---

15) Zuckerman의 조사에 의하면, 미국의 노벨상 수상자 중에 과반수──정확히 92명 중에서 48명──가 제자나 하위 연구자로 선배 노벨상 수상자의 지도를 받은 경험이 있으며, 이들은 연구 업적은 객관적으로 비슷하나 노벨상 수상자의 지도를 받지 않은 과학자 집단과 비교해서 평균 9년 먼저 노벨상을 수상한 것으로 나타났다(Zuckerman, 1977: 134~204).

을 향상시킬 수 있는 기회를 계속적으로 증대하여 얻을 수 있다……
엘리트 기관에 발을 들여놓은 사람에게는 차별적으로 누적되어가는
우위를 획득할 수 있는 가능성이 더 높아진다.(Merton, 1977: 89)

요컨대, 과학자로서의 경력 초기에 획득한 우위성이 지속적인 '강
화 효과reinforcement effects'를 발휘함으로써 이후의 경력에 영향을
미친다는 것이다.

누적적 우위에 대한 해석에 있어서는 연구자들 사이에 상당한 차
이가 발견된다. 한편에서는 이 과정이 외견상으로는 보편주의의 규
범에 위배되는 것처럼 보이지만, 실제로 원초적인 우위는 보편주의
적 원리에 의하여 창출되며, 보편주의적 기준을 강력히 고수하면 자
원이 가장 잘 이용할 수 있는 개인이나 기관에 집중적으로 배분되게
됨으로써 우위 누적 과정을 가속화한다고 본다(Cole and Cole, 1973;
Zuckerman, 1977). 다른 한편에서는, 우위성의 누적 과정에는 보편주
의적 기준으로 설명할 수 없는 행운의 역할이 상당한 비중을 차지하
며 다른 직종에서 발견되는 특수주의적 차별discrimination 관행과 본
질적으로 같은 것임을 강조한다(Alison, Long and Krauze, 1982;
Zuckerman, 198: 530~32).

5. 맺음말

오늘날 한국의 과학 공동체를 이해하는 데 있어서 현재 작동되고
있는 보상 체계에 대한 분석은 전략적 출발점이 될 수 있다고 본다.
머튼의 패러다임에 경도된 연구자들이 주장하는 바와 같이(Cole and
Cole, 1973) 보편주의적인 원리에 입각한 보상 체계의 작동이 과학 지
식의 급속한 발전에 기능적인지의 여부는 논쟁의 여지가 있다 하더

라도,[17] 능력주의 meritocracy의 관념은 한국 사회에서 차별적 보상에 대한 가장 강력한 이념적 정당화의 근거를 제공하고 있고, 특히 과학 공동체는 그 이념이 가장 고도로 구현되어야 한다는 것이 사회적 통념이라고 보기 때문이다. 따라서 이런 기대와 현실의 일치 여부 — 물론 상대적인 것이지만 — 는 중요한 의미를 가진 사회적 결과를 초래할 수 있다고 본다.

그러나 앞에서 언급한 서구의 연구 업적을 적용함에 있어서는 먼저 그 한계에 대하여 충분히 인식할 필요가 있다. 첫째는 각기 연구에 내포되어 있는 방법론적 가정들에 대한 신중한 고려가 요청된다. 특히, 기존의 연구들이 주로 개별 과학자들의 속성을 검토하는 방법론적 개인주의의 편향을 가지고 있다는 점이다. 둘째는 기존 연구가 대부분 특정 분야와 국가에 대한 사례 연구로 구성되어 있다는 점이다. 분야별로는 대다수가 물리학, 그리고 다음으로 화학 분야에 집중되어 있으며, 국가별로는 미국이 압도적 다수를 차지하고 영국의 사례가 약간 포함되어 있는 정도다. 따라서 분석 결과의 해석과 일반화에는 세심한 주의가 요구된다. 현재 과학이 서구에서 선구적으로 발전되어 기타 지역의 사회로 전파되고 있음은 부인할 수 없으나, 이 사실 때문에 과학 공동체의 사회 구조와 과정도 같아질 것이라는 선험적 판단을 내리는 수렴론적 경향을 경계할 필요가 있다. 예를 들어, 서구의 분석은 과학자들의 역할 가운데 연구자로서의 역할이 가

---

17) 예컨대, Cole and Cole에 의하면 과학에서는 보편주의적 보상 체계에 의하여 엘리트들이 형성되어 지적 권위 intellectual authority를 부여받으며, 이 엘리트들이 합의 consensus의 기준을 확립 · 유지함으로써 사회적 갈등이 극소화되고 과학 지식이 발전할 수 있는 토대가 이루어진다(1973: 65~89). 다른 한편, Bourdieu는 과학을 여타의 사회 제도와 마찬가지로 권력과 자원의 배분을 둘러싼 '경쟁적 투쟁의 소재지 locus of a competitive struggle'로 규정하면서 상이한 시각을 제시하고 있다(1975). 과학의 규범 구조와 보상 체계, 과학 지식 발전 사이의 관계에 관련된 다양한 쟁점은 Zuckerman이 간략하게 정리하였다(1988: 519~20, 532~33).

장 높이 평가된다는 점에 대하여는 문제시하지 않는다. 그러나 새로운 지식의 창출이 아니라 선진 과학 지식의 이해와 수용에 과학 활동의 중점이 주어지는 과학 공동체와 조직 환경 내에서는 이런 전제 자체가 재고되어야만 할 것이다. 요컨대, 한국 과학 공동체에 대한 정확한 이해를 위해서는 보상 체계의 작동에 개입되는 구조적 변수와 광범위한 사회적 맥락이 분석 틀에 흡수되어야 한다는 것이다.

마지막으로 과학의 규범 구조와 보상 체계에 대한 이상의 논의는 과학 지식의 객관성을 강조하는 전통적인 인식론과 밀접한 관계가 있다는 점을 지적하고자 한다. 근래의 새로운 인식론적 관점에 의하면 새로운 방향으로 해석할 수 있는 가능성이 있으나, 이에 대한 논의는 다음 기회로 미루기로 한다.

참고 문헌

Allison, Paul D. and John A. Stewart(1974), "Productivity Differences among Scientists: Evidence for Accumulative Advantage," *American Sociological Review* 39, pp. 596~606.

Allison, Paul D., J. Scott Long and Tad K. Krauze(1982), "Cumulative Advantage and Inequality in Science," *American Sociological Review* 47, pp. 615~25.

Barnes, Barry(1982), *T. S. Kuhn and Social Science*, New York: Columbia University Press.

Ben-David, Joseph(1978), "The Emergence of National Traditions in the Sociology of Science: The United States and Great Britain," *The Sociology of Science: Problems, Approaches and Research*, edited by J. Gaston, San Francisco: Jossey-Bass, pp. 198~218.

————and Teresa A. Sullivan(1975), "Sociology of Science," *Annual Review of Sociology* 1, pp. 203~22.

Bernal, J. D.(1939), *The Social Functions of Science*, London: Routledge and Kegan Paul.

Blume, S. S. and Ruth Sinclair(1973), "Chemists in British Universities," *American Sociological Review* 38, pp. 126~38.

Bourdieu, Pierre(1975), "The Specificity of the Scientific Field and the Social Conditions of the Progress of the Reason," *Social Science Information* 14(6), pp. 19~47.

Chubin, Daryl E., Alan L. Porter and Margaret E. Boeckmann(1981), "Career Patterns of Scientists: A Case for Complementary Data," *American Sociological Review* 46, pp. 488~96.

Cole, Jonathan R.(1970), "Patterns of Intellectual Influence in Scientific Research," *Sociology of Education* 43, pp. 377~403.

————(1979), *Fair Science: Women in the Scientific Community*, New York: Free Press.

————and Stephen Cole(1973), *Social Stratification in Science*, Chicago: University of Chicago Press.

Cole, Stephen and Jonathan R. Cole(1967), "Scientific Output and Recognition: A Study in the Operation of the Reward System in Science," *American Sociological Review* 32, pp. 377~90.

Collins, Randall and Sal Restivo(1983), "Development, Diversity, and Conflict in the Sociology of Science," *Sociological Quarterly* 24, pp. 185~200.

Crane, Diana(1965), "Scientists at Major and Minor Universities: A Study of Productivity and Recognition," *American Sociological Review* 30, pp. 699~714.

Fox, Mary F.(1983), "Publication Productivity among Scientists: A Critical Review," *Social Studies of Science* 13, pp. 285~305.

Gaston, Jerry(1970), "The Reward System in British Science," *American Sociological Review* 35, pp. 718~32.

———(1978), *The Reward System in British and American Science*, New York: John Wiley and Sons.

Gilbert, G. Nigel and Michael Mulkay(1984), *Opening Pandora's Box: A Sociological Analysis of Scientists' Discourse*, Cambridge: Cambridge University Press.

Hargens, Lowell L. and Warren O. Hagstrom(1967), "Sponsored and Contest Mobility of American Academic Scientists," *Sociology of Education* 40, pp. 24~38.

Hessen, Boris[1931](1971), "The Social and Economic Roots of Newton's 'Principia'," *Science at the Cross Roads*, London: Frank Cass and Co, pp. 149~212.

Kash, Don E., Irvin L. White, John W. Reuss, and Joseph Leo(1972), "University Affiliation and Recognition: National Academy of Science," *Science* 175, pp. 1076~84.

Knorr Cetina, Karin(1991), "Merton's Sociology of Science: The First and the Last Sociology of Science?" *Contemporary Sociology* 20, pp. 522~26.

Latour, Bruno and Steve Woolgar[1979](1986), *Laboratory Life: The Construction of Scientific Facts*, Princeton, New Jersey: Princeton University Press.

Long, J. Scott(1978), "Productivity and Academic Position in the Scientific Career," *American Sociological Review* 43, pp. 889~908.

———, Paul D. Allison and Robert McGinnis(1979), "Entrance into the

Academic Career," *American Sociological Review* 44, pp. 816~30.

——and Robert McGinnis(1981), "Organizational Context and Scientific Productivity," *American Sociological Review* 46, pp. 422~42.

Merton, Robert K.[1938](1970), *Science, Technology and Society in Seventeenth Century England*, New York.

——(1973a), *The Sociology of Science*, Edited and with an introduction by Norman W. Storer, Chicago: University of Chicago Press.

——[1942](1973b), "The Normative Structure of Science," *The Sociology of Science*, pp. 267~78.

——[1952](1973c), "The Neglect of the Sociology of Science," *The Sociology of Science*, pp. 210~20.

——[1957](1973d), "Priorities in Scientific Discovery," *The Sociology of Science*, pp. 286~324.

——[1968](1973e), "Behavior Patterns of Scientists," *The Sociology of Science*, pp. 325~42.

——[1968](1973f), "The Matthew Effect in Science," *The Sociology of Science*, pp. 439~59.

——(1977), *The Sociology of Science: An Episodic Memoir*, Carbondale, Illinois: Southern Illinois University Press.

——and H. Zuckerman[1971](1973), "Institutionalized Patterns of Evaluation in Science," *The Sociology of Science*, pp. 460~96.

Mulkay, Michael(1977), "Sociology of the Scientific Research Community," *Science, Technology and Society: A Cross-Disciplinary Perspective*, edited by Ina Spiegel-Rosing and Derek de Solla Price, Beverly Hills, California: Sage, pp. 93~148.

——(1979), *Science and the Sociology of Knowledge*, London: George Allen and Unwin.

————(1980), "Sociology of Science in the West," *Current Sociology* 28, pp. 1~184.

Pinch, Trevor J. and Wiebe E. Bijker(1987), "The Social Construction of Facts and Artifacts: Or How the Sociology of Knowledge and the Sociology of Technology Might Benefit Each Other," *The Social Construction of Technological Systems*, edited by Wiebe E. Bijker, T. P. Hughes and T. J. Pinch, Cambridge, Massachusetts: MIT Press, pp. 17~50.

Reskin, Barbara F.(1977), "Scientific Productivity and the Reward Structure of Science," *American Sociological Review* 42, pp. 491~504.

————(1979), "Academic Sponsorship and Scientists' Careers," *Sociology of Education* 52, pp. 129~46.

Spiegel-Rosing, Ina.(1977), "The Study of Science, Technology and Society(SSTS): Recent Trends and Future Challenges," *Science, Technology and Society: A Cross-Disciplinary Perspective*, edited by Ina Spiegel-Rosing and Derek de Solla Price, Beverly Hills, California: Sage, pp. 7~42.

Star, Susan Leigh(1988), "Introduction: The Sociology of Science and Technology," *Social Problems* 35, pp. 197~205.

Storer, Norman W.(1973), "Introduction," Robert K. Merton, *The Sociology of Science,* pp. xi~xxxi.

Zuckerman, Harriet(1977), *Scientific Elite: Nobel Laureates in the United States,* New York: Free Press(송인명 역, 『과학 엘리트』, 교학사).

————(1988), "The Sociology of Science," *Handbook of Sociology*, edited by Neil J. Smelser, Newbury Park, California: Sage, pp. 511~74.

제4장

'새로운' 과학사회학
—— 과학지식사회학의 가능성과 한계

과학사회학이 사회학의 분과로서 제도적으로 확고한 위치를 차지하게 된 것은 1960년대에 이르러서였다. 당시 과학사회학자들의 관심은 주로 사회 제도로서의 과학, 즉 과학 활동과 과학자 사회 내부의 구조와 과정을 분석하는 데 집중되어 있었다. 그러나 1970년대 유럽의 젊은 연구자들을 중심으로 형성되기 시작한 새로운 흐름은 과학 지식의 내용에 대한 사회학적 분석을 목표로 함으로써 일반적으로 '과학지식사회학 sociology of scientific knowledge'으로 불리게 되었다. 지난 20년 간 다양한 방향으로 역동적으로 성장해온 과학지식사회학은 오늘날 과학사회학 분야를 주도하고 있다. 이 글은 과학지식사회학이 무엇이며 그 성과가 어떠한지를 살펴보고자 한다.

1. 과학지식사회학의 형성 배경

과학지식사회학은 1970년대초 영국의 에딘버러 Edinburgh 대학, 바스 Bath 대학 등을 중심으로 하여 시작된 것으로 알려져 있다. 1960년대까지 과학사회학은 미국에서 활동하던 사회학자들에 의하여 주도되었으며, 유럽에는 과학사회학이라는 분야가 사실상 존재하지 않았다고 볼 수 있다. 그러면 과학사회학 분야의 불모지와 다름없던 곳에서 과학에 대한 새로운 사회학적 접근 방식이 출현하게 된 사회적·지적 배경은 무엇인가?

1930년대부터 선구적으로 과학사회학 분야의 연구를 계속하였던 머튼Robert K. Merton은 과학 기술에 대한 사회학자들의 무관심을 개탄하면서, 과학이 중요한 '사회 문제'로 인식됨으로써 과학이 함축하고 있는 사회적 의미에 대하여 과학자뿐만 아니라 일반인들의 관심이 고조되는 것과 때를 같이하여 과학에 대한 사회학적 관심이 일어날 것이라고 예견한 바 있다([1952] 1973). 이 예견은 미국과 마찬가지로 영국의 경우에도 적확한 것이었다.

1960년대 미국과 비교하여 유럽 과학 기술의 상대적 후진성에 대한 우려가 높아지면서, 과학 제도의 개선과 과학 기술의 발전에 대한 사회적·정치적 관심도 높아지게 되었다. 다른 한편, 서구 여러 나라에서는 2차 대전 이후 가속화된 무기 및 우주 개발 경쟁 속에서 자연과학과 공학 분야의 급속한 발전에 몰두한 채, 그 부정적 측면이나 삶의 질의 개선에 유용한 사회적 적합성을 가진 '부드러운' 과학soft sciences의 발전에 대하여는 대체로 무관심하거나 무책임한 태도를 보였다. 1960년대에 이르러 그 결과는 심각한 환경 파괴, 도시 문제 및 세계 평화의 위협으로 명백히 드러났으며, 과학 기술의 효용과 가치에 대한 환멸과 더불어 강력한 '반과학적anti-scientific' 분위기가 확산되었다. 이런 상황 아래서 영국에서는 과학에 대한 사회과학적 탐구가 과학 기술의 적극적 개발과 오도된 과학 기술 개발과 이용의 저지·교정이라는 사회적 요구를 충족하는 데 기여할 수 있는 잠재력이 있는 학문 분과로서 그 중요성이 인식되기 시작하였다(Ben-David, 1981; Spiegel-Rosing, 1977).[1]

---

1) 1930년대 이후 최고의 권위를 누리는 과학자들, 예컨대 Joseph Needham, J. D. Bernal, Michael Polanyi 등이 꾸준히 과학의 사회적 측면에 대하여 진지한 관심을

주로 기존의 사회학과 대학원 과정을 통하여 과학사회학 분야에 대한 관심이 뿌리를 내린 미국과는 달리, 영국에서는 과학 기술의 사회적 측면에 관련된 제반 분야의 연구와 교육을 담당할 수 있는 새로운 학제적 interdisciplinary 프로그램들이 설립되었다. 에딘버러 Edinburgh 대학의 과학학과 Science Studies Unit, 바스 Bath 대학의 과학학 센터 Science Studies Centre, 서섹스 Sussex 대학의 과학정책연구과 Science Policy Research Unit 등을 그 예로 들 수 있다. 여기에는 사회학뿐만 아니라 경제학·철학·역사학 및 자연과학을 전공한 젊은 이들이 모여들었다. 뚜렷한 지적 지도자가 없는 가운데 이런 학제적 편제는 사회학 이외의 분야에 전문적 배경을 가진 신진 학자들이 다양한 분야에 접하면서 과학사회학자로 활동하기가 용이하도록 하였으며, 실제로 이들이 과학지식사회학의 출현에 주도적 역할을 담당하였다(Ben-David, 1978; Collins, 1983a; Spiegel-Rosing, 1977).

그러면 영국의 새로운 과학사회학은 이미 미국에서 정립된 과학사회학의 전통과 어떤 관계를 갖고 있었는가? 미국의 과학사회학은 성립 당시부터 머튼과 그의 제자, 동료들에 의하여 주도되었고, 1960년대 이 분야의 개척자이며 '분석적 패러다임'을 정립한 지적 지도자로서 머튼의 위치는 확고부동하였다.[2] 1930년대 후반부터 1960년대까지 미국 사회학계를 풍미하던 이론은 구조 기능주의 structural functionalism였으며, 제2차 세계 대전 이후 미국 사회학이 전세계 사회학계에 압도적 영향력을 행사하게 되면서 구조 기능주의는 사회학 분야에서 토마스 쿤 Thomas S. Kuhn이 의미하는 바대로 '패러다임 paradigm'의 역할을 담당하였다. 탁월한 구조 기능주의 이론가였던

보여왔던 전통도 이 새로운 분야가 사회적으로 인정받는 데 도움이 되었다(Ben-David, 1978: 203).

2) 머튼의 분석적 패러다임과 그에 의거한 경험적 연구에 대하여는 윤정로(1992)를 참조하라.

머튼의 과학사회학이 구조 기능주의적 관점에 입각하고 있음은 당연한 것이었다. 그런데 1960년대말부터는 사회학 전반에 걸쳐 구조 기능주의에 대한 비판이 활발히 전개되기 시작하였다. 따라서, 과학지식사회학도 미국의 구조 기능주의적 접근 방식에 대한 반발에서 기원하였으며 적대적인 관계 속에서 발전한 것으로 보는 견해가 있다 (Ben-David, 1978).

콜린스Harry H. Collins에 의하면(1983a), 영국에서 과학지식사회학의 출현에 독자적으로 기여한 제1세대 학자가 6명인데, 이들이 각기 3명씩 두 집단으로 나뉜다고 한다. 하나는 돌비 Alex Dolby, 멀케이 Michael Mulkay, 휘틀리 R. Whitley고, 다른 하나는 반즈 Barry Barnes, 블로어 David Bloor, 콜린스 Harry M. Collins다. 전자의 집단은 모두 미국과 캐나다의 대학원에 유학하여 각기 역사학, 사회학, 신문방송학을 전공하면서 미국의 과학사회학에 접한 사람들이며, 최소한 이들의 초기 저작은 반머튼적 anti-Mertonian 성향을 강하게 보이고 있다. 예컨대, 멀케이(1969)와 돌비(1970)는 구조 기능주의적 분석 틀의 핵심인 과학의 규범 구조라는 명제에 관하여 정면으로 신랄한 비판을 가하였으며, 휘틀리(1972)는 과학 지식의 산출이라는 '암흑 상자를 여는opening up the black box'데 있어서 저해적 요인으로 머튼식의 사고를 비판하였다. 이런 작업은 기존 접근 방식의 한계를 밝히는 데는 중요한 기여를 하였지만 그 대안으로서 과학지식사회학을 제시하는 데까지는 이르지 못하였다고 평가할 수 있다.

반면, 후자는 자연과학과 철학을 전공한 후 에딘버러와 바스 대학의 학제적 프로그램에 소속되어 활동하던 집단으로서, 과학지식사회학의 이론과 방법론을 정립하고 일관성 있게 경험적 분석을 수행한 신진 학자들이다. 이들은 과학지식사회학적 사고의 형성과 발전이 미국의 과학사회학과는 지적으로 거의 무관하다고 주장한다(Collins, 1983a).[3] 과학지식사회학은 오히려 과학사, 과학철학, 인류학과 긴밀한 관련을 맺으면서 출현하였다(Barnes, 1974; Ben-David, 1978; Cole, 1992; Collins, 1983a; Mulkay, 1979; Zuckerman, 1988). 첫째, 토마스 쿤의 과학 혁명에 관한 기념비적 저작은 과학지식사회학의 출현에 가장 강력하고 직접적 영향을 미친 지적 영감의 원천으로 알려져 있다(Barnes, 1982; Cole, 1992).[4] 둘째, 과학철학에서는 합리주의적 전통에 도전을 가하는 상대주의적 관점의 출현으로 야기된 긴장이 자극이 되었다. 셋째는 뒤르켐Emile Durkheim의 지식사회학 모델을 부활시켜 근대 문화 분석에 적용하려고 한 1960년대 영국 인류학자들의 노력이다(Barnes, 1974; Ben-David, 1981; Bloor, 1976; Mulkay, 1979).

이상의 논의에서 우리는 과학지식사회학이 제도적으로, 그리고 지적으로 강력한 학제적 분위기를 배경으로 하여 출현하였음을 알 수 있다. 다음 절에서는 이런 배경이 과학지식사회학의 어떤 특징으로 구체화되고 있는지 살펴보도록 하자.

2. 새로운 패러다임으로서의 과학지식사회학

지도적 과학사회학자 중의 하나인 벤-다비드Joseph Ben-David는 과학지식사회학의 발전에 대하여 과학사회학 분야의 '혁명적' 상황

---

3) *Social Science Citation Index*에 수록된 자료를 분석해보면, 1971년부터 1981년 사이에 미국의 과학사회학자들이 리뷰나 논평 논문을 제외하고 미국에서 발간되는 학술지에 게재한 논문 중에서 영국 과학지식사회학의 연구 성과에 대하여 언급한 경우가 단 한 건도 없는 것으로 나타난다(Collins, 1983a: 271).

4) 과학지식사회학적 사고의 형성에 대한 쿤의 영향력이 쿤의 저작에 대한 정확한 이해보다는 오해에 바탕을 두고 있으며, 과학사회학계에는 쿤에 대한 '신화'가 존재하여 그의 영향력이 과대평가되고 있다는 비판도 있다(Ben-David, 1978; Collins and Restivo, 1983; Merton, 1979).

이라는 평가를 내린 바 있으며(1981: 54), 과학지식사회학은 흔히 '새로운' 과학사회학으로 지칭된다. 과학지식사회학은 어떤 점에서 독창성을 보이고 있는가? 과학지식사회학은 광범위한 편차를 가진 다양한 접근 방식으로 이루어져 있으며, 그 특성을 일반화하는 데는 무리가 따른다. 그러나 그 내부의 다양성에 대한 더욱 상세한 논의는 다음 절로 미루고, 이 절에서는 하나의 패러다임으로서의 특성, 즉 비트겐슈타인이 지적한 '가족 유사(家族類似) family resemblance'에 초점을 맞추기로 한다.

과학지식사회학이 출현하는 직접적 계기는 자연계의 재현 representation으로서의 과학 지식이라는, 17세기 이후 서양 철학을 지배하여온 과학관에 대한 인식론적 비판이었다.[5] 소위 '표준적 과학 관 standard view of science'에 의하면, 자연계는 실재하고 객관적인 실체로서, 그 특성은 관찰자의 주관적 선호나 의도에 의하여 좌우됨이 없이 충실히 재현될 수 있다. 자연계의 변화와 운동의 근저에는 불변의 제일성 uniformity이 존재한다. 자연계에서 일관성 있게 존재, 발생하고 안정된 관계를 유지하는 대상과 과정, 사건, 관계는 사실 fact을 구성하며, 과학은 바로 이런 자연계의 사실들에 대한 정확한 설명을 제공하기 위하여 자연계의 보편적인 법칙 발견을 목표로 하는 지적 활동이다. 자연계의 사실은 이론과 독립적으로, 관찰 가능한 실재를 단순히 재현하는 방식으로 표현될 수 있다. 과학적 법칙의 발견은 자연계에 객관적으로 존재하는 사실에 대한 공평하고 객관적인 관찰에서 시작되며, 이런 관찰의 신뢰성과 타당성을 보장하기 위하여 엄격한 기준과 규칙이 정립되어왔다. 관찰은 주관성이 배제된 '객관적이고 측정 가능한 속성'에 대한 감각적 증거의 기록이며 의미 창출과는 완전히 구분된다. 관찰에 오류가 없는 한, 일단 확립된 사실은 결코

---

5) 이하의 서술은 철학적 인식론 논의 자체에 충실하기보다는 과학사회학자들에 의한 수용의 측면에 중점을 두고 있다.

그 내용이나 의미가 변하지 않는다. 이론은 관찰된 사실에 대한 해석으로서 바뀔 수 있으며, 사실과의 부합 여부가 이론의 검증에 기준이된다. 그러나 어떤 이론이 완전히 기각된다 하더라도, 그 이론에 포함되어 있는 확립된 사실은 후속 이론으로 전수되며, 새로운 후속 이론은 기존의 사실 이외에 새로이 관찰된 사실을 포괄하는 것이 일반적이다. 따라서 과학 지식이 이론의 수준에서는 가변적이고 누적성이 부족하다 할지라도, 경험적 이해의 수준에서는 확실한 누적적 성장을 하여온 것으로 볼 수 있다. 요컨대, 관찰과 사실은 중립적이며, 합리성과 실재가 과학 지식의 타당성과 이론 선택의 결정 요인이라는 것이다(Mulkay, 1979: 1~26; Woolgar, 1988a: 15~38).

과학철학과 과학사 분야에서 발전된 새로운 이론에 따라 수정된 관점은 다음과 같이 요약할 수 있다. 첫째, 자연계의 제일성은 자연계의 고유한 속성이 아니라, 자연계에 대한 과학적 설명 방식에 의하여 과학자들이 만들어낸 속성이다. 둘째, 사실은 이론 중립적이며 보편적 의미를 갖는 것이 아니라, 이론 의존적theory-dependent이며 그 의미가 가변적이다. 셋째, 관찰은 해석과 구분되는 것이 아니라, 범주화와 추론의 과정이 수반되는 적극적인 해석 과정이다. 관찰과 해석은 동일한 과정의 두 가지 국면에 불과하다. 넷째, 과학 지식의 타당성에 대한 평가는 불변하는 보편적 기준에 의하여 이루어지는 것이 아니라, 다양한 암묵적 기준간의 미묘한 균형이 요구되는 대단히 복잡하고 장기간에 걸쳐 이루어지는 과정이다. 따라서 평가 과정을 거치면서 과학 지식의 내용과 의미는 다양한 해석적·사회적 맥락의 요구에 따라 끊임없이 재해석된다. 과학 이론의 수용에는 비확정적이고 가변적인 기준이 영향을 미치며, 따라서 과학 지식이 제공하는 자연계에 대한 설명은 필연적으로 어떤 사회에서 이용 가능한 문화적 자원에 의하여 매개될 수밖에 없다. 요컨대, 과학 이론의 선택은 '타협 negotiation'을 통하여 이루어진다(Mulkay, 1979: 27~62).

94

이와 같은 인식론적 관점의 변화는 사회학적으로 어떤 의미를 함축하고 있는가? 표준적 과학관에 의하면, 과학 지식은 객관적 자연계에 대한 정확하고 명백하며 입증 가능한 지식으로서 사회문화적 영향으로부터 독립적이다. 따라서 과학 지식의 형태와 내용 및 형성 과정은 사회학적 탐구의 영역을 벗어나는 것으로 간주된다. 결과적으로, 지식과 그 지식이 산출된 사회문화적 맥락 사이의 관계를 탐구하는 지식사회학의 오랜 전통에도 불구하고 과학 지식은 특수한 사례로서 사회학적 분석 대상에서 제외되었다. 지식사회학의 발전에 중요한 기여를 한 마르크스 Karl Marx, 뒤르켐 Emile Durkheim, 만하임 Karl Mannheim조차도 이런 한계에서 벗어나지 못하였다(Mulkay, 1979; Woolgar, 1988a: 15~29).

이런 인식론적 관점의 한계는 특히 머튼류의 과학사회학에서 분명히 드러난다. 과학사회학자들은 과학과 사회적 맥락 사이의 관련성을 인정하지만, 그 관련성이 과학의 지적 활동 '바깥' 영역에 국한된다. 또한 그릇된[僞] 과학 지식의 산출을 설명하는 경우에 사회적 맥락을 강조함으로써 사회적 맥락을 과학 지식의 '왜곡 요인 distorting factor'으로 간주하는 경향을 보이고 있다. 다시 말하면, 과학 지식의 진위에 대한 기존의 정의와 평가에 대하여 전혀 문제를 제기하지 않음으로써, 참된[眞] 과학 지식이라고 알려진 경우에는 사회학적 탐구의 필요성이 없는 것으로 보고, 그릇된[僞] 지식으로 알려진 경우에만 과학자들이 오류를 범하도록 만든 요인들에 대하여 관심을 가진다는 것이다. 따라서 과학의 사회적 성격에 대한 관심은 과학 지식 생산자들 사이의 사회적 관계에 집중되었으며, 구체적으로는 규범 구조, 보상 체계, 계층화, 사회 통제, 커뮤니케이션 관계망 등의 연구가 활성화되었다(Collins, 1983a: 267; Woolgar, 1988a: 24~26, 39~41).

과학지식사회학자들이 수용한 새로운 관점은 과학 지식에 부여되었던 특권적인 인식론적 지위를 거부하고 과학 지식과 다른 문화적 산물 사이에 근본적인 인식론적 차이가 없음을 강조한다. 따라서 과학 지식이 사회학적 탐구 대상에서 제외될 이유가 소멸하게 되었으며, 과학 지식과 사회적 맥락 사이의 관계에 대하여 더욱 광범위한 질문이 가능하게 되었다. 새로운 관점의 핵심은 과학 지식이 자연계에 의하여 주어지는 것이 아니라 사회적으로 창출되며, 과학 지식의 진위에 대한 평가는 그 자체가 사회적 과정이라는 것이다. 이런 주장에 따르면, 참된 지식과 그릇된 지식에 대한 기존의 구분 방식을 주어진 것으로 받아들일 수 없게 된다. 종래의 지식은 하나의 지식–주장 knowledge-claim에 지나지 않으며, 어떤 지식–주장이 어떻게 참된 지식으로 간주되게 되었는지를 해명하는 것이 사회학의 과제가 된다. 한마디로, 새로운 인식론은 과학 지식의 내용과 더불어 과학 지식의 구성이라는 '암흑 상자' 내부의 과정에 대한 사회학적 분석을 요구하게 되었다.

새로운 과학사회학으로서 과학지식사회학의 특징은 '사회적 구성물 social construct'로서의 과학 지식이라는 인식론적 가정에서 파생된 것으로 볼 수 있다. 이런 인식론적 전환은 과학사회학을 본질적으로 '과학자의 사회학 sociology of scientists' '과학 직업의 사회학 sociology of scientific profession'으로부터 '과학 지식의 사회학 sociology of scientific knowledge'으로 바꾸는 결과를 가져오게 되었다(Ben-David, 1981 : 41 ; Woolgar, 1988a : 41).

과학지식사회학은 그 출현에 지대한 영향을 미친 과학철학이나 과학사와는 어떻게 구별되는가? 과학철학과 과학지식사회학은 동일한 주제에 관심을 갖지만, 과학지식사회학은 과학철학에서 제시하는 이론을 지지하거나 반박하는 경험적 증거를 제공하는 역할을 담당한다. 따라서 과학철학이 대체로 이차적 second-order · 사변적 · 규범적 · 처방적인 데 반하여, 과학지식사회학은 일차적 first-order · 사실적 · 경험적 · 자연주의적 연구 성격을 띤다는 점에서 차이가 있다

(Ashmore, 1989: 5~6). 과학지식사회학과 과학사는 그 연구 영역이나 방법에 있어서 명확한 구분이 대단히 어렵게 되었다.[6] 따라서 학문 분야로서의 독자적 정체성을 강조하지 않고 과학지식사회학을 과학철학, 과학사를 포괄하는 과학학 science studies 또는 과학의 사회적 연구 social studies of science라는 학제적 분야의 일부로 규정하기를 선호하기도 한다(Woolgar, 1988a).

이상의 논의를 요약하자면, 하나의 패러다임으로서 과학지식사회학은 새로운 인식론적 기반 위에서 과학 지식의 분석에 관심을 기울임으로써 전통적인 과학사회학, 지식사회학과 연구 주제에 의하여 구별된다. 과학철학과는 연구 방법의 차이로 구분이 가능하며, 과학사와는 경계선이 모호하다.

3. 과학지식사회학의 유파

1970년대 후반 과학지식사회학은 연구 성과의 급속한 증가와 동시에 다양한 방향으로 분화되기 시작하였다.[7] 영국뿐만 아니라 프랑스, 독일, 미국, 네덜란드 등의 지역으로 과학지식사회학 연구가 확산되

---

6) 일부 과학지식사회학자들은 과학지식사회학이 현대의 과학 연구에 치중하는 반면 과학사는 과거의 과학에 집중한다는 점에서 구별이 된다고 주장하기도 하지만 (Collins, 1983a), 과거와 현대의 분류 기준은 본질적으로 자의적인 것이다. 과학지식사회학자들은 과학사와의 긴밀한 교류에 대하여 호의적인 반면, 과학사학계에서는 사회학적 방법의 수용에 대하여 보다 신중하고 유보적인 태도와 함께 독자적 정체성을 유지하고자 하는 경향을 보여왔다(김동원, 1992).

7) Ben-David가 과학사회학 분야를 조감하면서 1975년도에는 과학지식사회학에 대하여 언급조차 하지 않았던 반면 1981년도에는 과학사회학 분야의 혁명이라는 평가 아래 「과학지식사회학」이라는 제목으로 별도의 리뷰 논문을 발표한 사실(Ben-David and Sullivan, 1975; Ben-David, 1981)은 1970년대 후반 과학지식사회학의 성장에 대한 방증이 된다고 본다.

면서, 각 지역의 독특한 지적 전통과 접목된 새로운 접근 방식들이 출현하였다. 당시 과학지식사회학은 학문 분과의 생애 주기로 보면 아직 유아기 infant 단계에 있는 비교적 소규모의 잘 짜여진 학문 공동체로서, 성원간에 활발한 상호 작용이 이루어지고 있었다. 이런 과학 사회학계에서 상이한 접근 방식들은 진지한 토론과 논쟁을 통한 강화, 세련화 과정을 거치면서 다수의 유파로 발전하였다. 이 절에서는 과학지식사회학 연구의 흐름을 망라하여 균형 있게 조감하기보다는, 오늘날 과학지식사회학의 지형을 파악하는 데 전략적 가치가 있다고 판단되는 비교적 초기의 두 갈래 유파 — '강한 프로그램 strong program'과 '실험실 연구 laboratory studies' — 에 초점을 맞추어 핵심적 쟁점과 발전 동향을 조명해보고자 한다.[8]

I. 강한 프로그램

'강한 프로그램 strong program'은 블로어 David Bloor가 1976년에 출판한 『지식과 사회상 *Knowledge and Social Imagery*』이라는 저서에서 고유한 명칭이 명시된 간결 명료한 연구 전략의 형태로 제시함으로써 가장 널리 알려진 과학지식사회학 전문 용어의 하나가 되었다. 지식의 '존재 구속성'이라는 지식사회학의 문제 의식을 과학 지식에까지 확장시킨 것으로 볼 수 있는 이 유파는 과학지식사회학의 산실이었던 에딘버러 대학과 바스 대학을 중심으로 형성되었다.

에딘버러 대학에서는 반즈 Barry Barnes와 블로어가 일찍이 체계적인 분석 틀을 정립하였다. 반즈(1974; 1977)는 과학도 여타의 문화 영

---

8) 과학지식사회학의 급속한 성장과 분화에 대하여 "너무 많은 과학사회학이 존재하는가?"(Edge, 1983)라는 의문이 제기되기도 하고, 전통적 인식론에 대한 거부와 과학 지식의 사회적 차원에 대한 감수성 이외에는 다양한 접근 방식간의 공통성을 찾기가 어렵다는 관찰도 있다(Pickering, 1992). 과학지식사회학 유파의 구분 방식 또한 다양하다(Ben-David, 1981; Chubin and Restivo, 1983; Collins, 1983a; Knorr-Cetina and Mulkay, 1983; Woolgar, 1988a; Zuckerman, 1988).

역과 똑같이 문화의 일종으로 취급되어야 하며, 이를 위하여 지식사회학과 문화인류학에서 발전된 문화 분석 방법이 문화적 산물인 과학 제도와 과학 지식에도 동일하게 적용되어야 함을 역설하였다. "모든 지식은 과학 지식이든 아니든 상관없이 사회학적 탐구의 관점에서는 대칭적 symmetrical이어야 한다"(Barnes, 1977: viii)는 것이다.

블로어(Bloor, [1976] 1991)는 이런 목표를 달성하기 위하여 준수되어야 할 네 가지의 방법론적 원칙을 제시하고, 이런 연구 전략을 '강한 프로그램'으로 명명하였다. (1) 인과성 causality: 과학지식사회학의 목표는 신념이나 지식의 상태를 야기하는 조건들을 밝히는 데 있으며, 이런 조건에는 사회적 조건 이외에도 심리적·경제적·정치적·역사적 조건들이 포함될 수 있다. (2) 공평성 impartiality: 과학지식사회학 연구 사례의 선택은 과학 지식의 진/위, 합리성/비합리성, 성공/실패에 좌우되어서는 안 된다. 지식의 진/위, 합리성/비합리성, 성공/실패는 사람들이 그렇게 지각하는 perceived 데 불과하며, 이런 결정은 사회적 과정의 결과이기 때문에 그 결정 자체가 연구 대상이 되어야 한다. (3) 대칭성 symmetry: 연구 대상으로 선정된 사례에 대하여는 그 과학 지식이 진/위나 기타 다른 기준에서 어떤 범주에 속하든지 상관없이 동일한 유형의 원인으로 설명하여야 한다. 예를 들어, 그릇된[僞] 신념에 대하여는 사회학적 원인을 끌어들이고, 참된[眞] 신념에 대하여는 심리적이거나 합리적인 원인으로 설명하는 방식이 허용되어서는 안 된다. (4) 재귀성(再歸性) reflexivity: 원칙적으로 과학지식사회학의 설명 유형은 사회학 자체에도 동일하게 적용되어야 한다.

반즈와 블로어의 접근 방식은 고전적인 사회학적 변수인 관련 집단들의 '이해 관계 interests'와 이들 집단이 지지하는 과학 지식 내용 간의 연관성을 밝히는 작업으로 구체화되었다. 경험적 연구 중에는 과거의 사례에 대한 분석이 대다수를 차지하고 있어서 '역사적 과학

지식사회학 historical sociology of scientific knowledge'이라는 별칭을 얻기도 하였다(Zuckerman, 1988: 547).

다른 한편, 바스 대학에서는 콜린스(Collins, 1981 ; 1983b)를 중심으로 세 단계로 이루어진 '경험적 상대주의 프로그램 empirical program of relativism'이 체계화되었다. 첫째 단계는 실험 결과의 해석적 유연성 interpretive flexibility에 대한 경험적 사례를 발굴함으로써, 경험적 증거에 의한 이론의 '미결정 underdetermination'이라는 두헴-콰인-헤세 Pierre Duhem-W. V. Quine-Mary Hesse 명제에 대한 경험적 · 사회학적 등가물을 제시하는 작업이다. 둘째는 해석적 유연성을 제한함으로써 논쟁이 종결 closure되고 합의 consensus가 형성되는 기제에 대한 서술 작업이다. 마지막 단계는 논쟁의 종결 기제와 보다 거시적 수준의 사회적 · 정치적 구조의 관계를 규명하는 작업이다. 이 전략의 목표는 과학 지식의 산출이 과학의 형식적 알고리즘 algorithm —— 실험의 통제, 복사 replication 방법 등 —— 에 의하여 결정되는 것이 아니라 행위 주체들간의 '가변적 타협 contingent negotiations'을 통하여 이루어지는 합의의 결과임을 보여주는 것이다. 이런 부류의 경험적 연구는 현대의 과학 지식 논쟁에 대한 미시적인 사례 연구에 집중되어 있으며, 주로 문제가 되는 논쟁의 전개에 중요한 기여를 한 소수의 과학자들에 대한 심층 면접 조사에 의존하고 있기 때문에 '중핵 집단 연구 core-set studies'라고 불리기도 한다.

에딘버러 학파와 바스 학파는 과학 지식에 대하여 상대주의적 입장을 표방하는 '강한 프로그램'이라는 특성을 공유하고 있다.[9] 과학

___

9) 에딘버러 학파와 바스 학파는 각기 '이해 관계 모델' '상대주의 모델'로 구분되기도 한다(Knorr-Cetina and Mulkay, 1983 ; Zuckerman, 1988). 그러나 필자는 상대주의라는 공통된 모티프를 부각시키기 위하여 양자를 하나의 유파로 분류하였다. 바스 학파의 비조인 Collins(1983a ; 1983b)가 에딘버러 학파에 대하여 별도의 범주를 설정하지 않고 '상대주의 전략'의 마지막 단계에 해당하거나 또는 '중핵 집단 연구'의 일부분으로 간주하고 있는 것은 흥미로운 사실임과 동시에 양자간의

지식에 대한 사회학적 탐구는 본질적으로 '인식적 상대주의epistemic relativism'를 지지한다. 즉, 지식은 보편 타당한 자연의 법칙에 의하여 결정되는 것이 아니라 특정 시대와 문화에 토대를 두고 있다는 인식 으로부터 출발한다는 것이다. 그러나 강한 프로그램은 과학 지식의 상대성과 관련하여 이 수준을 넘어서는 쟁점을 제기하였다.

첫째는 과학 지식의 구성에 있어서 사회적 가변성의 비중과 내용 이다. 자연은 과학 지식의 내용에 대하여 어느 정도 영향을 미치는 가? 반즈(Barnes, 1974)와 블로어(Bloor, 1991)는 자연계가 과학 지식 의 발전에 구속력을 행사하고 있음을 인정하며, 그 구속력의 정도는 경험적 분석을 요구한다고 본다. 반면, 콜린스에 의하면, "과학 지식 의 구성 과정에서 자연계의 역할은 미미하거나 존재하지 않는다" (1981: 3). 콜린스의 입장에 대하여는 사회적 과정과 경험적 증거의 상호 작용에 대한 탐구 가능성을 원천적으로 막아버리는 성급한 예 단prejudgement이라는 비판이 있어왔다(Cole, 1992: 10~30; Zuckerman, 1988: 548~50). 다음으로는 과학 지식의 내용에 사회적 이해 관계와 타협이 영향을 미친다면, 구체적으로 어떤 상황에서 어 떤 사회적 요인이 어느 정도 영향을 미치는가? 강한 프로그램은 과학 지식의 내용에 대한 경험적 분석을 위하여 논리적 일관성을 갖춘 접 근 방식이었으며, 따라서 광범위하고 다양한 경험적 연구 업적이 지 속적으로 축적되어왔다.[10] 그러나 방대한 양의 연구 성과에도 불구하

활발한 지적 교섭과 유사성을 시사한다고 볼 수 있다. 강한 프로그램은 곧 열띤 논쟁과 비판을 불러일으켰으며, 특히 그 상대주의적 성격이 신랄한 철학적 비판 의 표적이 되었다. 논쟁의 개요에 대하여는 Ashmore(1989: 36~46, 52~55)와 Bloor (1991: 163~85)를 참조하라.

10) 지면 관계상 이 글에서는 구체적인 경험적 연구에 대한 논급은 피하고자 한다. 에 딘버러 학파 초기의 대표적인 경험적 연구는 Barnes and Shapin(1979), 바스 학파 의 경우에는 『과학의 사회적 연구 Social Studies of Science』 vol. 11(1981)을 참조하 라. 과학지식사회학 일반의 경험적 연구 유형과 목록은 Zuckerman(1988), Ashmore(1989: 11~14)를 참조하라.

고, 아직 다양한 사회적 요인 중에서 '어떤 요인이, 어떤 계기에, 어떤 기제를 통하여, 어떻게, 어느 정도로' 과학 지식의 생산과 평가에 개입하는지에 대하여는 만족할 만한 해명이 이루어지지 못하고 있다고 볼 수 있다.

둘째, 경쟁적 지식-주장에 대한 객관적 평가와 객관적 지식의 존재에 관한 문제다. 상대주의는 다양한 형태의 지식이 가진 진실성에 대한 변별력을 상실함으로써 '무기력한 항복의 이데올로기'로 귀결될 수밖에 없다는 것이 전통적으로 지식사회학에 대한 비판의 핵심이었으며, 이런 비판은 과학지식사회학에도 동일하게 적용되었다. 강한 프로그램은 모든 형태의 과학 지식이 동일한 타당성을 가지고 있으며, 따라서 현실적인 문제 해결 능력과 자연 현상에 대한 설명력에 있어서 차이가 없다고 주장하는 것인가? 강한 프로그램은 어떤 과학적 지식-주장에 대하여도 그 진위를 판단하거나 평가하는 데는 관심이 없고, 단지 어떤 조건 아래서 그것이 참된 지식으로, 또는 그릇된 지식으로 간주되는가라는 질문에만 관심이 있다고 주장한다. 그런데 이미 참된 지식이라는 믿음이 널리 확산되어 있는 과학 지식에 대하여 이런 질문을 제기한다는 사실 자체가 그 지식의 진실성에 대한 중상(中傷)으로 오인되고, 더 나아가서는 소위 '판단적 상대주의judgmental relativism'를 주장하는 것으로 쉽사리 오해를 받고 있다. 그러나 강한 프로그램이 부정하는 것은 참된 지식, 또는 객관적 지식의 존재 가능성이 아니라 그에 대한 종래의 이론이다. 강한 프로그램은 과학 지식의 객관성·진실성에 대한 사회학적 이론의 정립을 위하여 지식-주장에 대한 잠정적 또는 방법론적 불가지론을 채택하고 있으며, 과학지식사회학 프로젝트의 궁극적 결과에 대하여는 개방적 입장을 취하고 있다(Barnes, 1977: 21~26; Bloor, 1991: 157~61; Knorr-Cetina and Mulkay, 1983: 5~6).

마지막으로, 재귀성 reflexivity의 문제다. 과학 지식이 가변적인 사회적 구성물이라고 한다면, 강한 프로그램의 과학 지식에 대한 사회학적 서술 또한 가변적인 사회적 구성물로서 객관적 타당성을 주장할 수 없지 않은가? 강한 프로그램의 기본 원칙의 하나로 재귀성을 처방한 블로어는 자신의 입장을 '방법론적methodological' 상대주의로 규정함으로써 이런 비판을 회피하려고 시도하였다. 모든 견해는 마찬가지며 따라서 평가적 단어의 사용은 무의미하다고.보는 '속류 vulgar' 상대주의와 자신의 '보다 세련된' 방법론적 상대주의는 구분되어야 한다고 주장함으로써, 블로어는 '자기 부정'적 비판 가능성을 부인하였다(Bloor, 1976; Ashmore, 1989: 36~40).

콜린스(Collins, 1983b)는 한 걸음 더 나아가서, 자신의 입장에 '특수 상대주의special relativism'라는 특별한 인식론적 지위를 부여하였다. 콜린스의 처방은 "사회적 세계에 대하여는 실재하는 것으로, 그리고 우리가 확실한 자료를 얻을 수 있는 것으로 취급하는 반면, 자연계에 대하여는 문제가 되는 것, 즉 실재하는 것이라기보다는 사회적 구성물로 취급하여야 한다(!)"는 것이다(Fuchs, 1992: 29에서 재인용). 복사replication라는 과학적 방법에 대하여 지극히 회의적이었던 콜린스가 아이러니하게도 복사에 관한 자신의 연구가 동료의 연구에 의해 복사되었다고 주장하기까지 하였다(1981: 4).

재귀성의 문제는 강한 프로그램이 궁극적으로 스스로 비판하고 도전을 가했던 과학 지식의 전제와 설명 방식에서 벗어나지 못하고 있음을 드러내는 데 결정적이었다. 다음 절에서는 과학지식사회학의 새로운 쟁점으로 부상된 재귀성을 강조하는 과학지식사회학의 유파에 대하여 고찰하고자 한다.

II. 실험실 연구

'실험실 연구laboratory studies'란 실험실이 바로 과학 지식 구성의 현장이라는 전제 아래 실험실 내에서 일어나는 일상적 활동을 분석의 초점으로 하는 접근 방식을 지칭한다.[11] 1979년에 출판된 라투어 Bruno Latour와 울가 Steve Woolgar의 『실험실 생활: 과학적 사실의 구성 Laboratory Life: The Construction of Scientific Facts』은 최초의 실험 실 연구로 널리 알려져 있다. 이 책은 라투어가 미국 캘리포니아 주 소재 솔크 연구소 Salk Institute의 생화학 연구실에서 21개월 간의 참 여 관찰을 통하여 수행한 현지 조사를 토대로, 1977년도 노벨 의학상 을 수상한, 간뇌에서 분비되는 화학 물질 TRH(TRF)의 발견 — 더 정 확한 표현으로는 '구성' — 과정에 대한 상세한 분석을 담고 있다. 이 프로젝트의 착상과 현지 조사를 주도한 라투어는 프랑스 출신의 철 학도로서, 전문적인 과학 훈련을 받은 적도 없고 당시 과학지식사회 학의 중심지였던 영국 학계와 별다른 관련도 없었던 신진 학자였으 며, 울가는 영국 요크 대학에서 멀케이의 지도를 받은 사회학도였다.

또 하나의 대표적인 실험실 연구는 1981년에 출판된 크노르-세티 나 Karin Knorr-Cetina의 『지식의 제조: 과학의 구성주의적 · 맥락적 성 격에 대한 시론 The Manufacture of Knowledge: An Essay on the Constructivist and Contextual Nature of Science』이다. 이 책은 버클리 소재 캘리포니아 주립대학의 단백질 연구 실험실에 대한 사례 연구 며, 크노르-세티나는 미국과 독일에서 활동하고 있다. 실험실 연구라 는 새로운 접근 방식의 출현과 함께 종래 영국 중심적이었던 과학지 식사회학의 인지적 · 지리적 분화가 가속화되었다.

실험실 연구는 인류학자가 어떤 새로운 문화에 처음으로 접할 때 와 같은 입장에서 관찰자가 과학 활동에 접근할 것을 요구한다. 관찰 자는 연구 대상이 되는 원주민들이 당연시하는 활동을 조명하기 위 한 방편으로 이방인 stranger의 관점을 취하면서, 어떤 사물에 대한 원 주민들의 관점을 이해하고 가치를 인정하고자 한다. 이를 위해서는

---

11) 실험실 연구는 그 방법론적 · 인식론적 특성에 의하여 '민족지(民族誌)적 연구 ethnographic studies' '구성주의적 연구 constructivist studies'로 불리기도 한다.

관찰하고자 하는 문화에 장기간 빠져들어 원주민들의 활동에 참여하면서 얻는 직접적 경험이 대단히 유용하다. 관찰자는 관찰 대상에 대하여 자기 자신의 틀로 해석하기보다는 원주민의 관점에서 있는 그대로 기술하고자 한다. 실험실 연구에 있어서는 과학자들이 바로 원주민이 된다.

과학 활동에 대한 현장 관찰을 중시하는 실험실 연구에서 연구자들은 흔히 실험실 내의 허드렛일 — 예컨대, 청소, 시험관 소독 등 — 을 하면서 참여 관찰을 수행한다. 이때 연구자의 전문적인 과학 지식에 대한 소양이나 과학 연구의 경험은 중요하지 않고, 오히려 연구자가 실험실 문화의 모든 측면에 대하여 '생소함'을 유지하는 것이 정확한 관찰에 관건이 된다. 연구자는 관찰 일지, 기록 테이프, 면접 외에도 계산지, 비망록, 트레이스, 컴퓨터 인쇄지, 실험실 성원간의 메모, 외부 인사와의 통신, 실험실에서 읽히는 논문, 저서, 보고서 등 실험실에서 볼 수 있는 온갖 종류의 문서를 분석 자료로 활용한다. 실험실 연구는 주로 하나의 실험실에 대한 집중적 사례 연구의 형태를 취한다.

실험실 연구의 목표는 실험실에서 실제로 어떤 일이 일어나고 있는가, 즉 '있는 그대로의 과학 science as it happens'을 정확히 서술하는 데 있다. 종래의 과학의 본질에 대한 서술은 주로 과학자들과의 인터뷰나 그들의 공적 진술에 의존함으로써 편파적이고 왜곡될 소지가 많았다. 이에 비하여 실험실 연구는 현장에서의 참여 관찰에 의한 과학 활동의 동시적 추적을 강조함으로써, 정보 제공자에 의존하는 데서 기인하는 매개적 구성 intermediary construction과 추후의 사건 전개에 영향을 받는 회고적 구성 retrospective construction의 결함을 피하고 과학의 수공업적 craft 성격을 되찾을 수가 있다는 것이다 (Woolgar, 1982: 483~85).

그러면 이런 실험실 연구에 의하여 밝혀진 과학의 특성과 그 함의는 무엇인가? 가장 놀라운 특징 중의 하나는, 과학 활동이 종래에 제시되었던 것처럼 조직적이고 논리적이며 일관성 있게 진행되는 것이 아니라 실험실 내의 과학 활동은 지극히 혼란스럽고 무질서하다는 점이다. 예를 들어 어떤 종류의 실험 기구를 사용하고, 어떤 유형의 실험을 선택하며, 실험 결과에 대하여 어떤 해석이 가장 적절한지에 대한 결정은 보편적이고 추상적인 기준을 엄격히 적용하여 내려지는 것이 아니라 국지적 조건과 상황, 기회에 의하여 좌우된다. 요컨대 과학 활동은 고도의 비결정성과 혼란스러움으로 특징지어지며, 과학자들의 해결책은 타협 과정을 거쳐 만들어낸 논리적 일관성을 갖춘 틀을 부과하는 것이다. 바로 이런 틀이 구성되고 부과되는 과정, 즉 '질서의 구성'을 탐구하는 것이 실험실 연구의 주제가 된다는 것이다 (Latour and Woolgar, 1986: 33~39).

실험실 연구는 실험실에서 일어나는 일상적이고 가변적인 행위들로부터 과학적 명제, 주장이 만들어지고, 이들이 과학적 '사실'의 지위를 갖게 되는 과정을 보여주고자 한다. 서로 관련이 없는 일련의 측정 행위들이 어떤 동일한 사실의 존재를 시사하는 것으로 간주됨에 따라 그 측정에 통일성이 부여된다. 이때부터 생소한 관찰자에게는 실험 기기의 눈금 읽기에 불과한 측정치들에 대하여 과학자들은 특별한 의미를 부여한다. 과학자들은 측정치들을 외부의 객관적 존재, 즉 사실의 표시로 인지하기 시작한다. 동시에 그 사실에 대하여 말할 때 사용되는 언어의 양식이 변환된다. 처음에는 "'x가 존재한다'고 아무개가 제안하였다"는 유형의 진술에서 시작하여, "'x가 존재한다'는 것이 여러 차례 확인되었다"는 유형을 거쳐, 최종적으로는 "x는……"의 유형으로 x의 존재가 당연시된다. 어떤 사실이 상식의 일부분으로 된 것으로 간주되는 단계에 이르면 과학자들은 그 사실에 대하여 언급조차 중지할 수도 있다(Latour and Woolgar, 1986). 과학자들이 다른 과학자들에게 자신의 지식-주장의 사실성과 참됨을 설득하기 위해서는 다양한 전략과 자원들이 요구된다. 이 과정에서 과학 활동에 중요한 의미를 갖는 집단은 종래의 전문 과학자 집단의 경계선을 넘어서 연구비 지급 기관, 행정가, 산업계 대표, 출판사, 연구소 관리자 등을 포괄하는 광범위한 집단의 상징적 관계, 즉 '초 (超)인식적 연결 transepistemic connection'로 재규정된다. 이런 상징적 관계망의 사회적 통합은 구성원들 사이의 공통된 특성에 의해서가 아니라 무엇이 이전되는가 transmitted에 기반을 두고 있으며, 따라서 구성원들간의 관계는 '자원 관계 resource relationship'로 해석되기도 한다. 라투어와 울가는 신용 credibility의 개념을 적용하여 서로 관련이 없는 것처럼 보이는 실험실 활동과 과학자 사회의 여러 측면을 연결하여 파악한다(Bourdieu, 1975; Knorr-Cetina, 1981; 1983; Latour and Woolgar, 1986).

이런 실험실 연구가 제기하는 쟁점은 무엇인가? 첫째, 과학에 대한 구성주의 constructivism적 관점이다. 구성주의는 과학 지식의 내용이 사회적 과정에 의하여 영향을 받는다는 데서 더 나아가, 과학적 증거와 그 의미가 사회적으로 구성된다고 주장한다. 자연이나 실재는 과학 지식의 구성 과정에서 부차적인 역할을 담당할 뿐이며, "과학 지식 구성의 원인이라기보다는 결과"(Latour and Woolgar, 1986: 237)라는 것이다. 과학자들의 작업은 외부 세계에 이미 존재하고 있는 사실에 대한 수동적 서술이 아니라 외부 세계의 성격을 능동적으로 구성하고 정식화하는 작업으로서, 어떤 것이 과학 지식으로 발견되고 발견되지 않는가 하는 것 자체가 사회적으로 구성되는 문제라고 본다. 구성주의적 관점에 입각한 실험실 연구의 미시 분석은 과학의 '취약점 soft underbelly'을 노출시킴으로써 이상화된 이미지를 해체하는 데 강한 설득력이 있다. 그러나 이런 구성주의적 관점은 과학활동의 결과가 일단 실험실을 벗어난 연후의 상황에 대하여는 설명력이 약하다는 비판을 받고 있다. 즉 과학 활동이 보다 거시적 수준의 사회 제도적 구속력이 전혀 없이 완전히 국지적인 성격만을 갖는 것인지에 대한 의문이 제기된다는 것이다.

둘째, 실험실 연구는 재귀성의 문제를 본격적으로 제기하였다. 『실험실 생활』에서 라투어와 울가는 재귀성의 문제에 주의를 환기시키기 위하여 다양한 시도를 하고 있다. 관찰자를 3인칭화하고 관찰자가 생소한 환경을 파악하기 위하여 겪는 시련을 강조하기도 하고, 텍스트 생산의 허구적 성격에 주의를 끌기도 하였다. 또한 이들은 사실 구성에 관한 자기들의 설명이 자기들의 서술 대상이 되는 과학자들의 설명에 비하여 어떤 인식론적 특권도 가지고 있지 않음을 명시하고 있다. 특히 울가(Woolgar, 1982; 1988a)는 실험실 연구의 관심을 도구적 민족지 instrumental ethnography와 재귀적 민족지 reflexive ethnography로 구분한다. 도구적 민족지는 기존의 과학에 대한 설명과는 다른 것을 찾아서 과학에 대한 새로운 뉴스를 생산하는 데 관심이 있다. 반면 재귀적 민족지는 과학에 대한 새로운 설명을 넘어서, 이런 설명을 하는 과학지식사회학자들 자신들이 당연시하고 있는 측면들에 대하여 성찰하고 더 나은 이해에 도달할 수 있는 계기를 제공한다. 울가에 의하면, 재귀적 민족지가 보다 근본적이고 효과적인 연구 방향이며, 과학지식사회학은 특히 재귀적 탐구에 적합하고 용이한 분야라는 것이다. 즉, 자연과학에 대한 구성주의적 명제를 과학지식사회학에도 동일하게 적용하여야 한다는 주장이다.

이런 인식은 과학지식사회학이 보다 철학적 인식론과 방법론적 문제에 관심을 기울이는 방향으로 나아가도록 하였다. 재귀적 민족지에 대한 관심은 과학자들이 실제로 사용하는 담론 — 대화와 논문 등의 저술 — 에 분석의 초점을 맞추는 담론 분석 discourse analysis으로 발전하였다. 담론 분석가들은 담론 분석이 다른 모든 분석에 앞서 수행되어야만 하는 방법론적 우선권이 있으며, 담론 분석은 과학에만 한정되는 것이 아니라 모든 사회학적 탐구로 확대되어야 한다고 주장한다(Gilbert and Mulkay, 1984; Mulkay and Gilbert, 1982; Mulaky et al., 1983). 최근의 과학지식사회학계에서는 재귀성의 문제가 열띤 쟁점으로 부상하면서, 비판적 시선을 자기 자신에게 돌려서 과학지식사회학적 지식-주장의 구성과 텍스트를 검토하고 해체하는 스타일의 연구가 활발하다(Ashmore, 1989; Woolgar, 1988a; 1988b).

4. 맺음말

지난 20년 간 과학지식사회학의 성과를 어떻게 평가할 수 있을까? 일찍이 기에린(Thomas F. Gieryn, 1982a)은 과학지식사회학의 참신성과 유용성을 전면적으로 부정하였다. 첫째, 과학지식사회학의 경험적 연구 결과는 논쟁적 선언과 유행하는 신조어(新造語)를 제거하고 나면 머튼의 이론과 경험적 연구로부터 충분히 예상할 수 있는 것이므로 중복적 redundant이라는 것이다. 둘째, 과학사회학의 본질적 문제는 지적 권위를 확립 · 유지시켜주는 과학의 특수성을 해명하는 것인데, 새로운 상대주의/구성주의적 방법론과 인식론적 가정은 이런 질문으로부터의 후퇴 retreat를 의미할 뿐이라는 것이다.[12]

오늘날 이런 평가에 동의하는 이는 거의 없을 것이다. 기에린을 비롯하여 다수의 강력한 머튼 추종자들조차도 과학지식사회학의 성과를 인정하고 그 접근 방식에 대하여 정도의 차이는 있지만 지지하는 입장을 취하고 있다(Cole, 1992). 과학지식사회학은 특히 현대 사회의 과학에 관련된 다양한 부면에 대하여 근본적으로 새롭고 흥미로운 관점과 문제를 제기하여왔다. 무엇보다도, 과학 지식의 내용과 과학 활동에 대하여 최초로 사회학적 분석을 가함으로써, 우리가 흔히 과

---

12) 이런 비판에 대한 다양한 반응과 논쟁은 Collins(1982), Gieryn(1982b), Knorr-Cetina(1982), Krohn(1982), Mulkay and Gilbert(1982)를 참조하라.

학에 대하여 갖고 있는 환상과 신화에서 깨어나 새로운 방식으로 과학을 바라볼 수 있도록 하였다.

그러나 다른 한편으로는 특히 최근 과학지식사회학의 동향과 관련하여 비판과 우려가 들려온다. 첫째, 과학지식사회학의 관심이 과도하게 철학적 문제로의 편향성을 보인다는 점이다. 인식론적 비판이 과학지식사회학이라는 새로운 분야를 정립하는 데 결정적이었던 것은 사실이다. 그러나 최근에는 과학지식사회학이 상대주의 · 재귀성 등의 인식론적 문제에 사로잡혀 있음으로써, 경험과학으로서 인과론적이며 비교연구적 지향을 강조하는 사회학적 분석 본연의 장점이 상실되고 있다는 것이다. 둘째, 재귀성을 강조하는 과학지식사회학은 인식론적 불가지론으로 귀결되는 데 그치지 않고 정치적 불가지론 내지는 정치적 무관심으로 귀결됨으로써, 사회학의 비판적 성격을 상실하게 될 우려가 있다는 것이다.

사실상 과학지식사회학의 충격은 아직 상당히 좁은 범위에 국한되어 있다. 과학철학, 역사, 사회학 등을 포괄하는 소위 과학학 또는 과학의 사회적 연구 social studies of science 분야의 연구자들 사이에서는 과학지식사회학의 관점이 압도적 호응을 얻고 있는 반면, 사회학과 여타 사회과학 그리고 자연과학의 주류에서는 별다른 영향력을 발휘하지 못하고 있다. 특히 최근의 철학적 · 방법론적 논의는 그 급진적 잠재력에도 불구하고 청중의 범위가 더욱 한정되어 있다. 이런 한계를 극복하고 과학지식사회학의 가능성을 더욱 광범위하게 실현하기 위해서는 고립적 · 대립적 또는 논쟁적으로 발전하여왔던 여러 관점들 사이의 대화와 종합이 필요하다는 인식이 점증하고 있다. 사회과학의 어느 분야에서라도 흔히 듣게 되는 진부한 대안이기는 하나, 과학지식사회학에 있어서는 최근에 이르러 이런 방향으로의 연구 성과가 출현하기 시작하고 있다. 하나의 예로 대표적인 머튼 추종자였던 코울(Stephen Cole, 1992)은 새로운 과학지식사회학의 관점을 흡수하여 과거 자신의 이론 틀과 경험적 분석을 재검토 · 수정 · 세련화하는 지적 감수성과 용기를 보여주었다. 그러나 아직 이런 시도의 확산과 성공 여부에 대하여 판단하기는 시기 상조다.

마지막으로, 전적으로 서구 지역의 과학 지식 창출 활동에 관심을 집중하고 있는 과학지식사회학이 한국의 과학을 분석 · 이해하는 데 어느 정도의 적합성과 어떤 의미를 가질 수 있을 것인지에 대한 논의가 차후의 과제로 남아 있음을 지적하고자 한다.

참고 문헌

김동원(1992), 「사회 구성주의의 도전」, 『철학 연구』 30, pp. 73~84.

윤정로(1992), 「과학에서의 보상 체계」, 한국사회사연구회 논문집 38, pp. 67~88.

Ashmore, Malcolm(1989), *The Reflexive Thesis: Writing Sociology of Scientific Knowledge*, Chicago: University of Chicago Press.

Barnes, Barry(1974), *Scientific Knowledge and Sociological Theory*, London: Routledge and Kegan Paul.

————(1977), *Interests and Growth of Social Knowledge*, London: Routledge and Kegan Paul.

————(1982), *T. S. Kuhn and Social Science*, New York: Columbia University Press.

————and Steven Shapin(1979), *Natural Order: Historical Studies of Scientific Culture*, Beverly Hills, California: Sage.

Ben-David, Joseph(1978), "The Emergence of National Traditions in the Sociology of Science: The United States and Great Britain," *The Sociology of Science: Problems, Approaches and Research*, edited by J. Gaston, San Francisco: Jossey-Bass, pp. 198~218.

———(1981), "Sociology of Scientific Knowledge," *The State of Sociology*, edited by James A. Short, Beverly Hills, California: Sage, pp. 40~59.

———and Teresa A. Sullivan(1975), "Sociology of Science," *Annual Review of Sociology* 1, pp. 203~22.

Bloor, David[1976](1991), *Knowledge and Social Imagery*, Second Edition, Chicago: University of Chicago Press.

Bourdieu, Pierre(1975), "The Specificity of the Scientific Field and the Social Conditions of the Progress of the Reason," *Social Science Information* 14 (6), pp. 19~47.

Chubin, Daryl E. and Sal Restivo(1983), "The 'Mooting' of Science Stuides: Research Programme and Science Policy," *Science Observed: Perspectives on the Social Study of Science*, edited by Karin Knorr-Cetina and Michael Mulkay, Newbury Park, California: Sage, pp. 53~83.

Cole, Stephen(1992), *Making Science: Between Nature and Society*, Cambridge, Massachusetts: Harvard University Press.

Collins, H. M.(1981), "Stages in the Empirical Program in the Sociology of Science," *Social Studies of Science* 11, pp. 3~10.

———(1982), "Knowledge, Norms and Rules in the Sociology of Science," *Social Studies of Science* 12, pp. 299~309.

———(1983a), "The Sociology of Scientific Knowledge: Studies of Contemporary Science," *Annual Review of Sociology* 9, pp. 265~85.

———(1983b), "An Empirical Relativist Programme in the Sociology of Scientific Knowledge," *Science Observed: Perspectives on the Social*

Study of Science, edited by Karin Knorr-Cetina and Michael Mulkay, Newbury Park, California: Sage, pp. 85~113.

Collins, Randall and Sal Restivo(1983), "Development, Diversity, and Conflict in the Sociology of Science," *Sociological Quarterly* 24, pp. 185~200.

Edge, David(1983), "Is There Too Much Sociology of Science?" *Isis* 74, pp. 250~56.

Fuchs, Stephen(1992), *The Professional Quest for Truth: A Social Theory of Science and Knowledge*, Albany, New York: State University of New York Press.

Gieryn, Thomas F.(1982a), "Relativist/Constructivist Programmes in the Sociology of Science: Redundance and Retreat," *Social Studies of Science* 12, pp. 279~97.

―――(1982b), "Not-Last Words: Worn-Out Dichotomies in the Sociology of Science(Reply)," *Social Studies of Science* 12, pp. 329~35.

Gilbert, G. Nigel and Michael Mulkay(1984), *Opening Pandora's Box: A Sociological Analysis of Scientists' Discourse*, Cambridge: Cambridge University Press.

Knorr-Cetina, Karin D.(1981), *The Manufacture of Knowledge: An Essay on the Constructivist and Contextual Nature of Science*, Oxford: Pergamon Press.

―――(1982), "The Constructivist Programme in the Sociology of Science: Retreats or Advances?" *Social Studies of Science* 12, pp. 320~24.

―――(1983), "The Ethnographic Study of Scientific Work: Towards a Constructivist Interpretation of Science," *Science Observed: Perspectives on the Social Study of Science*, edited by Karin Knorr-

Cetina and Michael Mulkay, Newbury Park, California: Sage, pp. 115~40.

──and Michael Mulkay(1983), "Introduction: Emerging Principles in Social Studies of Science," *Science Observed: Perspectives on the Social Study of Science*, edited by Karin Knorr-Cetina and Michael Mulkay, Newbury Park, California: Sage, pp. 1~17.

Krohn, Roger(1982), "On Gieryn on the 'Relativist/Constructivist' Programme in the Sociology of Science: Naivete and Reaction," *Social Studies of Science* 12, pp. 325~28.

Latour, Bruno and Steve Woolgar[1979](1986), *Laboratory Life: The Construction of Scientific Facts*, Princeton, New Jersey: Princeton University Press.

Merton, Robert K.[1952](1973), "The Neglect of Sociology of Science," *The Sociology of Science*, by Robert K. Merton, Chicago: University of Chicago Press, pp. 210~20.

──(1979), *The Sociology of Science: An Episodic Memoir*, Carbondale, Illinois: Southern Illinois University Press.

Mulkay, Michael(1979), *Science and the Sociology of Knowledge*, London: George Allen and Unwin.

──and G. Nigel Gilbert(1982), "What is the Ultimate Question? Some Remarks in Defence of the Analysis of Scientific Discourse," *Social Studies of Science* 12, pp. 309~19.

──, Jonathan Potter and Steven Yearley(1983), "Why an Analysis of Scientific Discourse is Needed," *Science Observed: Perspectives on the Social Study of Science*, edited by Karin Knorr-Cetina and Michael Mulkay, Newbury Park, California: Sage, pp. 171~203.

Pickering, Andrew(1992), *Science as Practice and Culture*, Chicago:

University of Chicago Press.

Spiegel-Rosing, Ina.(1977), "The Study of Science, Technology and Society(SSTS): Recent Trends and Future Challenges," *Science, Technology and Society: A Cross-Disciplinary Perspective*, edited by Ina Spiegel-Rosing and Derek de Solla Price, Beverly Hills, California: Sage, pp. 7~42.

Woolgar, Steve(1982), "Laboratory Studies: A Comment on the State of the Art," *Social Studies of Science* 12, pp. 481~98.

———(1988a), *Science: The Very Idea*, London: Ellis Horwood/Tavistock.

———(1988b), *Knowledge and Reflexivity: New Frontiers in the Sociology of Knowledge*, Newbury Park, California: Sage.

Zuckerman, Harriet(1988), "The Sociology of Science," *Handbook of Sociology*, edited by Neil J. Smelser, Newbury Park, California: Sage, pp. 511~74.

제2부

과학 기술과 산업

제5장
한국의 반도체 산업, 1965~1987

1. 문제 제기

1960년대초 이래의 한국 경제 발전 과정에 관하여는 다양한 해석이 있어왔다. 대별해보면, 주로 국제 개발 기구나 한국 정부와 관련된 연구자들은 한국을 저개발국 경제 발전의 눈부신 성공 사례로 제시해왔다. 이들은 신고전경제학과 근대화 이론의 틀을 적용하여, 경제 활동의 양적 변화에 초점을 맞춘다.[1] 다른 한편, 주로 종속 이론적 지향을 가진 연구자들은 소위 '종속적 발전' 과정에 관련된 경제 성장의 취약성·제약·모순에 관심을 기울여왔다. 이들은 과도한 해외 시장과 자원에의 의존성, 해외 부채의 누적, 정치적 억압과 분배적 불평등의 악화 등을 지적한다.[2]

---

1) 널리 알려진 예로서, 세계은행 IBRD에 관련된 학자들의 연구 보고서(Hasan, 1976: Hasan and Rao, 1979; Westphal, 1978; Westphal, et al., 1984)와 한국개발원과 하버드국제발전연구소 Harvard Institute for International Development 간의 공동 연구 결과로 출판된 『한국의 근대화 연구 Studies in the Modernization of the Republic of Korea』 1945~1975 시리즈(Jones and Sakong, 1980; Kim and Roemer, 1979; Krueger, 1979; Mason, et al., 1980)가 있다.
2) 이런 시각에서 이루어진 주요한 연구들에는 정윤형(1981; 1984), Barone(1983), Choi(1985), Cumings(1984), Koo(1984; 1985a; 1985b; 1987), Lim(1982), Long(1977)이 있다.

이런 시각의 차이에도 불구하고, 대부분의 연구자들은 한국의 경제 성장 과정이 국가 주도적이었다는 데에는 의견을 같이한다. 전자의 해석은 5·16 쿠데타 이전과 이후는 확연한 구분이 있으며, 5·16 이후의 성공적인 경제 성장에는 경제적 요인들 이외에도 적극적이고 효과적인 국가의 개입이 중요한 역할을 수행하였다는 것을 자주 지적한다. 후자도 또한 국가, 국내 자본가, 해외 자본가 사이에 형성되는 '3자 연합triple alliance'의 기제와 사회에서 국가가 지배적 위치를 차지했음을 인정한다. 한국의 경제 성장에 있어서 국가의 역할은 동아시아와 라틴 아메리카의 후기 자본주의적 발전 유형에 관한 비교 연구에서 더욱 분명해지는 것으로 인식되어왔다. 즉, 동아시아에 있어서 상충하는 사회적 이해 관계로부터 격리된 강력한 국가 기구의 존재가 두 지역의 상이한 발전 경로를 설명하는 가장 중요한 요인의 하나로 지적되어왔다. 특히, 동아시아 여러 나라 중에서도 한국은 국가 주도적 경제 성장을 한 가장 대표적인 경우로 지적되어왔다(Amsden, 1979; 1985; Barrett and Whyte, 1982; Cumings, 1984; Gold, 1981; 1986; Haggard, 1986; Haggard and Moon, 1983; Jones and Sakong, 1980; Johnson, 1982; Koo, 1987; Lim, 1982; Mason, et al., 1980).

그러나 강력한 국가의 역할에 대한 강조에도 불구하고, 구체적으로 국가의 행위가 어떻게 한국의 경제 성장 과정에 영향을 미쳤는지에 대하여는 비교적 연구 성과가 적다. 또한 기존의 연구들은 정책 분야와 시기에 따른 국가 행위의 특성과 능력에 있어서의 가변성에 관하여 별로 관심을 기울이지 않았다. 요컨대, 기존의 연구들은 한국에 있어서 국가 권력을 탐구되어야 할 문제로 취급하기보다는 강력한 국가 권력의 존재를 당연시하는 경향이 있다는 것이다.

이 글은 한국의 국가 권력에 대한 논의를 위해서는 실증적 자료를 토대로 한 연구가 요청된다는 인식으로부터 출발하여, 반도체 산업의 발전 과정에 대한 사례 연구를 통하여 한국의 경제 발전에 있어서 국가의 역할과 국가 권력의 특성 및 그 추이에 관하여 분석하고자 한다. 우선 연구의 이론적 · 방법론적 토대를 간단히 논의한 후, 1960년대 중반 이후를 반도체 산업 및 전반적인 한국 경제의 발전 양상에 의거하여 세 시기로 구분하여 고찰한다.

2. 이론적 · 방법론적 논의

이 글에서는 국가 권력을 분석하는 데 있어서 관계적 접근 방법 relational approach을 사용한다. 즉, 권력을 미리 일정량이 정해져 있거나 영합zero-sum적으로 배분되는 자산으로 보는 것이 아니라 어떤 주어진 상황에 관련되어 있는 여러 행위자들 사이의 힘의 균형을 반영하는 관계로 본다는 것이다(Jessop, 1982: 252~58; Skocpol, 1982; 1985). 물론, 어떤 국가의 권력은 그 국가가 특정의 문제들을 해결하기 위하여 자유롭게 사용할 수 있는 자원과 도구에 비례하여 달라진다. 그러나 국가의 행위는 이해 관계가 상충되고 서로 다른 양의 자원을 가진 여러 행위자들과의 상호 작용 속에서 취해진다. 따라서 국가의 권력은 국가 행위에 관련된 비국가 행위자와의 상대적 위치에 의하여 좌우된다. 이것은 국가 권력에 대한 이해를 얻기 위하여는 국가 자체의 특성뿐만 아니라 국내와 국제적 구조 내에서 국가와 비국가 행위자들의 관계를 고찰하지 않으면 안된다는 함의를 가지고 있다. 이런 접근 방법은 경제적으로 지배적인 비국가 행위자들에 대한 국가의 권력을 분석하는 데 대단히 유용한 것으로 판명되었다(Katzenstein, 1978; Krasner, 1978; Stepan, 1985). 이 글에서는 주요한 비국가 행위자로서 국내 자본가와 해외 다국적 기업을 고찰한다.

이 글에서는 국가 권력의 중요한 두 가지 측면으로 '자율성 autonomy'과 '능력capacity'에 대하여 관심을 기울인다. 국가의 자율성이란 국가가 "특정의 사회 집단, 계급 또는 사회의 요구나 이해 관계를 단순히 반영하는 것이 아니라 독자적인 목표를 설정하고 추구할 수 있음"을 의미한다. 국가의 능력이란 국가가 "공식적으로 설정된 목표를——특히 강력한 사회 집단의 실제적·잠재적 반대를 무릅쓰거나 반항적 사회경제적 상황 속에서도——실행에 옮길 수 있는" 바를 의미한다(Skocpol, 1985: 9). 한 국가의 권력은 정책 영역에 따라 균일하지 않으므로(Krasner, 1978; Purcell and Purcell, 1977; Skocpol, 1985; Stepan, 1978; Zysman, 1977), 국가 권력에 대해 연구하기 위해서는 특정 분야들을 고찰해야만 할 것이다. 더구나 어떤 국가의 권력은 시대에 따라 달라진다. 따라서 이 글에서는 한국의 국가 권력에 대한 전반적 평가를 위한 하나의 초석으로서 국가의 경제 정책, 특히 산업 발전 정책에 관하여 종단적이며 특정 영역 중심적 분석 longitudinal and issue-specific analysis을 시도한다.

국가의 경제 발전 구상이 흔히 산업별 정책으로 구체화된다는 사실에 비추어 보면, 특정 산업의 발전 과정에 주목하는 접근 방법 industry approach이 경제 발전에 있어서 국가의 역할을 이해하는 데 매우 유용한 연구의 초점이 될 수 있다. 본 연구는 단일 사례 연구로 설계되어, 새로운 가설을 창출하고 기존의 관찰을 세련화시키는 데는 적합하나 인과 관계를 입증하는 데는 한계가 있다(Smelser, 1976: 198~99).[3]

단일 사례 연구의 대상으로서 반도체 산업의 선정은 한국 경제에 있어서 이 산업이 차지하는 비중과 또 본 연구에서 제기되고 있는 문제들을 해명해줄 수 있는 가능성에 의거하고 있다. 첫째, 1960년대초

---

3) Eckstein(1975)은 이론 구성 과정에 있어서 사례 연구의 유용성을 논의하면서 5개의 유형으로 구분하는데, 본 연구는 일반화의 가능성이 있는 관계들을 찾아내고 예비적 이론 구성물 만들기를 목표로 하는 탐색적 유형 heuristic type으로 간주될 수 있다.

이래 한국의 산업 발전 정책이 그 강조점에 있어서 큰 변화가 있었음에도 불구하고, 반도체 산업은 전략적으로 중요한 위치를 지속적으로 차지해왔다. 반도체 산업은 1960년대 국가의 집중적인 수출 확대정책에서는 유망 수출 산업으로(〈표-1〉 참조), 중화학 공업화 계획 기간(1973~1979) 중에는 중점 육성 산업인 전자 산업의 핵심 부문으로, 그리고 1980년대에는 기술 집약적 부문 중심의 산업 구조 개편에서 새로운 선도 부문으로 부상함으로써 국가의 정책적 관심의 대상이 되어왔다. 둘째, 현재 한국의 확고부동한 4대 재벌——현대, 삼성, 대우, 럭키/금성(현재의 LG)——이 모두 이 분야에 참여했다는 점이다. 이들은 반도체 부문에서 1980년대 중반에 치열한 경쟁을 벌였는데, 이는 4대 재벌이 동일한 업종에서 동시에 치열한 경쟁을 벌인 대단히 드문 경우였다. 따라서 반도체 산업은 국가와 강력한 대자본과의 관계를 고찰하는 데 좋은 사례를 제공한다.

〈표-1〉　　　전자 제품과 반도체의 생산 및 수출, 1962~1987

(단위: 백만 달러)

연도	총수출 (a)	전자 제품		반도체		b/a (%)	c/a (%)	c/b (%)
		생산	수출 (b)	생산	수출 (c)			
1962	55	5	0.05			0		
1963	87	8	0.4			0.5		
1964	119	10	1.0			0.8		
1965	175	11	1.8			1.0		
1966	250	22	4	0.002	0.002	1.6	0	0
1967	320	37	7	1	1	2.2	0.3	13.3
1968	455	56	19	14	14	4.2	3.1	73.7
1969	623	79	42	36	35	6.7	5.6	83.3
1970	835	106	55	32	32	6.6	3.8	58.2

1971	1,068	138	88	49	47	8.2	4.4	53.4
1972	1,624	208	142	77	76	8.7	4.7	53.5
1973	3,225	462	369	176	173	11.4	5.4	46.9
1974	4,460	814	518	270	241	11.0	5.4	46.5
1975	5,081	860	582	231	178	11.5	3.5	30.6
1976	7,715	1,442	1,032	315	298	13.4	3.8	28.7
1977	10,047	1,758	1,107	327	305	11.0	3.0	27.6
1978	12,711	2,272	1,359	350	329	10.7	2.6	24.2
1979	15,056	3,280	1,845	459	420	12.3	2.8	22.8
1980	17,505	2,852	2,004	424	415	11.4	2.4	20.7
1981	21,254	3,791	2,218	502	482	40.4	2.3	21.7
1982	21,853	4,006	2,200	648	624	10.1	2.9	28.4
1983	24,445	5,558	3,047	850	812	12.5	3.3	26.6
1984	29,245	7,170	4,204	1,268	1,297	14.4	4.4	30.9
1985	30,283	7,285	4,352	1,155	1,062	14.4	3.5	24.4
1986	34,714	10,611	6,687			19.3		
1987	47,281							

자료: 한국전자공업진흥회, 『전자, 전기 공업 통계 연보』, 각 연도; 『전자 공업 편람』, 각 연도; 경제기획원, 『주요 경제 지표』, 각 연도; 정밀기기센터, 1970: 25, 33, 49.

3. 반도체 산업의 출현, 1965~1972

I. 경제의 정치화와 대외 지향적 산업화

1960년대 한국의 급속한 경제 성장은 수출 증대에 힘입은 바가 크다. 1963년부터 1973년까지 수출은 연평균 40%의 증가율을 보였다. 동기간 중 총산업 생산에 대한 성장 기여도를 보면 수출 증대가 40%, 국내 수요 증대가 34%, 수입 대체가 8%로서, 수출의 중요성이 드러난다(전철환·박경, 1986: 25~26). 또한 전체 공업 생산액 중에서 수출의 비중이 1963년에는 4%에서 1975년에는 22%로 증가한 사실이 수출과 산업 생산의 밀접한 연관성을 나타낸다(Mason, et al., 1980: 143). 1960년대의 급격한 공산품 수출 증대는 경제 발전의 우연적이거나 자연적 결과가 아니었다. 그것은 정치적 권력을 공고히 하기 위한 수단으로서 경제 발전이라는 명분에 집착한 새로운 군사 정권에 의하여 의도적으로 선택된 수출 지향적 산업화 전략에 기인한다고 볼 수 있다. 이 글에서는 한국 반도체 산업 성립의 중요한 배경으로 '발전 지향적 국가developmental state'의 확립 과정과 대외 지향적 경제 발전 전략의 성격을 간략히 고찰하고자 한다.

1953년 휴전 후 수년 간 이승만 대통령과 자유당을 중심으로 하는 정치 지도자들은 군사력의 우위에 의한 남·북한의 통일을 국가의 최고 목표로 설정하여, 경제 발전의 문제에는 정치적으로 큰 관심을 기울이지 않았다. 그러나 1950년대말에 이르러 경제 불황과 함께 이승만 정권에 대한 불만과 비판이 점차로 효과적인 경제 발전 계획을 수행하지 못하는 데 초점이 맞추어짐에 따라, 경제 문제들의 정치적 비중이 커지게 되었다.[4] 1960년의 4·19 의거에서도 정치적 민주주의, 조국 통일의 실현과 함께 '빈곤으로부터의 해방'이라는 경제적 문제가 주요한 구호의 하나로 등장하게 되었다(박현채, 1987; 진덕규, 1985: 34~36). 경제적 열망의 정치화된 성격을 인식한 장면 정권은 '경제 우선'의 원칙을 표방하며,[5] 결국 실행에 옮기지는 못하였으나 경제 발전 계획의 수립과 행정 기구의 개편을 시도하였다.

1961년 5월의 군사 쿠데타는 한국의 경제 정책에 결정적 전환점을 마련하는 계기가 되었다. 라틴 아메리카 여러 나라의 군부에서 볼 수

---

4) 임박한 1960년 3월의 선거를 의식하여 이 정권은 1959년 12월 그의 실현을 위한 진지한 의도는 없었으나 형식적으로라도 최초로 3개년 경제 개발 계획을 발표하는 정치적 제스처를 취했다(정윤형, 1984: 31~37).
5) 경제 우선의 원칙은 먼저 군사력과 국방비의 규모를 축소하려는 국가의 노력으로 구체화되었으나, 미국과 한국 군부의 강력한 반대에 부딪혀 실현되지 못하였다.

있는 "대내 안보와 국가 발전을 표방하는 새로운 직업 군인 정신" (Stepan, 1973)의 대두와 유사한 맥락에서, 쿠데타 지도자들은 공산주의의 위협으로부터의 보호와 함께 '근대화'의 실현을 자기들의 사명으로 강조하였다. 계엄령 아래서 군사 정권은 장면 정권이 구상하였던 행정부 조직 개편을 실행하여, 경제기획원을 신설하고 경제 개발 5개년 계획을 1962년부터 실시하기로 발표하였다.

반공 이데올로기가 국민의 지지를 확보하는 데 필요한 대중적 호소력이 없는 것이 분명해지자, 경제 발전 문제는 군사 정권 아래서 곧 정치적 정당성을 확보하는 실제적으로 유일한 근거가 되었다. 쿠데타를 정당화하는 구실로 국가 경제의 비참한 상태가 자주 강조되었으며(Park, 1963), 일부 쿠데타 주역들은 제1차 경제 개발 계획을 성공적으로 수행하기 위하여 군정 기간을 연장하자는 주장까지 하였다(Lee, H., 1968: 163). 이런 시각을 가진 쿠데타의 주역들이 민정 이양 후의 박정희 정권 아래서 정치적 지도층을 이루었으며, 따라서 국가의 '발전주의적' 지향은 더욱 강화되었다.

경제 발전 문제에 대한 정치적 논쟁은 대일 국교 정상화와 한국군의 월남 파병이라는 비슷한 시기에 있었던 두 사건에서 절정을 이루었다. 한국 정부는 경제 개발 계획의 실시를 위해 소요되는 자금을 해외에서 조달하지 않으면 안될 절박한 필요 때문에 일본, 미국과의 협상을 서둘렀다.[6] 특히 대일 국교 정상화를 위한 협상 과정은 박정권에 대한 모든 정치적·경제적·감정적 불만을 폭발시켜 야당과 학생, 지식인, 언론에 강력한 반대의 표적을 제공하였다(진덕규, 1985: 97~108; Cole and Lyman, 1971: 71~77, 98~118). 그러나 이 두 사건을 계기로 국가는 정치적 통제에 있어서의 우위를 확보하게 되었다.

---

6) 1965년 국교 정상화와 함께 일본이 향후 10년 간 한국에 제공하기로 한 청구권과 경제 원조 액수는 3억 달러의 민간 차관을 포함하여 총 9억 2천만 달러였다. 이전의 이승만 정권과 장면 정권은 각기 20억 달러와 12억 7천만 달러를 요구했다.

일본 자본의 유입과 월남에서의 외환 수입에 힘입어 1960년대 후반기에 한국 경제는 호황을 누렸으며, 정권에 대한 지지도가 높아져 박정희 대통령과 민주공화당은 1967년 선거에서 무난히 승리하였다. 그 결과, 발전주의적 경제 성장 이데올로기가 한국에 확고한 위치를 구축하고, 경제적 업적이 한국 정치의 중심적 이슈로 등장하게 되었다.

그러면 이제 이 기간중 한국의 발전 전략의 성격을 살펴보자. 계획의 조잡성이나 시행착오적인 실행 방식에도 불구하고, 제1차 경제 개발 5개년 계획(1962~1966)은 이후 20여 년 간의 한국 경제 운용의 기조를 세웠다고 볼 수 있다.[7] 이 계획은 다음과 같은 '지도 자본주의 guided capitalism'에 토대를 두었다.

자유 기업의 원칙과 민간 기업의 자유와 이니시어티브 initiative가 존중되기는 하나…… 정부는 기간 산업과 기타 중요한 분야에 직접적으로 참여하거나 간접적으로 지도할 것이다…… 정부는 특히 계획의 초기 단계에 민간 부문에 대한 융자를 통하여 민간 자본 형성을 유도하고 촉진할 것이다.(EPB, 1962: 28~34)

이 계획의 특징으로는 첫째, 1950년대의 안정 지향적 경제 정책과 대조적으로 성장 지향적이었다. 둘째, 전략적으로 중요한 일부 제조업을 우선적으로 육성하는 선도 부문 육성 방식을 채택하였는데, 이는 균형 성장으로부터 허쉬만 Hirschman([1958] 1978)이 주장한 불균형 성장 전략으로의 전환을 의미하였다. 셋째, 수출 확대, 특히 공산품의 수출이 강조되었다.

---

7) 제1차 5개년 계획에 대한 자세한 논의를 위하여는 정윤형(1984: 42~68), Lee (1968: 157~62), Mason, et al.(1980)을 참조하라.

이런 전략은 1960년대초 한국 경제가 당면하고 있었던 상황 변화를 반영하였다. 즉 취업 기회와 생활 수준 향상에 대한 국민들의 상승된 기대를 충족시키기 위해서는 경제 성장이 가속화되지 않으면 안되었고, 용이한 수입 대체적 산업화 단계는 이미 종식되고 있었으며(김태일, 1985: 47), 임박한 미국의 대한 원조 삭감과 궁극적 종료에 대비하지 않으면 안되었다. 이런 상황에서 공산품의 수출 확대는 외화 획득을 위한 자연스러운 선택이었을 것이다. 변화하는 경제 상황에 따라 제1차 계획이 수정 과정을 거치면서, 국가의 경제 정책은 점점 더 수출 장려와 해외 자본에의 의존을 높이는 대외 지향적 산업화 전략을 강화하는 방향으로 추진되었다.[8]

빈약한 부존 자원과 풍부한 노동력의 여건상 수출 장려는 자연히 노동 집약적 부문에 집중되었다. 수출 지향적 산업화 단계 초기의 부족한 투자 재원과 무역 적자를 보전하기 위해 도입하기로 했던 해외 자본의 유입은 1966년부터 급속히 증가하였는데, 라틴 아메리카와는 달리 한국의 해외 자본은 직접 투자보다는 압도적으로 차관의 형태로 도입되었다. 그러나 1960년대말에 이르러는 점증하는 해외 부채 상환 압력으로 한국 정부는 직접 투자, 특히 일본의 대한 투자를 유도하기 위한 노력을 강화하였다.

1963년에서 1965년 사이에 완전히 시행에 옮겨진 대외 지향적 산업화 전략으로의 전환은 한국 경제가 세계 자본주의 체제로 더욱 완전하게 편입되도록 했다는 의미가 있다.[9] 이후, 세계 자본주의 체제

---

8) 여러 학자들이 원래의 제1차 5개년 계획에는 민족 지향적이고 대내 지향적 발전 전략의 요소가 다소 포함되어 있었으나, 1963년의 계획 수정으로 이런 요소가 경제 정책상의 우선권을 상실하고, 대일 국교 정상화 이후 급속한 해외 자본의 유입과 함께 완전히 포기되었다고 지적한다(이대근, 1984; 정윤형, 1984).

9) Skocpol이 지적한 바와 같이, 세계 체제에는 군사적 경쟁에 기반을 둔 국제 국가 체제와 세계 자본주의 체제라고 하는 상호 의존적이지만 분석적으로 독자적인 두 가지 종류의 체제가 있다(1979: 19~24). 한국과 대만의 경우에는, 동서냉전이라는

가 확장 국면에 있던 1960년대의 기간중 한국 경제도 노동 비용에서의 비교 우위를 토대로 하여 급속한 성장을 누릴 수 있었다. 이제 상기한 한국과 세계 자본주의 체제의 정치·경제적 요인들과 어떤 관련을 갖고 한국의 반도체 산업이 출현하게 되었는지 고찰해보기로 한다.

II. 상품 수명 주기와 반도체의 역외 조립 생산

1) 최초의 물결: 미국의 대한(對韓) 반도체 산업 투자, 1965~1969

한국에서 근대적 전자 산업은 1961년 군사 쿠데타의 여파로 뿌리를 내리게 되었다. 1959년 금성사가 수입 대체를 목적으로 진공관식 라디오의 조립 생산을 개시하였으나 별로 성과가 좋지 못하였다. 쿠데타 직후에 군사 정부는 라디오를 비롯하여 수입 대체 가능한 품목에 대한 수입 금지 조치를 내렸다. 더욱이 1961년 7월에는 군사 정부의 정책을 홍보함으로써 권력 기반을 강화하기 위한 노력의 일환으로 농촌에 라디오 보내기 운동을 전개하였다. 말할 나위 없이 이 두 가지 조치는 당시 고전을 면치 못하던 라디오 생산에 크게 활기를 불어넣었다.

라디오 생산업체들은 수출 상품으로 전환하는 데 놀라운 기민성을 보여, 1962년에 벌써 수출을 시작하고 1965년에는 전체 생산대수의 71%를 수출하기에 이르렀다(정밀기기센터, 1970: 44~45). 이 같은 수출 잠재력으로 한국 전자 산업은 발전 초기 단계부터 국가의 관심을 끌었다. 1964년 전자 산업은 상공부가 선정한 13개 중점 육성 수출 산업에 포함되었는데(한국전자공업진흥회, 1981a: 244~45), 이는

세계 역사적 맥락에서 미국의 'client' 국가로서 국제적 국가 체제로의 편입이 경제적 편입보다 그 시점뿐만 아니라 중요성에 있어서도 우선한다고 지적되어왔다(임현진·권태환, 1984; Gold, 1981; Koo, 1987; Lim, 1982). Cumings(1984: 25)의 견해에 의하면, 1950년대 한국과 대만의 역사적 경험은 Wallerstein(1979: 74~92)이 개념화한 '초대에 의한 발전 development by invitation'의 가장 좋은 예라고 한다.

국가가 시도한 최초의 진지한 부문별 수출 신장 정책이었다. 뒤이어 상공부 내에 전자공업계가 신설되었는데, 이는 비록 소규모고 하급 기구이기는 하나 전적으로 전자 공업만을 관장하는 국가 기구가 출현하였다는 데 의의를 둘 수 있다.

전자 산업에 대한 국가의 고조된 관심 속에 1965년 미국의 소규모 기업인 고미 Komy가 간단한 트랜지스터 생산을 위한 합작 기업을 설립함으로써 한국에 반도체 제조업이 최초로 소개되었다. 그러나 이 소규모의 프로젝트는 별로 주목을 받지 못하고, 이후의 발전에도 영향을 미친 바가 거의 없다. 한국에서 진정한 반도체 산업의 시작은 1966년 미국의 유수한 반도체 제조업체인 페어차일드Fairchild의 투자에 의하여 이루어졌다고 볼 수 있다.

페어차일드의 투자 결정을 둘러싼 상황에 대하여는 자세히 고찰해 볼 필요가 있다. 1965년 10월 페어차일드 경영진이 홍콩의 자회사에 가는 도중 한국에 머문 기회를 이용하여 상공부는 투자 유치를 위한 적극적 접촉을 솔선하여 시도하였다. 6개월 후인 1966년 4월 페어차일드가 반도체 조립을 위한 투자 계획을 제출하였다. 그런데 페어차일드측에서는 당시의 해외 투자 관련법에 의하면 허용될 수 없었던 자회사의 100% 소유권과 생산품의 국내 시판권을 요구하였다. 이는 해외 투자와 관련된 최초의 법률적 충돌이었으며 한국 정부는 이 사안에 관한 결정의 중요성에 대하여 충분히 인식하고 있었다. 이 문제에 관한 결정권은 전반적 경제 정책의 일부로서 해외 투자를 관장하는 경제기획원에 있었는데, 상공부의 강력한 지지를 받아 경제기획원은 세계적으로 유명한 대기업과의 거래가 국제적으로 알려짐으로써 더 많은 해외 투자를 유치할 수 있는 계기가 되리라는 기대 속에 페어차일드의 요구를 수용하기로 결정하였다. 기대했던 대로 페어차일드의 투자 승인에 뒤이어 유사한 투자 신청이 쇄도하여, 1년 이내에 미국의 주요 반도체 제조업체인 시그네틱스Signetics와 모토롤라

Motorola가 한국에 전액 투자 자회사를 설립하였다(〈표-2〉 참조).[10]

미국의 대한 반도체 산업 투자의 급격한 증가는 미국 반도체 산업의 변모와 밀접히 관련되어 있었다. 1960년대초 집적 회로 integrated circuit와 신뢰도가 높은 제조 기술인 플래너 공정 Planar Process의 개발은 반도체의 급속한 생산 증가와 가격 인하를 초래하였다. 격심한 가격 인하 경쟁 속에서 제조 공정, 특히 최종 조립 단계의 노동 집약성과 완제품 수송의 용이성을 고려해볼 때 미국의 주요 반도체 회사들이 저렴한 해외 노동력을 이용하는 대안에 매력을 느낀 것은 당연하였다. 해외 조립의 매력은 그에 유리한 미국 관세 규정에 의하여 한층 더 강화되었다.[11] 당시 미국 반도체 산업계의 기술적 선도 기업이던 페어차일드가 저개발국으로의 조립 공정의 이전에도 앞장을 섰다. 미국의 주요 반도체 기업 하나가 어떤 저개발국에 투자하면 단시일 내에 그 국가에 다른 기업들의 투자가 몰리는 경향이 있었는데(Chang, 1971: 40~42), 한국의 경우도 예외가 아니었다.

미국의 대한 반도체 산업 투자에 고무되어, 한국 정부는 전자 산업 진흥책을 강화하였다. 제2차 5개년 계획 기간중 전자 산업이 집중적으로 육성될 것이라는 1966년 12월의 상공부 발표에 뒤이어, 1967년 대통령 연두 교서에서 이 사실이 거듭 확인되었다. 대통령은 직접 경제과학심의회와 상공부에 포괄적인 한국 전자 산업 발전 방안을 마련하도록 지시하고, 이 보고서를 기초로 하여 대통령 자신이 신속히

---

10) 1965년도 당시 페어차일드와 모토롤라는 미국의 상업적 반도체 생산업체 중 시장 점유율 기준으로 각각 3위와 2위를 기록하였다. 페어차일드의 직원들이 독립하여 세운 시그네틱스는 급속히 성장하고 있던 회사로 1975년에는 시장 점유율 9위가 되었다(Braun and Macdonald, 1982: 123~27).

11) 미국의 관세 규정 806.30과 807.00조에 의하면, 해외 조립을 목적으로 미국에서 수출되었다가 다시 미국으로 수입되는 재화는 무관세이거나 해외에서 부가된 가치에 대하여만 관세를 부과하도록 되어 있었다(Chang, 1971; Braun and Macdonald, 1982: 157~58).

〈표-2〉 외국 자본의 대한 반도체 산업 투자, 1965~1973

인가 일자	기업명	해외 투자가/국적	해외 투자액[1]($1000)	해외 지분(%)	공장 위치
1) 1965.12.	고미	Komy/미국	76	25	서울
2) 1966. 4.	세미코아	Fairchild/미국	2,250[2]	100	서울
3) 1966. 7.	시그네틱스	Signetics/미국	1,750[2]	100	서울
4) 1966.12.	한국마이크로[3]	KMI/미국	224	49	서울
5) 1967. 3.	모토롤라	Motorola/미국	8,000	100	서울
6) 1968. 7.	아이멕	Komy/미국	1,210[2]	100	서울
7) 1969. 1.	민성	Hahn-American/미국	145	35	서울
8) 1969. 7.	한국토시바[4]	제일동포+토시바/일본	1,400	30+70	구미
9) 1969. 9.	삼성산요[5]	산요+스미토모/일본	1,500	40+10	서울
10) 1970. 3.	대한마이크로	AMI/미국	2,264	100	서울
11) 1970. 3.	일렉트로보이스	Electrovoice/미국	50	50	구미
12) 1970. 7.	바라다인	Varadyne/미국	294	49	구미
13) 1970. 7.	코리아IC	Tesco/미국	700	50	구미
14) 1970.12.	도코	도코/일본	390	100	마산
15) 1971. 9.	KTK[6]	도코/일본		100	마산
16) 1972. 7.	롬	롬/일본		95	서울
17) 1972.11.	동경실리콘	산요/일본	162[4]	100	마산
18) 1973. 5.	신제	신제/일본	700[4]	100	마산

자료: 정밀기기센터, 1970: 21~22; 한국산업은행, 1967: 569; 1970: 414, 426~427; 각 기업 제공 자료.

주: 1) 최초 투자액.

2) 모기업으로부터 도입한 차관 포함.

3) 1969년 폐쇄.

132

정책의 기본 골격을 결정하였다. 당시 정책 결정 권한이 대통령에게
극도로 집중되어 있었다는 사실을 고려할 때(Jones and Sakong, 1980:
58~66), 대통령의 적극적 개입은 경제 정책에서 전자 산업에 부여된
비중을 나타낸다고 볼 수 있다.

국가의 전자 산업 육성 전략은 수출 확대를 그 궁극적 목표로 하여
세 가지로 구성되었다. 첫째, 적극적인 외자 유치 노력을 계속한다.
둘째는 기존 국내 기업의 수출 지향 강화로, 이를 위해 국가는 자유
로이 강력한 규제력을 행사하였다(한국전자공업진흥회, 1981a: 235).
셋째는 수직통합적 vertically integrated 대규모 국내 기업을 육성할 의
도로 다양한 방식과 경로를 통하여 국내 자본, 특히 대재벌의 전자
산업 투자를 유도하였다. 그러한 결과 두 주요 재벌 —— 대한전선과
삼성 ——이 각기 1968년과 1969년에 전자 공업에 진출하였다. 국가의
지속적인 전자 산업 육성 노력으로 전자공업진흥법이 제정되어 1969
년 1월에 발효되었다. 이 법에 의거하여 전자 공업 전문 단지의 조성,
금융 특혜, 자문위원회와 자문 기관 설정 등의 종합적인 육성책을 시
행할 수 있는 권한을 부여받은 상공부는 전자공업진흥 8개년 계획을
수립하였다.[12]

그러면 이 기간에 한국의 반도체 산업에는 실제로 어떤 변화가 있
었는가? 1967년 본격적으로 생산이 개시된 이래, 반도체 부문은 전자
산업에서 그 비중이 급속히 증가하였다. 〈표-1〉에서 볼 수 있는 바와
같이, 반도체 부문은 1969년에는 전자 산업 총생산액의 46%와 수출

12) 대통령의 제의로 1968년 전자 산업 부문 연구와 정책 자문을 위한 별도의 국가 지
원 기관을 설립하려 하였으나, 적절한 인적 자원의 부족으로 시행에 옮겨지지 못
하였다.

의 80%를 차지할 만큼 급속히 성장하였다. 1969년 반도체 제품의 수출액은 3,500만 달러로 한국 총수출의 5.6%를 차지하여 4번째로 큰 수출 품목이 되었다.

1969년도까지 반도체 제조업체가 7개로 증가하였는데 모두 미국 기업이 투자한 것이었다(〈표-2〉 참조). 100만 달러 이상의 비교적 규모가 큰 투자는 미국 기업의 전액 투자 자회사의 형태를 취한 반면, 소규모 투자는 합작 기업의 형태를 취했다. 1969년도에 한국에서 4개의 100% 미국 투자 기업이 트랜지스터의 95%와 집적 회로의 99.5%를 생산함으로써 한국 반도체 산업에서 압도적 위치를 차지하였다(한국산업은행, 1970: 415, 424). 이미 언급한 대로, 미국의 대한 반도체 산업 투자는 상품 수명 주기에서 성숙 단계에 도달한 반도체 제품에 대한 가격 경쟁의 심화에 의하여 촉발되었다.[13] 따라서 한국에 이전된 반도체 제조 공정은 가장 노동 집약적 부분인 단순하고 표준화된 제품의 최종 조립에 제한되어 있었다. 반도체 조립에 필요한 원료와 기기는 미국의 모회사나 투자 기업에서 전량 수입되었고, 완제품역시 전량 모회사나 해외 투자 기업으로 수출되었다. 반도체 제조를위한 한국 내의 유일한 투입은 저렴한 노동력이었는데, 1969년 기준으로 다이오드나 트랜지스터 생산비의 17%, 그리고 집적 회로에는 훨씬 더 적은 9%를 차지하였다(한국산업은행, 1970: 419, 430). 요컨대, 미국 투자 반도체 조립업체들은 한국 경제의 전방 또는 후방 연관forward or backward linkage이 거의 없는 인클레이브enclave로서 운영되었다.

---

13) 원래 Vernon(1966)과 그의 제자들(Wells, 1972)에 의하여 신고전경제학적 전통에서 발전된 상품 수명 주기 이론은 다양한 이론적 지향을 가진 학자들이 국제 분업과 그 변화를 분석하는 데 원용하였다. 그 예로 Cumings(1984), Gilpin(1975), Kurth(1979), Vernon(1971), Wallerstein(1979)을 참고하라.

2) 제2의 물결: 일본과 국내 자본의 투자, 1970~1972

1970년대초에 한국의 반도체 산업은 급속한 일본 자본의 투자와 국내 자본의 참여로 그 투자원이 다양화되었다.

1965년 12월 한·일국교정상화 이후 가장 접근이 용이한 잠재적 외자 유치원은 재일동포였으며, 한국 정부는 그들의 투자를 유도하기 위하여 다양한 혜택을 부여하였다. 그러므로 1967년 일본 최초의 대한 반도체 산업 투자 시도가 재일동포 자본가에 의하여 이루어졌다는 것이 결코 우연의 일치가 아니다. 이미 서울에서 전자 부품 공장을 운영하고 있던 재일동포는 일본의 토시바(東芝)와 합작으로 게르마늄 트랜지스터를 생산키로 하고, 한국 정부로부터 458만 달러의 외자 유치 승인을 받았다. 그러나 이 계획은 판로에 관한 두 투자자 간의 이견으로 인하여 실현되지 못하였다. 재일동포 투자가는 토시바가 생산품 전량을 구입하여 판로를 보장해주기를 원하였으나, 토시바는 생산량의 25%에 대해서만 판로를 보장하겠다고 하였다. 그 2년 후인 1969년 이번에는 토시바의 요청으로 교섭이 재개되어, 그 당시 점점 사라져가던 게르마늄 트랜지스터 대신 실리콘 트랜지스터를 생산하는 한국토시바가 합작 회사로 설립되었다. 이는 일본 최초의 대한 반도체 산업 투자였다. 70%의 지분을 가진 토시바가 생산품 전량을 구입하기로 하였고, 공장의 위치는 재일동포 투자자의 고향이며 동시에 당시 대통령의 고향인 구미로 결정되었다. 이 사업에 관련하여 한국 정부는 전자 산업 전용 공단을 구미에 건설하기로 하였다.[14]

한국 정부는 이 토시바와의 합작 사업을 처음부터 주의깊이 지켜보았다. 재일동포 투자자의 회상에 의하면, 실현되지 못한 원래의 사

---

14) 공단의 위치는 박정희 정권의 강력한 정치적 지지 기반이었던 대통령의 고향과 인근 지역의 경제 발전을 기하기 위하여 대통령이 직접 선정한 것으로 알려져 있다(전자공업진흥회, 1981a: 238~40).

업 계획은 고향에 공장을 지었으면 좋겠다는 대통령의 요청으로 구상되었다. 토시바와의 접촉도 주일 한국대사관의 소개로 시작되었고, 그 협상 과정에서도 강력한 지원을 받았다고 한다(한국전자공업진흥회, 1981a: 308~10). 페어차일드의 투자에서와 마찬가지로, 한국 정부는 일본의 주요 전자 기업에 의한 최초의 대한 투자 사업의 성공적 수행을 통하여 일본의 후속 투자를 유도하고자 하였다. 따라서 한국 정부는 한국토시바 공장의 원활한 운영을 위하여 어떠한 노력도 아끼지 않았으며, 다수의 국가 기관이 협력하여 6개월 이내에 필요한 제반 지원 시설을 건설하였다. 1970년 4월 한국토시바 공장이 가동된 후, 동년 8월에는 구미전자공업단지의 설립이 공식적으로 발표되었다. 국가가 건설하는 광범위한 지원 시설 이외에도 구미공단에 입주하는 전자 제품 생산업체에게는 외자 유치에 상당하는 세제상의 특권을 비롯하여 다양한 혜택이 부여되었다. 그 결과 〈표-2〉에 나타나 있는 바와 같이 구미공단에 새로운 반도체 제조업체들이 설립되었다. 그러나 이들은 모두 미국의 소규모 기업들과의 합작 투자 회사들로, 그 생산 활동이 단기간 내에 중지됨으로써 한국의 반도체 산업 발전에 별다른 족적을 남기지는 못하였다.

구미공단과 함께 1970년 한국 정부는 대만의 카오슝 수출 공업 지역을 모델로 하여 마산 수출 자유 지역을 설치하였다.[15] 100% 외국인 투자에 대한 규제없이 마산 수출 자유 지역 입주업체는 외자 유치를 위한 일반적 특전 이외에도 국내 특혜 금융 지원의 혜택이 부여되었다(이창복, 1974: 1209~13). 대체로 마산 수출 자유 지역은 대만의 수출 공업 지역보다 약간 더 유리한 투자 유인을 제공하였다(PARC,

---

15) 대만은 최초로 1965년 카오슝 수출 공업 지역을 설치하였고, 1969년까지 2개를 더 설치하였다. 1970년대에 세계 각국에 수출 자유 지역이 설치되어, 1975년에는 25개국에 79개, 1980년에는 55개국에 116개가 운영되기에 이르렀다. 수출 자유 지역의 급속한 증가는 유엔공업개발기관 UNIDO 같은 국제 기구의 적극적인 장려에 기인하는 바가 적지 않다(Tsuchiya, 1977).

1977: 208~12). 마산 수출 자유 지역은 특히 일본의 투자를 겨냥한 것이었으며, 한국 정부와 일본 재계의 긴밀한 협조 아래 그 구상과 설립 과정이 진행되었다(Nakano, 1977; Tsuchiya, 1977: 61~62). 1974년 마산 수출 자유 지역의 입주가 완료되었을 당시 일본 자본이 그 투자 액수나 입주업체 수를 기준으로 공히 90% 정도를 차지하여 압도적이었다.

마산 수출 자유 지역에는 3개의 일본 반도체 제조업체 —— 토코(東光), 산요(三洋), 산켄(産研) —— 가 전액 투자 자회사를 설립하였다. 이 회사들의 면모를 보면, 토코는 일본에서 중간 규모의 전자 부품 제조업체였으나, 1963년부터 적극적으로 해외 조립 시설을 설치하여 일본 기업의 해외 투자에 있어서 선구자적 역할을 담당하였던 기업이었다(Nakano, 1977: 199~201). 이런 토코의 높은 해외 투자 의욕으로 볼 때, 일본에서 가장 가까운 수출 자유 지역에 자회사를 설립한 것은 놀랍지 않다. 1971년 토코는 본사의 사업 확장 전략에 따라 다시 마산 수출 자유 지역에 집적 회로 조립을 위한 소규모의 자회사를 새로이 설립하였다(Nakano, 1977: 204~05). 산요는 가전제품 생산에 강세를 보이는 수직 통합된 대규모 전자업체였다. 산요는 원래 삼성과 합작하여 하기로 한 가전 제품과 반도체 생산 계획을 취소한 후 곧 반도체 조립 자회사를 단독으로 설립하였다. 산켄은 트랜지스터나 다이오드 같은 개별소자를 주로 생산하는 중간 규모 전자 부품 업체였다.

분명히 마산 수출 자유 지역은 한국 정부의 한층 강화된 외자 유치 노력에 의하여 형성되었고, 따라서 비판자들에 의하여 한국의 외국 자본에 대한 종속적 관계의 축도인 것으로 간주되어왔다(Tsuchiya, 1977; 이창복, 1974). 그러나 마산 수출 자유 지역에 대한 처리가 결코 국가의 해외 자본에 대한 입장을 대표한다고는 볼 수 없다. 한국 정부는 해외 자본의 단독 투자보다 합작 투자를 선호하였다. 〈표-2〉

에 의하면, 1969년 이후 인가된 마산 수출 자유 지역 이외의 반도체 제조 투자는 대한마이크로 이외에는 모두 합작 투자 형태를 취하였다. 대한마이크로는 당시의 최첨단 기술 제품이었던 LSI-MOS의 조립 기술 도입 효과를 고려하여 외국 자본의 단독 투자를 예외적으로 허용한 경우였다.

그러면 일본 자본의 대한 반도체 부문 투자가 급격히 증가한 주된 이유는 어디에 있으며, 그 투자의 성격과 한국 반도체 산업 발전에 미친 영향은 어떠한가? 이 문제는 당시 일본 경제 구조의 변화와 관련지어 고찰해야만 한다. 오자와Ozawa가 간명하게 요약하였듯이, 1960년대말 일본에서는 "노동 집약적, 자원 소비적 산업 또는 공해 산업은 생산 요소 비교 우위factor endowment position의 급속한 변화, 산업화의 사회적 비용 증가, 자원의 해외 수입 의존에 의한 취약성으로 인하여 일본에서 사양화되지 않으면 안 되었다"(Ozawa, 1979: 40). 노동력과 산업 부지의 부족, 임금과 지대의 상승에 직면하여 일본의 제조업체, 특히 소규모 기업들은 인근의 아시아 지역으로 이전하기 시작하였으며, 이런 경향은 1968년부터 가속화되었다.[16] 이런 시점에서 한국은 이전되는 일본 제조 시설에 가장 열성적인 구혼자였으며, 1970년에 이르러는 대만을 추월하여 가장 인기 있는 일본의 해외 투자 대상국이 되었다.

일본의 전자 산업은 해외 투자에 적극적이었고, 그 결과 앞에서 언급된 반도체 제조 시설이 한국에 설립되었다. 이 가운데 수직 통합적인 두 기업, 즉 토시바와 산요의 투자 결정은 일본의 대한 반도체 산업 투자의 성격을 이해하는 데 매우 시사적이다. 첫째, 1967년과 1969년 사이의 토시바의 입장 변화는 격심해진 저임금 노동력난의

---

16) Ozawa에 의하면 일본 기업의 해외 직접 투자 가속화 경향을 설명하는 데는 '상품 수명 주기' 이론보다 '산업 수명 주기' 이론이 더 적합하다고 한다(Ozawa, 1979: 41~75).

증가와 현저히 증가한 부품 소화 능력, 즉 경영 규모의 확대를 나타낸다. 둘째, 두 기업 모두 한국에 이전된 반도체 제조 공정은 가장 노동 집약적이고 최소의 기술을 요구하는 부분에 제한되어 있었다는 것이다.

그러면 이제 반도체 산업에 대한 국내 자본의 참여를 살펴보자. 가장 눈에 뜨이는 것은 1970년부터 독자적 반도체 조립 회사인 아남이 외국 반도체 제조업체의 하청업체로 생산을 시작하였다는 것이다. 아남의 설립자는 전자 산업에는 전혀 문외한으로, 그 사업 구상은 당시 상공부장관의 충고에 따른 것이었고 정부의 예외적 특혜 조치가 없었으면 실현되지 못하였을 것이다(내외경제사, 1977: 13~50).

한국 반도체 산업의 장기적 발전에 더 중요한 의미를 갖는 계기는, 당시 논란의 여지없이 한국 최대의 재벌이던 삼성이 1969년 이 부문에 참여한 것이다. 사카린 밀수 사건 이후의 침체를 극복하기 위한 신규 부문 진출 전략의 일환으로 삼성은 수직 통합적 대규모 생산을 목표로 전자 산업 분야에서 2개의 합작 투자 회사를 설립하였다(김교식, 1984, 13권: 96~103). 삼성산요는 가전 제품, 삼성NEC는 전자 부품의 생산을 목표로 하였다.

삼성의 진출은 기존의 국내 전자 제품 생산업체들로부터 강한 반발을 불러일으켰다. 전자공업협동조합 59개 회원업체 전체가 일치단결하여, 일본의 대기업과 제휴함으로써 경영 규모, 기술, 자금 동원에서 압도적 우위를 누릴 수 있는 삼성의 진출을 저지하려 하였다. 당시 가장 커다란 위협을 느꼈던 것은 국내 시장 점유율이 높았던 재벌 계열의 금성사와 대한전선이었고, 따라서 가장 적극적으로 삼성의 진출을 저지하고자 하였다(박병윤, 1975: 94; 오효진, 1984: 19~25). 이런 저항에 직면하여 국가는 삼성의 투자를 승인하는 데 생산품 전량 수출과 생산 품목의 제한이라는 조건을 달았다(전자공업진흥회, 1981a: 69, 288).

가전 제품의 한국 시장 진출이 합작 투자의 일차적 동기였던 산요 측은 이 2가지 조건으로 투자 의욕을 크게 상실하였으며, 투자 규모의 축소, 부품 생산으로의 전환 등 사업 계획의 수정을 삼성에 요구하였다. 이러한 요구는 수직 통합적 종합 전자 회사를 꿈꾸는 삼성의 전략과 배치되었고, 삼성은 1972년 산요의 지분을 인수하여 삼성전자로 개명하였다. 비슷한 이유와 비슷한 방식으로 삼성은 1974년 NEC와도 합작 투자 관계를 청산하였다(오효진, 1984: 110~16).

삼성산요와 금성사가 그 규모가 미미하고 전량 자체 수요의 충당을 위한 것이기는 하나 1970년부터 간단한 반도체 제품을 조립하기 시작하였다.

일본과 국내 자본의 진출로 한국 반도체 산업은 급속히 성장하여, 그 업체들이 모두 본격적으로 가동되기 시작한 1973년에는 한국 전체 수출액의 5%를 차지하기에 이르렀다(〈표-1〉 참조). 그러나 그 구조나 성격에 있어서는 거의 변화가 없었다. 요컨대 외국 자본의 직접 투자가 압도적이었고, 한국에서 이루어지는 제조 공정은 가장 노동 집약적인 최종 조립 단계뿐이었다.

Ⅲ. 수출 산업 창출과 국가의 역할

이상의 기술을 바탕으로 한국 반도체 산업의 형성기에 있어서 국가의 역할, 해외 자본과 국내 자본에 대한 국가의 위치를 분석해보자.

한국 반도체 산업은 대외 지향적 경제 발전 전략으로의 전환을 전제로 하여 성립하였다. 이 새로운 전략은 군사 쿠데타 결과 한편으로는 사회적 이해 관계와 압력으로부터 고도로 격리되고, 다른 한편으로는 그 권한이 대폭적으로 강화된 국가의 소수 경제 정책 결정자들에 의하여 수립되었다. 이 전략은 대규모의 자원 동원과 정치적으로 불리한 조치의 시행 등을 요구함으로써 국가로서는 대단한 도전이었다. 그러므로 국가가 발전 전략의 방향 전환을 구상하고 또 지속적으로 시행에 옮길 수 있었다는 사실은 당시 국가가 누렸던 전반적 자율성과 능력을 입증한다고 볼 수 있다.

그러면, 강력한 국가의 존재가 구체적으로 반도체 산업의 형성 과정에는 어떻게 표출되었는가? 한국의 반도체 산업은 국가의 수출 확대 노력과 미국·일본 기업의 생산비 절감 방안 사이에 이해 관계가 합치함으로써 출현하였다. 국가는 그 합치된 이해 관계를 수출 산업으로서의 반도체 조립 생산으로 구체화하는 과정을 능동적으로 주도하였다. 국가는 해외 투자가들을 위하여 다양한 투자 유인을 제공하여 '유리한 기업 환경'을 조성했을 뿐만 아니라, 전액 외국인 투자나 국내 시판을 허용하는 등 기존 규정을 벗어나서까지 외국 자본의 요구에 순응하는 정도였다. 그러나 실제로 이는 당시 한국 전자 산업과 국내 자본의 발전 단계를 고려하여 이루어진 계산된 양보라고 볼 수 있다. 첫째, 당시 한국 전자 산업의 초보적 상태로 보아 반도체에 대한 국내 수요는 거의 없었으므로, 외국인 투자업체에 대한 국내 시장 개방은 별 충격이 없을 것으로 예측되었다. 둘째, 국내의 기존 전자 제품 제조업체들은 소규모로 외국 자본과의 대규모 합작 투자 능력이 없었고, 대재벌도 반도체 부문에 참여할 준비를 갖추지 못한 상태였다. 즉, 외국 자본에 양보해도 국내 전자 산업이나 국내 기업의 발전에 저해가 될 소지가 없었다. 명목상의 양보를 통하여 국가는 수출 확대와 고용 창출이라는 시급한 두 가지 목적을 이룰 수 있었다.

국가는 후한 투자 유인을 제공하면서 해외 투자를 열성적으로 유치한다는 점에서 외국 자본에 대하여 약한 위치에 있다고 생각될 수도 있으나, 국가가 외국 자본의 '도구'의 역할을 수행했다고는 결코 볼 수 없다. 오히려, 한국 반도체 산업 발전 초기에 국가의 해외 투자 관리 방식은 강력한 국가의 능력을 입증한다. 즉, 국가는 당시의 여건과 경제 발전 전략에 합당한 해외 투자 부문을 선정하였으며, 국내 산업 발전과 관련하여 해외 투자의 손익 계산에 충실하였다. 따라서,

반도체 산업 부문의 해외 투자가 반도체 및 전자 산업 일반에 대한 관심을 불러일으키고 국내 생산을 촉진하였다. 결국, 한국의 해외 투자 유치는 국가의 권력을 약화시키는 것이 아니라 강화시키는 수단이었다고 볼 수 있다.

국가는 주요 국내 전자 제품 제조업체의 육성에 중요한 역할을 담당하였다. 최초로 전자 산업의 가능성을 인식하고 국내 자본의 참여를 유도한 것이 바로 국가였다. 이 과정에서 국가 권력이 국내 민간 자본을 지지하는 방향으로 적용되기는 하였으나, 국가는 민간 자본에 대하여 확고한 우위를 차지하였다. 우선, 국가는 민간 자본의 운명에 결정적인 광범위한 사항에 대한 규제권을 보유하고 있었다. 둘째, 그리고 아마도 가장 중요한 것으로, 국가는 금융 자원에 대한 강력한 통제권을 보유하였다. 예컨대, 1965년에서 1969년 사이 한국에서 기업 자금의 47.4%가 국내 금융 기관의 융자, 37.9%가 외국 차관으로 구성되어 있었다(박영철 등, 1986: 19). 이 기간중에 국내의 모든 은행이 국가 소유였으며, 모든 외자 도입은 국가의 승인과 지불 보증을 받도록 되어 있었다.

삼성의 전자 산업 진출은 이 기간중의 국가와 국내 민간 자본간의 관계를 잘 예시하고 있다. 민간 자본의 유별스레 강력한 집단적 항의에 직면하여, 국가는 삼성에게 참입을 허용하는 대신 기업 활동에 제한을 가하는 외견상 회유적인 행동을 취하였다. 그러나 국가는 삼성의 참입을 환영할 만한 것으로 간주하여, 결국 그 제한을 곧 취소함으로써 국가의 의지를 관철시켰다.

요약하면, 국내 전자 산업의 초보적 발전과 기득이권을 가진 강력한 사기업의 부재라는 여건 아래에서 국가는 반도체 정책을 수립·시행하는 데 있어서 고도의 자율성과 권력을 누릴 수 있었다. 국가의 자율성과 능력은 의사 결정 권한의 집중화에 기반을 둔 다양한 국가 기관간의 정책의 일관성에 의하여 더욱 강화되었다.

4. 반도체 산업 토착화의 시초, 1973~1979

I. 국가 주도적 중화학 공업화

1973년 연두 교서에서 박정희 대통령이 한국의 새로운 경제 발전 방향으로 '중화학 공업화'를 선언하여, 1979년 정권이 붕괴될 때까지 제반 경제 정책의 모토가 되었다. 중화학 공업화는 철강, 비철금속, 화학, 기계, 조선, 전자 등 6개 '전략 산업'의 발전을 가속화하기 위한 국가의 적극적 시책으로 구체화되었다.

중화학 공업화 계획은 1970년대초의 경제적·정치적 위기에 대응하기 위한 국가의 전략적 선택으로 이해할 수 있다. 1960년대에는 수출 주도 전략이 저렴한 노동력과 세계 자본주의 체제의 개방성과 확장을 배경으로 비교적 순조로이 진행되었으나(Bienefeld, 1981; Cline, 1982), 1970년대초 대내·외적 상황에 심각한 변화가 발생하였다. 먼저 경제적 측면을 보면, 대외적으로는 1971년 닉슨 독트린 선언 이후 자유 무역의 원칙이 무너지고 보호 무역주의가 점증하면서, 노동 집약적 소비재 수출 위주의 한국 경제는 심각한 타격을 받게 되었다(김대환, 1987). 대내적으로는 첫째, 노동력 부족 현상의 출현과 노동자들의 강력한 임금 인상 요구로(고성국, 1985; Choi, 1984), 저임금 노동에 의한 비교 우위가 감소하고 있었다. 둘째, 국가의 원래 경제 개발 계획에 의하면 국제 수지가 흑자로 전환되기로 한 시점인 1970년대초에 한국 경제는 오히려 심각한 국제 수지의 악화에 직면하였다. 외채 상환 부담률debt service ratio이 보통 위험 수준으로 간주되는 20%를 초과하고, 무역 수지는 호전의 기색이 전혀 없이 적자폭이 급속히 확대되고 있었다. 무역 적자와 해외 부채의 증가는 그 정당성의 근거를 주로 경제적 업적에 두고 있던 정권에 심각한 정치적 부담이 되었다. 더욱이 1969년에 밝혀진 차관업체의 대량 부실 기업화는 국가의 방만한 외자 도입 정책과 관리 능력에 대한 불신과 함께 외채 누적의 정치적 타격을 가중시켰다(이성형, 1985: 249; 정윤형, 1984: 77). 이런 결과 1970년부터 1972년까지 한국 경제는 불황을 겪고 있었고, 이는 경제 성장과 제조업 생산 증가의 둔화, 총투자율의 감소와 수출 목표의 미달, 민간 기업 재무 구조의 악화 등 다양한 경제 지표에 일관성 있게 나타나고 있다(조동성, 1983: 13; 한상진, 1986: 168~69). 국가가 자본주의의 기본 교의를 위반하면서까지 경기 회복을 위해 1972년 흔히 '8·3조치'라고 불리는 '경제 안정과 성장에 관한 긴급 조치'를 급히 발동한 사실은 당시의 경제 위기에 대한 인식의 심각도를 증거한다고 볼 수 있다.

경제적 위기와 동시에 한국은 일련의 정치적 위기를 경험하고 있었다. 1969년 삼선개헌에 대한 광범위한 국민의 불만은 역대 국민 투표 중 최저의 투표율과 찬성률로 표출되었다. 1971년 4월의 대통령 선거에서 여당과 정부의 열성적인 득표 노력과 상당한 선거 부정에도 불구하고 박정희 대통령과 야당의 김대중 후보 사이에 득표율의 차이는 7%에 불과하였고, 그 한 달 후의 국회의원 선거 결과는 여당과 야당의 의석 수의 차이가 이전의 85석에서 21석으로 줄어듦으로써 더욱 위협적이었다(Lee, C., 1973: 100). 양 선거는 집권 연합 ruling power bloc에게 아무리 엄격한 제한을 가한다 하더라도 민주주의적 선거 제도에 내재하는 위협을 명백하게 보여주었다. 국가는 선거 이후 고양된 반정부 운동에 '위수령'의 발동, 국가 비상 사태의 선포, '국가보위에 관한 비상조치법'의 제정 등 강압적 제재로 대응하였다. 이런 정치적 위기는 1972년말 '유신' 헌법의 선포와 함께 관료적 권위주의 체제의 수립으로 귀결되었다.[17]

---

17) O'Donnell에 의하여 원래 라틴 아메리카를 배경으로 정립된 관료적 권위주의 모델이 한국의 유신 체제에도 적합성을 갖는다. 그러나, 한국의 관료적 권위주의 체제의 등장을 설명하는 데 있어서, 연구자들은 경제적 요인보다는 정치적 요인에

'지속적 경제 발전을 위한 효율의 극대화'가 권위주의 체제로 변화하는 1차적이며 거의 유일한 합리화의 근거였으므로, 경제 문제는 훨씬 큰 정치적 비중을 갖게 되었다. 앞에 언급한 대내외적 환경의 변화는 경제 발전 전략의 조정을 불가피하게 하였다. 이전의 경제 발전 전략에 비판적인 다수의 인사들은 국내 시장의 확대, 균형 성장, 분배적 평등에 중점을 두는 전략을 제시하였으나, 국가는 생산재에 대한 국내 수요의 증가와, 더욱 중요하게는 일본 중화학 공업 시설의 저개발 국가로의 적극적 이전이라는 요인을 고려하여 대규모 산업 심화를 가속화하는 방향을 설정하였다. '중화학 공업화 원칙'에 의하면, 6개의 전략 부문에 대하여 국제 경쟁력을 갖도록 대규모 설비로, 소량의 수입 대체적 국내 수요분을 제외하고는 수출을 목표로 집중적으로 육성한다는 것이다(박병윤, 1980a: 195). 요컨대 산업 구조의 개편이 따르기는 하나 대외 지향적 불균형 성장이 계속 한국 발전 전략의 기본틀을 이루었던 것이다.

새로운 체제의 정당성 강화라는 긴급한 정치적 필요에 의하여, 국가는 서둘러 관료 기구의 정비, 국민 투자 기금의 조성, 대폭적 세금 감면 등 다수의 중화학 공업 지원 시책을 취하였다(경제기획원, 『경제 백서』, 1981: 107; 김대환, 1987: 214~18; 박병윤, 1980a: 196; 박영철, 1984: 140; 재무부, 1982: 88). 그러나 국가의 열의와는 대조적으로 자본가들은 중화학 공업화에 별 관심을 기울이지 않았다. 더욱이 예기치 않았던 1973년말 제1차 석유 파동의 타격으로 중화학 공업화 계획의 실행은 1974년말까지 사실상 보류되었다. 안정 정책을 선호하였던 대만이나 일본과는 달리, 한국은 확대 정책으로 석유 파동을 극복하려 하였다. 당시 국가의 경제 정책 기관들은 의견의 차이를 보였

더 비중을 두고 있고, 강력한 국가가 관료적 권위주의 체제 등장의 결과이기보다는 그에 대한 기여 요인이라는 데 의견을 같이한다(고성국, 1985; 김태일, 1985; 한상진, 1986; Han, Sungjoo, 1977; Im, 1987).

고, 확대 정책은 경제기획원과 재무부의 반대에도 불구하고 대통령과 대통령 비서실, 상공부가 강력히 옹호한 것이었다(박영철, 1984; Haggard and Moon, 1986).

그러나 급속한 경제 회복의 기미로 확대론자들의 발언권이 강화되었고, 1975년말경부터는 중화학 공업화가 원래 계획보다 훨씬 확대된 규모로 본격적으로 활성화되었다. 이런 결정에는 정치적 요인도 중요한 역할을 담당하였다. 1975년 월남의 공산화와 임박한 주한 미군 철수로 인한 심각한 위기감과 함께 방위 산업 확충의 필요성과 열망이 생기게 되었다. 또한 중동의 건설 붐이 확대론적 경향을 부채질하였다.

국가로부터 지정이나 허가를 받은 중화학 공업 분야의 사업은 국가가 재정 지원을 보장하였고, 발전 설비나 교환기 생산 등 많은 사업에서는 국가가 주된 국내 구매자로서 판로까지 보장하였다. 국가의 이런 적극적인 투자 유인 결과 민간 자본가들이 자본 축적을 위한 절호의 기회를 잡으려 몰려들어 중화학 공업화가 활발히 진척되었다. 1976년부터 1979년 사이 국민 투자 기금의 약 68%와 제조업을 위한 산업은행 대출의 77%가 중화학 공업 지원에 집중되었다(남종현, 191: 185; 동아일보, 1985. 1. 15). 1977년에서 1979년까지의 제조업 분야 총투자의 80%가 중화학 공업 부문에 투하되었다(Haggard and Moon, 1986: 9). 1978년 경공업 부문의 세금 감면 혜택은 8%에 불과하였던 반면, 중화학 공업 부문에서는 40%에 달하였다(한국개발원, 1982: 46).

국가의 확대 정책과 중동의 건설 붐으로 1976년에서 1978년까지 한국 경제는 유례없는 호황을 구가하였다. 유신 헌법의 제정과 함께 제시되었던 구호인 '100억 달러 수출과 국민 소득 1000달러'가 목표 연도인 1980년도보다 빠른 1977년과 1978년에 각기 달성되었다. 국가 주도 아래 집중적 투자로 1970년과 1979년 사이에 중화학 공업의 비중이 산업 생산에서는 37.8%에서 51.2%로, 수출에서는 12.8%에서 38.4%로 증가하였다(김대환, 1987: 22).

그러나 자본 집약적 중화학 공업 분야에 대한 전면적 추진의 부작용이 1978년 후반부터 한국 경제에 표면화되기 시작하였다. 제2차 석유 파동의 여파로 폭등하는 국제 금리[18]와 전세계적 불황 속에서 급속한 국제 수지의 악화와 수출 성장의 둔화는 결국 유신 체제의 붕괴로 귀결되었다.

II. 전자 산업의 심화와 국내 자본의 반도체 산업 진출

전자 산업이 중화학 공업화를 위한 6개 '전략 부문'의 하나로 선정된 것은 그 수출 신장 가능성에 기반을 둔 것이었다. 전반적 불황에도 불구하고, 1970년대초 전자 산업은 계속하여 생산과 수출 모두 활발한 성장을 이루고 있었다(〈표-1〉 참조). 이런 양적 성장과 함께 전자 산업의 구조도 상당히 변화하여, 대부분 국내 자본에 의하여 생산되는 가전 완제품의 비중이 급속히 증가하였다. 그런데 전자 산업 부문의 수출 증대를 위하여는 생산품의 다양화와 고급화 그리고 부품의 국내 생산이라는 두 가지 방향으로의 '산업 심화 industrial deepening'가 요청되었다. 가전 제품 생산의 수입 부품 의존도가 대단히 높았으므로, 부품의 국내 생산은 수출의 경쟁력과 부가 가치를 높이는 데 필수적이었다.[19] 광범위한 가전 제품에 반도체 소자(素子)의 사용이 증가됨으로써, 가전 제품 생산의 확대는 반도체 수요의 급격한 상승을 야기하였고, 그에 따라 자본뿐만 아니라 기술에 있어서

---

18) 예컨대 국제 금리의 중요한 지표인 미국의 우대 대출 금리 prime rate가 1977년말의 7.75%에서 1980년까지 매년 11.5%, 15%, 21.5%로 인상되었다(김성두, 1984: 361).

19) 1970년 금성과 삼성의 반도체 조립 개시는 이런 맥락에서 이해할 수 있다. 1970년 6월 기준, 최대의 가전 수출 품목이었던 흑백 TV 조립에 필요한 부품의 약 50%를 수입에 의존하였다(한국산업은행, 1971: 302~03).

도 반도체 생산을 토착화하는 데 대한 관심이 고조되었다.

기타의 '전략 부문'에서와 마찬가지로, 반도체 산업 진흥이 본격적으로 시작된 것은 1975년말이었으며, 반도체 수입으로 인한 전자 산업 전반의 취약성에 대한 인식의 고양이 그 직접적 계기가 되었다. 당시 국내 반도체 수요의 대부분이 일본에서 수입한 것으로 충족되었다. 일본 반도체 제조업체는 대개 수직 통합적 전자 회사로, 수출 시장에서 한국 상품과 경쟁하는 가전 제품도 생산하였다. 가격상의 불리함뿐만 아니라 일본 반도체 제조업체의 수출 중지는 한국 전자 산업에 치명적 영향을 미칠 수 있었으며, 실제로 한국 전자업체들은 특히 수출 시장이 호황일 때 일본 수출업체의 불안정한 공급으로 인해 반도체 부족 현상을 반복적으로 겪고 있었다.

1975년 미국과 일본 반도체 산업 불황의 여파로 〈표-1〉에 나타난 바와 같이 한국에서의 반도체 생산과 수출이 감소하였다. 그러나 이런 불황에도 불구하고 한국 정부는 다수의 육성책을 실시하기 시작하였다. 10월에 경제기획원은 기술 고도화를 목적으로 전자 산업 분야의 해외 직접 투자 규제를 완화하였고, 뒤이어 상공부는 특히 실리콘 웨이퍼 가공과 기억 집적 회로에 중점을 둔 6개 하이테크 전자 부품의 완전 국산화를 위한 6개년 계획을 발표하였다. 총소요 자금 2억 6,800만 달러 중에서, 50%는 차관이나 직접 투자로, 35%는 국민 투자 기금 등의 공공 재원으로, 나머지 15%는 국내 투자 기업에 의하여 조달하도록 하였다. 관세와 세금 감면 이외에 신개발 전자 부품의 시제품 생산 비용을 국가가 보조하도록 하였다(서울경제신문, 1975. 11. 1). 전자 산업의 육성이 1976년의 중점 산업 정책으로 발표됨으로써 국가의 전자 산업에 대한 관심이 재천명되었다.

전자 산업 육성의 기본 방향은 제5차 경제 개발 5개년 계획 (1977~1981)의 일환으로 외국 자문 회사의 도움을 받아 마련된 전자 산업 부문 계획에 더 분명히 제시되어 있다(Arthur D. Little, 1976). 이 계획에 의하면 부품 41종류와 완제품 16종류를 개발·생산하기로 되어 있는데, 특히 대규모 자본과 고도의 기술을 요하는 웨이퍼 가공과 컴퓨터 분야의 9개 품목은 국가 주도 아래 개발하도록 하였다. 국가는 공장과 설비에 1억 5,000만 달러, 연구 개발에 5,800만 달러를 투자하여 그 9개 품목의 제조 시설을 설립하고 점차로 민간 부문에 불하하도록 되어 있었다. 반도체와 컴퓨터 관련 연구와 생산 시설은 한곳에 집중시키도록 되어 있었고, 이를 위해 구미공단을 확장하도록 하였다. 민간 부문의 주도 아래 육성하도록 되어 있던 나머지 48개 품목 중에는 LSI-MOS, 기억 소자, 단결정 실리콘, 실리콘 웨이퍼, 리드 프레임 lead frame, 극세금선과 알루미늄선이 포함되어 있었다. 요컨대, 국가는 원료 가공에서부터 최종 조립까지 반도체 제조 공정 전 과정을 토착화하고자 하였다. 계획에 의하면, 이런 반도체 관련 제품은 1977년까지, 늦어도 1978년까지는 개발이 완료되도록 되어 있었다(정밀기기센터, 1978: 212~56).

그러면 국가가 이런 목표를 실현하기 위하여 구체적으로 어떤 행동을 취하였는지 살펴보자. 첫째는 국가 관료 기구의 개편이었다. 한국 경제에서 전자 산업의 중요성이 증대함에 따라 상공부 내의 전자 산업 전담 기구가 중화학 공업화 계획이 발표된 직후인 1973년 1월에는 계에서 과의 수준으로, 1977년에는 전자 부품과, 가전과, 산업 전자과의 3개 과로, 1978년에는 국의 수준으로 격상됨으로써, 전자 산업은 상공부 내에 별도의 국을 가진 5대 주요 산업의 하나가 되었다.

둘째, 상공부는 국가의 지원에 민간 부문이 더 효율적으로 반응할 수 있도록 하기 위하여, 1976년 전자 산업계 기존의 이익 단체인 전자공업협동조합과 전자공업수출조합을 한국전자공업진흥회로 통합하도록 하였다. 이 연합체의 조합주의적 성격은 일상 업무를 관장하는 상근 부회장직에 상공부의 고위 퇴직 관리가 임명되었다는 사실에 의하여 잘 예시된다.

셋째, 정부 차원의 반도체 연구 개발 투자를 강화하였다. 1975년에는 반도체 기술이 한국과학기술연구원 KIST의 최중점 연구 과제로 선정되었고, 1976년에는 구미공단에 별도의 반도체 연구소가 설립되었다. 3,000만 달러의 세계은행 차관으로 설립된 한국전자기술연구소는 연구뿐만 아니라 고도의 기술을 요하는 집적 회로의 상업적 제조를 담당하도록 하였다. 더욱이 1977년 ITT와의 기술 제휴 아래 전자 교환기 독점 생산업체로 한국전기통신을 설립하여 반도체 기술의 진전을 촉진하고자 하였다.

마지막으로, 다양한 종류의 은행 융자와 세제상의 혜택을 부여하여 민간 부문의 반도체 투자에 대한 금융 지원을 하였다(노성호·김준현, 1979: 61~68; 한국개발원, 1979: 300).

그러면 이 기간중에 한국의 반도체 산업에 실제로 어떤 변화가 있었는가? 1974년 최초로 기술적으로 복잡한 웨이퍼 가공 공정을 한국에 이식하고자 하는 시도가 이루어졌다. 재미 한국인 엔지니어가 ICII라는 미국 기업과 지분율 50 대 50의 합작 회사로 한국반도체(한국토시바의 개명)를 설립하였다. ICII가 실리콘 결정과 회로 설계의 공급과 해외 판로를 담당하여, 생산된 웨이퍼와 집적 회로를 국내 시판도 하고 수출도 하기로 하였다. 한국반도체는 당시 새로이 주요 수출 품목으로 부상한 전자 손목 시계용의 간단한 집적 회로에 주력하였다. 그러나 한국반도체는 초기에 발생되는 적자를 감당할 만큼 재정 자원이 충분치 못하여, 한국측 지분이 1975년 삼성으로 이전되었다. 모계열로부터 막대한 지원을 동원할 수 있는 대규모 재벌 계열 가전업체가 수직 통합 전략에 따라 반도체 제조에 본격적으로 뛰어들었다는 점에서 삼성의 한국반도체 인수는 중대한 의미를 갖는 계기였다. 반도체 제조의 토착화를 위한 국가의 야심적 계획도 이에 고무된 바가 적지 않았다.

국가의 신호에 응하여 국내 민간 자본은 1975년말부터 1978년 중

엽까지 자본 집약적이고 기술 집약적인 반도체 제조 분야에 적극적인 관심을 보였으며, 1976년 유례없던 전자 산업계의 호황이 그 열의를 부채질하였다. 3대 가전업체 중에서 나머지 둘도 삼성을 따라 반도체 분야에 진출하였다. 대한전선은 일본 후지츠와 기술 제휴를 맺어 향후 5년 간 61억 원을 투자할 계획으로 1976년 10월 대한반도체를 설립하였다(서울경제신문, 1976. 10. 30). 금성사는 처음에는 반도체부를 신설하는 정도로 신중한 태도를 보였으나, 1978년에는 미국의 아메리칸 마이크로시스템즈American Microsystems와 지분율 50 대 50, 총자본금 1,000만 달러의 합작 회사를 별도로 설립하기로 하였다. 이 회사는 1980년까지 고급 CMOS(Complementary Metal Oxide Semiconductor)의 본격적 생산을 개시하여, 소량의 자체 수요 충족분 이외에 대부분은 수출하기로 하였다(서울경제신문, 1978. 8. 4).

1976년 4월 상공부가 1975년의 6개년 진흥 계획에 따라 전자 부품 국산화를 위한 우대업체를 선정할 때, 기존의 국내 반도체 조립업체인 아남이 웨이퍼 제조업체로 선정되었다. 급속한 규모의 신장과 함께 이미 가전제품 생산에 진출한 아남이 그 사업 확장 열망이나 또 대재벌이 아남의 주력 업종에 진출하는 사정으로 보아 주력 사업의 질을 높이는 데 있어서 국가의 지원 기회를 놓치지 않으려 하는 것은 당연하였다. 다른 하나의 기존 조립업체였던 한국반도체도 비슷한 경로를 취하였다. 재일동포 파트너는 기타 전자 부품과 TV로 사업을 확장하고 토시바측의 지분을 점차 인수하면서, 1978년에는 그 법적 지위를 완전 해외 직접 투자 회사에서 국내 투자분이 과반수를 넘는 합작 회사로 변경 등록하고, 1979년에는 웨이퍼 가공을 위한 토시바와의 기술 제휴를 체결하였다.

더욱이 전자 산업에 전혀 경험이 없는 재벌들 다수가 반도체 부문에 관심을 표명하였다. 특히, 섬유 및 의류 수출업체들이 수출 감소를 상쇄하는 새로운 수출 품목의 개발을 위하여 반도체 부문에 진출하는 데 열성적이었다. 가장 열성적이었던 한국생사는 1977년 페어차일드와 합작 투자 계약을 맺고 페어차일드의 서울 소재 반도체 조립 시설 하나를 인수하였다. 이 한생반도체의 설립과 동시에 한국생사는 전계열 기업에 대한 대규모 조직 개편을 단행하여 전자 산업에 주력하고자 하였다(서울경제신문, 1977. 12. 22, 1978. 1. 12). 서울통상(후에 서통으로 개명)은 미국의 선크럭스Suncrux와 3,000만 달러 규모의 합작 투자를 구상하였다. 대우는 1976년 수출 위주의 가전 제품 제조업체인 대우전자를 설립하여 전자 산업을 주력 업종으로 하기 위한 토대를 마련하였고, 1978년에는 전자 산업 경영진을 보강하고 100억 원 규모의 공장을 구미에 건설하였다. 이외에도 선경, 원진, 삼도 등의 섬유업체들이 경영 다각화의 일환으로 반도체 제조업에 관심을 보였다(서울경제신문, 1976. 9. 22, 11. 20, 12. 2, 1977. 6. 24, 1978. 4. 20).

반도체 부문 진출 열기는 다양한 배경을 가진 다수의 기타 재벌들에도 확산되었다. 롯데가 웨이퍼 제조에 관심을 보였고, 한국화약은 미국의 내셔널 반도체National Semiconductors와 합작으로 구미에 웨이퍼 제조, 트랜지스터와 집적 회로 조립 시설을 세우기로 계약을 하였다. 쌍용은 1975년 미국의 시그네틱스를 인수한 유럽의 필립스와 합작 투자를 시도하였다. 동아건설, 동국제강, 국제도 반도체 부문 진출을 고려하였다(한국경제신문, 1976. 9. 22, 9. 26, 1978. 4. 28).

그러나 1978년말부터 반도체 사업 열기는 냉각되기 시작하였고, 이상에 언급된 재벌들 다수가 반도체 사업 계획을 취소하였다. 새로이 구상된 거의 모든 계획이 자본과 더 중요하게는 기술면에서 외국——압도적으로 미국——파트너에 의존하였다. 국제적 기준으로 아직 보잘것없는 국내 시장 규모와 불확실한 수출 전망의 조건 아래서, 외국의 반도체 회사들이 한국 기업의 접근에 대해 보인 반응은 기대에 훨씬 못미치는 지극히 미온적인 것이었고, 특히 고급 기술의 이전에 대하여 주저하였다.

〈표-3〉에서 웨이퍼 제조업체의 투자가 소액에 불과한 데서도 알 수 있듯이, 의욕적인 반도체 제조 투자 계획의 대부분이 실현되지 못하였다. 일부는 시작되지도 못한 채 폐기되었고, 또 일부는 더 큰 규모의 기업에 양도되었다. 예컨대, 한생반도체는 1979년 한국생사그룹 전체와 함께 도산하였고, 원진은 삼성에, 대한전선, 국제, 서울통상 그룹의 반도체 사업은 금성에 양도되었다. 금성은 지지부진한 아메리칸 마이크로시스템즈와의 협상을 중지하고, 1979년 9월 대한반도체를 인수하여 금성반도체를 설립하였다.

1979년말에는 단지 세 회사——삼성, 금성, 한국전자——만이 남게 되었다. 삼성은 이미 웨이퍼 제조를 시작하였고, 나머지 둘은 1980년부터 시작할 예정이었다. 삼성반도체는 본질적으로 삼성전자를 위한 부품 공급 회사로 소규모로 운영되었고, 가전 제품에 사용되는 몇 가지 종류의 트랜지스터와 간단한 집적 회로만을 생산하고 있었다. 삼성반도체는 계속적인 적자로 1979년 삼성전자에 합병되었다.

국가의 육성 계획에 포함되어 있던 반도체 관련 원료 생산에 관하여는 한 건의 투자도 이루어지지 못하였으며, 가까운 시기에 국산화가 이루어지리라는 전망도 전혀 없었다. 1975년말 아메리칸 마이크로시스템즈의 자회사인 대한마이크로의 설립자이며 사장인 재미동포가 당시 세계 최대의 실리콘 생산 회사였던 서독의 웨커 케미트론 Wacker Chemitron과 실리콘 가공 공장 설립을 교섭하였다. 그런데 웨커 Wacker는 기술의 누출을 염려하여 전액 투자를 요구하였다. 당시 기술 집약적 부문의 국내 기업 육성에 목표를 둔 한국 정부는 6개 '전략 산업'의 해외 지분 상한선이 50% 미만으로 설정되었던 규정에 예외적인 조치를 취하지 않았다. 그 후로 일본의 투자를 유치하기 위한 시도가 몇 차례 있었으나 성사되지 못하였다(한국전자공업진흥회, 1981a: 255, 274).

고급 기술 중심의 반도체 산업을 육성하고자 하는 국가와 국내 민간 자본측의 부산스러운 노력에도 불구하고, 1973년에서 1979년 사이에 한국 반도체 산업의 전반적 윤곽은 크게 변하지 않았다. 이 시기가 시작될 때 이미 확립되었던 20여 개의 반도체 조립업체로 구성된 반도체 업계에 새로이 참입한 것은 두 국내 대재벌——삼성과 금성——밖에 없었다. 여전히 노동 집약적 조립 활동이 지배적인 제조 공정이었고, 외국 기업의 자회사들이 생산과 수출의 대부분을 담당하였다. 반도체의 국내 수요는 수입에 의하여 충족되었다.

III. 높은 열망, 제한된 성과

　1970년대 후반기 한국 정부는 산업 심화를 통하여 수출을 신장하기 위한 중화학 공업화 계획의 일환으로 기술 집약적인 반도체 산업의 발전을 가속화하고자 하였다. 이 과정에서 국가의 역할과 민간 자본과의 관계를 살펴보자.

　비록 당면한 정치·경제적 긴급 상황에 의하여 인도되었음에도 불구하고, 국가는 중화학 공업화 전략의 수립 과정에 있어 고도의 자율성을 누렸다. 민간 자본이 처음에 보인 무관심에서 알 수 있듯이 그 계획은 자본가들의 요구를 반영한 것도 아니었고, 그렇다고 분배적 정의에 대한 국민적 요구를 반영한 것도 아니었다. 그러나 그 계획의 시행에 있어서 국가의 주된 파트너는 국내 민간 자본이고, 국가는 이들에 대한 지원을 아끼지 않을 것임을 분명히 하였다: 신마르크스주의자들이 지적하였듯이, 국가는 그 정치적 정당성의 근거가 되는 성공적 경제 발전을 위하여 민간 자본에 의존하고 있었던 이유로 '자본주의 국가'로서 기능할 수밖에 없었다(Block, 1987).

　그러나 자율적으로 수립된 이 목표를 추구하는 데 있어서 국가는 민간 자본에 대하여 막대한 권력을 행사하였다. 집중 육성 부문을 지정하고 그 부문에의 참입은 국가의 허가 사항으로 함으로써, 국가는

154

민간 자본의 활동 범위의 한계 설정과 그 부문에 참여자를 선정하는데 최대한의 통제권을 보유하였다. 더욱이, 장기간에 걸쳐 대규모의 자본 동원을 요하는 중화학 공업 분야의 투자에 대하여 국내 금융 자원의 배분권을 가진 국가의 영향력은 막강하였다. 해외 자원의 동원에 관하여도, 민간 자본은 국가의 통제 아래 있는 국내 은행의 지불 보증뿐만 아니라, 해외의 파트너를 물색하고 협상을 진전시키는 데 국가의 적극적 지원을 필요로 하는 경우가 매우 잦았다.

중화학 공업 계획의 실현에 있어 국가는 강한 개입주의자적 성향을 띤 유능한 감독과 프로듀서의 역할을 동시에 담당하였다. 국가의 후원 아래 민간 자본에 의한 대규모 투자가 이루어졌고, 다수의 산업 부문 구조가 국가가 취한 행위에 의하여 국가의 구상대로 형성되었다.

그러나 반도체 산업에 관한 한, 비록 토착화를 향한 중대한 첫걸음이 마련되기는 하였으나, 이 기간중의 실제적 발전은 국가가 설정한 목표에 훨씬 미치지 못하였다. 또한 이 부문에서는 국가가 민간 자본의 투자에 깊이 개입하였던 것으로 보이지 않는다. 이와 같은 반도체 부문과 기타 중화학 공업 부문 사이의 상이점은 어떻게 설명될 수 있는가? 국가가 반도체 산업을 위하여 적극적인 정책을 취하였음을 고려하면, 국가의 관심 부족에 기인하였다고는 보이지 않는다. 또한 민간 자본의 무관심 때문도 아니었던 것 같다. 다른 부문에서의 성과를 보면, 반도체 부문의 경우가 국가의 전반적 정책 시행 능력 부족의 증거가 된다고 하기도 어려운 듯하다. 이에 대한 설명은 국가 행위의 특성이 아니라 오히려 당시 반도체 산업이 직면하였던 문제의 특성에서 찾을 수 있다.

1970년대 한국의 중화학 공업화는 외국의 자본과 기술, 시장의 접근 가능성을 전제로 하였다. 당시 선진 공업국은 생산비 절감, 공해 문제, 기술 성숙 등의 이유로 비교적 저급의 기술을 요하는 몇몇 중화학 공업 시설을 저개발국으로 이전하기를 원하였으며, 금속 가공, 화학, 조선 등이 이 범주에 속함으로써 한국에서도 비교적 급속히 성장하였다. 그런데 반도체 부문의 경우에는 세련된 기술을 요하는 제조 공정을 육성하고자 하였다. 역동적인 기술 혁신과 빠른 수요 구조의 변화로 특징지워지던 반도체 산업의 선진업체들은 기술 이전을 원하지 않았거나, 그들의 투자와 기술 이전에 대하여 한국의 의도와는 양립 불가능한 엄격한 조건을 붙였다. 이런 상황에서 국가의 운신 범위가 축소될 수밖에 없었다.

요컨대, 국내 민간 자본에 대한 국가의 강력한 우위와 통제에도 불구하고, 기술과 자본의 대외 의존이라는 제약 속에서 외국 선진 기업의 비협조로 인하여 반도체 산업 발전을 위한 국가의 의도는 그 성과가 지극히 제한되었다. 1970년대 후반기 한국 반도체 산업의 전개 과정은 대외적 요인에 의하여 조건지워지는 대내적으로 강력한 국가의 한계를 예시한다.

5. 새로운 선도 부문으로서의 반도체 산업, 1980~1987

I. 경제 구조 조정: 안정화와 자유화

1980년대초 한국 경제는 국제적 찬사를 받던 1976년부터 1978년까지의 성장과는 극히 대조적으로 급격한 경제 성장률과 수출 증가율의 둔화, 인플레, 무역 수지 악화와 외채 누적 등의 문제에 직면하였다. 이는 제2차 석유 파동, 국제 금리의 인상, 1980년의 흉작 등 외생적 요인에 기인한 바도 적지 않았으나, 일반적으로 1970년대말의 경제 위기와 그에 따른 정치적 위기의 궁극적 책임은 국가의 과도한 중화학 공업화 추진에 있다는 데 의견이 모아졌다(경제기획원, 『경제 백서』, 1979: 403; Haggard and Moon, 1986; 한국개발원, 1981). 이런 상

156

황에서 1980년 새 정권은 경제의 안정화와 자유화를 목표로 하는 구조 조정에 착수하였다.

국가의 경제 정책 기조에 변화가 나타나기 시작한 것은 1979년부터로, 악화되는 경제 여건에 대처하기 위한 최초의 정책 패키지였던 동년 4월에 발표된 경제 안정화 종합 시책에서는 국가의 경제 운용 스타일에서 이전과의 중요한 차이가 발견된다(한국개발원, 1981: 345~411). 1960년과 70년대를 통하여 경제 성장이 안정에 우선되었고, 인플레이션은 성장을 위해 지불되어야 하는 대가로 간주되었다. 그러나 안정화 종합 시책에서는 과도한 인플레이션을 무시한 계속적인 성장의 추구는 경제 파국의 결과를 낳는다는 인식을 보이고, 안정을 강조하였다. 결국, 이 시책은 경제 운용에 있어서 시장 기제와 비교 우위의 활용을 증대시키는 반면 국가의 개입과 산업별 정책의 비중은 감소시킬 필요가 있음을 강조하였다.

경제 안정화 시책은 국가의 경제 정책 결정 기구 내의 세력 균형의 변화를 반영하였다. 즉, 중화학 공업화 기간중 강력하였던 대통령 비서실과 상공부의 영향력이 약화된 반면 안정 지향적 접근 방식을 주장한 경제기획원의 영향력이 강화되었다. 1978년말 경제기획원 장관이 안정주의자로 교체되어 새로운 정책 방향을 모색하는 과정에서 화폐론자적 성향이 있는 일군의 경제기획원 기술 관료들이 중심적 역할을 담당하였으며, 상공부의 강력한 반대에도 불구하고 안정화 시책이 발표된 사실은 경제기획원 관료들의 발언권이 강화되었음을 명백히 하였다(김대환, 1987: 211~13; 박영철, 1984; 손광식, 1983: 73~75; 최준명, 1984; 한국개발원, 1981: 221~344; Whang, 1986).

그러나 경제 안정화 시책의 시행은 지지부진하였고, 국가는 1979년 8월 중화학 공업에 대규모 구제 금융을 제공하기까지 하였다. 이러한 국가 정책의 동요는 관련 국가 기구들간의 알력에 기인한 바가 크고(박영철, 1984: 147; Whang, 1986: 13), 1979년 10월 대통령 암살 이후의 정치적 혼란 과정에서 국가의 권위가 약화됨으로써 그 시행이 더욱 지연되었다.

　군부를 중심으로 1980년 5월 집권한 새 정권은 구정권과의 단절과 경제 회복을 통하여 권력의 기반과 정치적 정당성을 확보하고자 하였고, 이런 목적 달성에 시급한 과제로서 광범위한 경제 개혁을 시도하였다. 가장 먼저 취해진 경제 개혁 조치는 체제의 공고화를 위한 두 가지 요건을 함께 충족시킬 수 있는 중화학 공업의 개편이었다. 한편으로, 경제 회복을 위해서는 중화학 공업 투자 축소가 불가결하다는 인식이 확산되어 있었다. 다른 한편, 중화학 공업 투자 축소는 자연히 대재벌에 대한 국가의 지원을 감소시킴으로써, 급등하는 국민의 재벌 비판에 동조하고 구정권의 과도한 재벌 선호 성향을 시정하고자 하는 의지를 과시할 수 있는 효과가 있었다.

　중화학 공업 투자 조정은 2단계로 이루어졌다. 자동차와 발전 설비를 대상으로 한 1980년 8월의 1단계 조정은 국가가 주도·감독하기는 하였으나 관련 민간 기업들간의 '합의' 형태를 취하였다. 그러나 동년 10월의 2단계 조정은 이해 당사자들과 상의한 바가 전혀 없이 국가의 자의적인 명령에 의하여 투자 계획을 축소, 통·폐합하는 것이었다. 물론 국내의 민간 자본은 이러한 개편에 비협조적이거나 저항하였다. 투자를 포기해야 하는 기업은 어떻게 해서든지 현상을 유지하려 하였고, 문제투성이의 기업을 강제로 인수한 기업은 과도한 특혜와 대량의 추가 금융 지원을 합병 조건으로 요구하였다(임진숙, 1986: 254~59).

　동시에, 강력한 외국 자본의 이해 관계가 개입됨으로써 중화학 공업 투자 조정의 실시는 더욱 어려웠다. 대재벌간의 과열 경쟁으로 인한 중복 투자의 가장 두드러진 예로 지적되었던 발전 설비 부문에서는 현대양행에 8,000만 달러의 차관을 제공한 세계은행의 요구를 만족시키는 것이 두 차례의 투자 조정에서 가장 큰 난관이었다. 자동차

산업 부문에서는 제너럴 모터스General Motors의 요구에 따라 원래의 투자 조정 계획이 1981년 2월에 수정되었고, 1982년 7월에는 완전히 취소되었다. 전자 교환기 부문에서는 ITT와 웨스턴 일렉트릭 Western Electric과의 기술 제휴 문제로 4개의 회사가 계속 존속하게 되었다.

중화학 공업의 개편과 함께 산업 정책 전반이 대폭적으로 수정되었다. 1979년 경제 안정화 종합 시책의 입안자들이 새 정권의 주요 경제 정책 결정자가 되어, 안정화 시책에 천명된 원칙을 구현하고자 하였다. 새로운 산업 정책 방향은 다음의 세 가지 요소로 구성되었다. 첫째, 직접적인 국가의 개입 대신 '유도 계획indicative planning'을 강조한다. 둘째, 비교 우위와 국제 경쟁력이 있는 부문 중심으로 산업을 육성한다. 셋째, 국가의 지원은 특정 프로젝트 중심이 아니라 연구 개발, 자동화, 에너지 절약, 공해 처리 등의 일반적 기능 중심으로 운영한다(경제기획원, 1981a; 1983a; 1983b; 한국개발원, 1982).

새로운 산업 정책은 수입과 해외 투자, 금융 부문에서의 자유화, 즉 국가 규제의 완화와 철폐로 구체화되었는데, 특히 금융 자유화는 중대한 의미를 갖는 것이었다(경제기획원, 1981b; 1983b: 1~3; 『경제 백서』, 1986: 24; 재무부, 1984; 한국경제신문, 1981. 7. 26). 첫째, 5개 시중 은행이 경영 재량권의 증가와 더불어 1981년 7월부터 1983년 5월에 걸쳐 민영화되고, 2개의 시중 은행이 새로 설립되었으며, 지방 은행의 기능이 확대되었다. 둘째, 은행보다 국가의 통제가 훨씬 약한 '제2 금융 부문,' 즉 비은행 금융 기관이 급속히 확대되어, 1982년 7월부터 1985년 12월 사이에 12개의 단자 회사와 57개의 상호 신용 금고가 설립되었다(박영철 등, 1986: 161). 셋째, 기업의 은행 융자 의존도를 낮추고 국가의 해외 차입을 줄이기 위하여 자본 시장이 자유화되었다. 국내 주식, 회사채 시장의 활성화를 위한 여러 조치들이 취해졌고, 간접적이기는 하나 외국 자본의 국내 주식 시장 참여가 허용되었으며, 국내 기업이 국제 금융 시장에서 독자적으로 자본을 동원할 수 있도록 되었다.

그러면 이제 이런 구조 조정 속에서 한국 반도체 산업이 어떻게 변모되었는지 살펴보자.

II. 민간 기업의 주도권 확립과 반도체 산업의 도약

1980년대초의 경제 침체는 급성장하는 수출 산업으로서 1970년대 한국 경제의 밝은 전망을 대표한다고 알려졌던 전자 산업에도 영향을 미쳤다. 1980년 전자 제품 생산고가 최초로 13% 감소하였고(〈표-1〉 참조), 3대 전자 회사 모두 상반기에 적자를 기록하였다(The Economist, 1980. 9: 68). 직접적인 원인은 세계적 불황 속의 수출과 국내 수요의 감소였으나, 전문가들 사이에는 수출 부진의 핵심적 원인이 점증하는 경쟁과 보호주의에 직면한 한국 전자 산업의 기술 정체에 있다는 데 의견이 모아졌다(배병휴, 1980; 한국개발원, 1979a; 1979b; 한국전자공업진흥회, 1981b; 서울경제신문, 1980. 4. 18; 한국경제신문, 1981. 1. 17, 3. 24, 6. 3). 역설적으로, 이와 같은 전자 산업의 침체는 반도체 산업의 발전을 위하여 유리하게 작용하였다. 즉, 전자 산업의 지속적 발전을 위한 반도체 산업 토착화의 중요성에 대한 인식을 더욱 강화하였던 것이다.

전자 산업의 침체에도 불구하고 웨이퍼 가공에 진출한 국내 민간 기업들은 그 기반을 굳히는 데 계속 노력하였다. 삼성은 연구 개발 시설을 확장하여 컬러 TV용 등의 새로운 집적 회로를 개발하였다. 1980년 3월 국가로부터 한국전자통신의 지분 49.13%를 인수하면서, 1979년 삼성전자에 합병하였던 반도체 사업을 다시 분리하여 삼성반도체통신을 설립하였다(서울경제신문, 1980. 3. 18). 금성반도체는 1980년 8월 구미공장에서 집적 회로 생산을 개시하였고, 삼성과 마찬가지로 전자 교환기 생산에 참여하였다. 아메리칸 마이크로시스템즈, 후지츠와의 계약은 결렬되고, 1980년 11월 AT & T의 자회사인 웨스턴 일렉트릭과 지분율 56 대 44의 합작 투자와 함께 기술 제휴 계약을 체결하였다(*AWSJW*, 1980. 11. 24; *WSJ*, 1980. 11. 21). 이 계약의 주된 동기는 금성측에서는 선진 기술에의 접근이었고, 웨스턴 일렉트릭에서는 한국 통신 기기 시장에의 접근 가능성이었다. 한국전자도 같은 해에 웨이퍼 가공을 시작하였다. 주요 국내 전자 회사, 특히 삼성과 금성의 반도체 부문에 대한 집요한 관심은 극심한 불황 속에서 여타 부문 투자는 취소하면서도 지속적으로 적자를 기록하던 반도체 부문의 투자는 확대한 데서 잘 나타난다.

동시에, 경제와 국가 안보상의 전략적 중요성을 주된 근거로 반도체 산업 발전을 위한 국가 지원의 필요성이 다양한 채널을 통하여 역설되었다. 당시 자본 집약적 부문의 투자를 축소하고 특정 부문을 위한 국가의 개입을 줄이려는 노력이 진행되던 상황에 비추어, 반도체 부문에 대한 공개적인 국가 지원 요청은 상당히 이례적인 것이었다. 다른 한편, 이전에 보인 국가의 고압적 자세에 대한 우려를 강력히 표명하여, 국가의 지원은 반드시 민간 부문의 역동성을 저해하지 않도록 이루어져야 한다는 단서를 붙였다(한국산업은행, 1981; 한국전자공업진흥회, 1981b; 서울경제신문, 1980. 4. 27, 5. 11, 7. 25, 8. 6~15; 한국경제신문, 1981. 6. 3).

반도체 산업은 가장 먼저 침체에서 벗어난 부문의 하나로, 1981년부터는 명백한 경기 회복의 기미가 보였다. 그러면, 먼저 국가가 취한 조치를 살펴보자. 제5차 5개년 계획(1982~1986)의 수립에 맞추어, 상공부는 전자 공업의 기술 고도화와 국제화를 위한 24개 품목의 집중 육성, 전자 공업 진흥법의 개정, 2,000억 원 규모의 전자 공업 진흥 기금의 조성을 발표하였다(한국전자공업진흥회, 『전자 공업 편람』, 1982~83: 299~310; 한국경제신문, 1981. 1. 10, 3. 18). 확정된 제5차 5개년 계획에서 기계 공업과 함께 전자 공업이 1980년대 집중 육성에 적합한 '전략 부문'으로 선정되었다. 특히 반도체와 컴퓨터, 통신 기기 부문에 중점을 두어(경제기획원, 1981a), 반도체와 컴퓨터 기술이 정부 주도로 개발하기로 계획된 5대 '국책 과제'의 하나에 포함되었으며, 5개년 계획 기간중 7,000억 원이 투자되도록 되었다(한국경제신문, 1981. 7. 4, 9. 8). 1981년 9월 대통령이 국가의 전자 산업 육성은 반도체 부문에 집중될 것이라고 발표하였고, 이런 메시지가 다양한 경로로 누차 표명되었다. 반도체 부문에 대한 국가의 고양된 관심은 반도체 육성 장기 계획(1982~1986)을 수립하기에 이르렀고, 여기에서 반도체 산업이 한국 경제의 선도 부문으로 공인되었다. 그러나 그 상징적 의미에도 불구하고 장기 계획의 실제 내용은 모호하고 잠정적인 정책 제안에 불과하였다.[20] 계획 기간중 총투자액은 3,000억 원으로, 40%는 국민 투자 기금, 나머지 60%는 아직 조성되지도 않은 전자 공업 육성 기금으로 조달하기로 되어 있었다(상공부, 1982).

1970년대의 상황과는 대조적으로, 반도체 산업이 선도 산업으로 부상한 것은 국가가 주도한 결과가 아니었다. 반도체 산업에 대한 홍보는 주로 민간 부문에 의하여 이루어졌다. 반도체 산업을 위하여 국가가 취한 행동은 민간 부문의 호응을 유발하는 신호를 보내는 것이 아니라, 민간 부문에 의하여 이미 진행되고 있는 상황에 대한 사후(事後) 추인의 성격이 강하였다. 1981년 9월 6일 대통령이 발표한 지 3일 만에 반도체 산업 육성 실무위원회가 민간 주도 아래 구성된 사실은 민간업계가 이미 준비를 하고 있었음을 암시한다. 위원 구성에서도 기존의 5개 국내 반도체 기업에서 각 1명, 학계 인사 5명, 상공부와 과학기술처 공무원 각 1명으로 전자공업진흥회장이 당연직으로 위원장직을 맡게 되어 민간 부문이 압도적이었다. 또한, 1980년부터 민간 기업들은 전자 산업 불황을 극복하기 위한 구체적 방안으로 반

---

20) 이 장기 계획 작성에 관여하였던 어느 공무원은 필자와의 인터뷰에서 급조된 이 계획이 국가의 실제 시책에는 별 소용이 없다고 지적하였다.

〈표-3〉 한국 반도체 제조업체의 매출액과 투자액, 1974~1984

(단위: 억 원)

| 연도 | 조립업체 | | 웨이퍼 가공업체 | | | b/a |
	매출	설비 투자	매출 (a)	설비 투자	연구 개발 (b)	(c)
1974	565	45	31	5	0.7	2.1
1975	520	38	40	5	0.8	1.9
1976	1,317	52	117	7	0.3	0.3
1977	1,103	66	93	14	0.5	0.6
1978	1,186	95	156	35	2.6	1.6
1979	1,345	221	181	143	1.8	1.0
1980	1,675	143	245	47	9.7	6.3
1981	2,092	322	349	200	22.5	6.3
1982	4,994		234			
1983	7,145		419	656		
1984			1,755[1]			

자료: 전자시보사, 1985: 211~12; 김준현 등, 1984: 171, 173, 210; 상공부, 1982: 61, 63.

주: 1) 추정치.

도체, 컴퓨터, 통신 기기를 위주로 하는 국고 보조에 의한 진흥 기금의 조성, 연구 개발 지원, 융통성 있는 해외 투자 관리, 세금과 관세 감면 등을 국가에 건의하였다(한국전자공업진흥회, 1981b). 이런 건의 사항들은 국가 정책에 신속히 수용되었음을 앞에서 보았다(한국경제 신문, 1981. 7. 26, 9. 2).

〈표-3〉에 나타난 대로, 국내 민간 자본은 1981년부터 반도체 부문 투자를 대폭 확대하였다. 종래에는 지탄을 받을 만큼 용의주도하고 조심스러운 경영 전략으로 위험도가 높은 새로운 분야의 사업을 앞장서 개척한 적이 없던 삼성이 반도체 부문에서는 그 설립자의 강력한 의지와 지휘 아래 선두를 담당하기로 하고, 1981년에 생산 시설 확충을 위하여 90억 원을 투자하기로 하였다(김교식, 1984, 13권; 권병무, 1980; 박동순, 1979: 261~83; 조남준, 1985: 178~82; 한국경제신문, 1981. 9. 17). 금성도 삼성의 뒤를 이어 생산 시설을 확장하고 웨스턴 일렉트릭 Western Electric, 허니웰 Honeywell로 기술 연수를 보냈으며, 1984년까지 웨이퍼 생산에 380억 원을 투자한다고 발표하였다(한국경제신문, 1981. 9. 22). 1979년 반도체 회사를 금성사에 양도한 대한전선은 웨이퍼 가공 시설을 다시 설치하였다. 한국전자는 TV 조립 자회사를 합병하여 기업 규모를 확장하였고, 한국전자기술연구소의 반도체 제조 시설이 10월에 가동되었다.

1982년 벽두부터 국내 반도체 회사들은 제5차 5개년 계획 기간중의 거대한 투자 계획을 발표하였다. 삼성과 금성이 각기 1,000억 원 규모로, 각 그룹 전체의 전자 산업 연구 개발비를 매출의 3%에서 5% 수준으로 높인다는 것이었다(한국경제신문, 1982. 1. 9, 2. 4). 삼성은 ITT와 기술 도입 계약을 체결하였다. 8월에는 한국전자기술연구소와 3대 국내 전자 회사—삼성, 금성, 대한전선——가 VTR용 집적 회로를 공동 개발하기로 하였다. 삼척산업도 구미에 실리콘 웨이퍼 생산 공장을 건설하기 위하여 미국의 몬산토Monsanto와 합작 투자 교섭을 진행하였다. 이외에도, 상업적 생산 단계에 이르지는 못하였으나, 리드 프레임 lead frame 소재와 4인치 실리콘 결정의 개발, 32K D램의 시험 생산 등 반도체 관련 기술 향상에 주목할 만한 성과가 있었다.

그러나 한국 반도체 산업계에 가장 큰 충격을 준 것은 1982년 4월 현대가 향후 5년에 걸쳐 3,000억 원 규모의 반도체 부문 투자 계획을 발표한 것이었다. 이전의 다른 부문에서와 마찬가지로, 현대는 '달리면서 생각하는' 방식으로 신속하고 적극적인 투자를 하였다. 1983년 3월 반도체, 사무 자동화 기기, 가전 제품의 3부문으로 구성된 현대

전자와 동시에 연구 개발과 시험 생산, 시장 개발을 담당하는 자회사로 모던 일렉트로시스템즈Modern Electrosystems가 미국에 설립되었고, 1984년 6월 완공을 목표로 공장 건설이 시작되었다. 현대전자의 공장 부지 선정을 둘러싼 상황에 대하여는 조금 주의 깊게 고찰할 필요가 있다. 항공 교통 편의와 용이한 인력 확보를 위하여 현대전자는 서울에서 통근 가능한 거리에 있는 성남시에 공장 부지를 마련하였다. 공장 건설을 위하여는 여러 국가 기관의 허가가 필요하였는데, 상공부는 반도체 산업 육성의 일환으로 현대전자를 강력히 지원하고 다른 국가 기관에도 협조를 요청하였다. 그러나 경제기획원과 재무부는 수도권 개발 억제라는 입장에서 난색을 표명하였고, 성남시의 중소 자본가들이 구인난의 가중을 이유로 현대전자의 공장 건설에 반대하였다. 현대전자의 공장 건설 인가가 점점 여론의 비난이 높아 가던 재벌에 대한 특혜로 비쳐질 가능성에 직면하여, 경제기획원과 재무부는 허가를 하지 않았고, 현대는 공장 부지를 서울에서 더 떨어진 농촌 지역인 이천으로 결정하였다.

현대의 적극적 전략에 대응하여, 선발업체인 삼성과 금성도 반도체 부문 투자를 확대·가속화하였다. 삼성은 향후 5년 간 투자 계획 규모를 5~6억 달러로 늘렸고, 1984년 완공을 목표로 780억 원 규모의 VLSI 공장 건설에 착수하였다. 1983년에는 64K D램 생산에 성공하였고, 사상 최초로 국내 은행의 지불 보증 없이 독자적으로 해외 차관을 도입함으로써 민간 기업의 자금 동원에 획기적인 일보를 내디뎠다(한국경제신문, 1983. 3. 8, 12. 2; *FEER*, 1984. 5. 31; *WSJ*, 1983. 9. 27). 금성은 평소대로 상당히 조심스러운 방식을 취하여, 1,360억 원 규모의 투자 계획으로, 연구 개발 시설을 확장하고 미국의 질로그 Zilog, ATT와 기술 도입 및 수출 계약을 체결하였다. 삼성은 기억 집적 회로의 상업적 생산에 역점을 두었던 반면, 금성은 자체 소비를 위주로 하였다.

대우는 당시 재정적 곤란을 겪고 있던 대한전선그룹의 가전과 전자 통신 기기 부문을 인수하여 전자 부문을 강화함과 동시에 8,000만 달러를 통신 기기와 산업용 제어기에 필요한 주문 생산 custom-made 집적 회로에 집중적으로 투자하여, 생산품의 반은 자체 수요를 충족하고 나머지 반은 수출하기로 하였다(AWSJW, 1983. 1. 31; FEER, 1983. 7. 21: 65). 세계 최대의 반도체 역외 조립 회사로 성장한 아남은 미국 VTI와 합작으로 별도의 회사를 설립하여 웨이퍼 가공에 착수할 계획을 발표하였다(한국경제신문, 1983. 2. 20).

1984년 들어 반도체 부문에서 국내 4대 재벌간의 경쟁이 더욱 치열해짐과 함께, 반도체 산업 발전에 있어 민간 부문에서 주도권을 장악한 징후가 명백하게 나타나기 시작하였다. 첫째, 국가는 한국전자기술연구소를 공개 입찰 방식으로 그 연구 시설과 연구진을 일괄적으로 민간 기업에 양도하고자 하였다. 이 결정은 민간 부문의 활력으로 보아 한국전자기술연구소의 기능이 불필요해졌다는 판단에 의거한 것이었다. 공장이 인접한 곳에 있는 금성과 반도체 산업 진출의 어려움을 덜어주는 좋은 기회를 놓치지 않으려는 대우가 경합한 결과, 299억 원의 가격으로 대우가 인수하기로 하였다. 실제로, 이것은 공개 경쟁이 아닌 국가와의 협상 결과로서, 국내 민간 자본 사이의 과열 경쟁에 대한 우려가 높아감에도 불구하고 경쟁을 오히려 조장하는 방향으로 결정이 되었다(FEER, 1983. 4. 7: 56~58). 이 결과 대우는 별도의 반도체 회사를 설립하고 캐나다의 노던 커뮤니케이션스 Northern Communications와 합작 투자 협상에 착수하였다. 둘째, 국가의 지원에 의한 전자 공업 진흥 기금의 조성이 3년 간 계속 지연되고 있었다. 셋째, 1984년부터 국가는 임박한 국회의원 선거에 맞춰 일련의 재벌 규제 정책을 실시하고 있던 상황에서, 4대 재벌 그룹 계열의 반도체 회사들을 적극적으로 지원할 수 있는 입장이 아니었다 (Yoon, 1989: 190~95).[21]

〈표-4〉 한국의 한 주요 반도체 제조업체의 투자, 1983~1988[1]

(단위: 억 원, %)

연도	자금 출처			투자 내역		합계
	내부자금	외부 자금		연구개발	설비투자	
		국내	국외			
1983	82 (31)	113 (42)	73 (27)	15 (6)	253 (94)	268(100)
1984[2]	270 (27)	204 (20)	526 (53)	40 (4)	960 (96)	1,000(100)
1985[2]	203 (19)	145 (14)	695 (67)	300 (29)	743 (71)	1,043(100)
1986[2]	212 (22)	132 (14)	620 (64)	320 (33)	644 (67)	964(100)
1987[2]	243 (25)	115 (12)	619 (63)	330 (34)	647 (66)	977(100)
1988[2]	355 (30)	129 (11)	696 (59)	360 (31)	820 (69)	1,180(100)

자료: 기업 제공 자료.
주: 1) 괄호 안의 숫자는 해당 연도의 총투자액에 대한 백분율을 나타낸다.
　　2) 추정치.

마지막으로, 그리고 가장 중요하게는, 1984년도부터 시작된 엄청난 투자 규모의 확대와 함께 한국 반도체 회사들이 자금 동원에 있어서 국가에 대한 의존도가 격감하였다는 것이다. 〈표-4〉에 예시되어 있는 바와 같이, 시중 은행의 민영화 이후에도 계속 국가가 상당한 통제력을 행사하고 있던 국내 은행 융자 대신 외자와 내부 자금이 주요 자금원으로 부상하였다.[22] 반도체 회사들은 금융 자유화 정책의 최초의 수혜자 가운데 포함되어, 1985년말까지 4대 재벌이 해외에서

---

21) 외국 관찰자들은 반도체 산업에 대하여 대만에서는 국가가 민간 기업을 적극적·직접적으로 지도하는 데 반하여, 한국 정부는 훨씬 자유 방임적 태도를 취하고 있다고 보았다(*Electronics*, 1983. 6. 16: 98~99; *Electronics Week*, 1985. 5. 6: 48~56; *FEER*, 1984. 11. 22; *WSJ*, 1984. 9. 7).

22) 물론 각 기업이 자금 동원 전략에서 차이를 보이고 있는데, 예컨대 현대는 비교적 은행 융자에 중점을 두었다. 그러나 〈표-4〉가 전반적 경향을 보여주는 데는 별 무리가 없다.

발행한 사채 총액 2억 8,500만 달러의 대부분이 반도체 부문에 투하되었다. 특히 삼성이 국제 금융 시장을 이용하는 데 적극적이었고, 1984년 8월 주식을 상장함으로써 국내 자본 시장을 활용하는 데도 앞장섰다(FEER, 1984. 11. 9: 100~01; WSJ, 1984. 5. 22, 6. 22).[23] 한국 반도체 회사들은 자금 동원뿐만 아니라, 증가된 외국 기업들과의 기술 및 판매 제휴와 해외 지사나 자회사의 운영으로 경영 방식이 더욱 국제화됨으로써 국가의 규제력이 약화되었다(동아일보, 1985. 2. 8; NYT, 1985. 7. 15; WSJ, 1983. 10. 3).

국제 반도체 시장은 급격한 경기 순환을 특징으로 하는데, 한국 반도체 회사들은 고급 반도체 제품 생산을 개시하려고 할 때인 1984년 말부터 1985년에 걸쳐 국제 반도체 시장 경기의 급전으로 타격을 입었다. 수요의 감소뿐만 아니라, 반도체 가격이 급격히 하락하였다. 64K D램을 삼성은 1984년 6월부터, 금성과 현대는 각각 1985년 중반과 말부터 생산하기 시작하였는데, 1984년초에는 개당 4달러씩 하던 가격이 1985년 4월에는 당시 삼성의 생산 원가인 1.7달러의 반에도 못미치는 0.8달러에 불과하였다. 이같이 급격한 가격 하락은 부분적으로 한국 기업의 시장 참입을 저지하기 위한 일본 기업들의 의도적인 덤핑에도 원인이 있었다(동아일보, 1985. 4. 30; FEER, 1985. 4. 25).

이렇게 급격한 국제 시장의 변화에 한국 반도체 회사들은 어떻게 대응하였는가? 선발업체인 삼성은 국제 시장의 침체에 가장 심한 타격을 입었음에도 불구하고, 생산품을 다양화하고 256K D램의 생산 일정을 앞당겨 기억 회로의 대량 생산에 더욱 박차를 가하였다. 금성은 안전한 전략으로, 자체 소비와 AT & T 등 외국 회사와의 협정으로 판로가 확실한 제품 생산에 주력하였다. 삼성과 금성에게는 계열 내 대규모 가전 제품 회사의 자체 수요가 국제 경기 하락에 대하여 어느

---

23) 당시까지 한국 증권 거래소 사상 최대 규모의 상장이었던 삼성반도체의 주식 청약은 28.5:1로 사상 최고의 경쟁률을 기록하였다(FEER, 1984. 8. 2: 8).

정도 완충 장치의 역할을 담당하였다. 1984년 7월 이미 가전 부문을 포기한 현대는 미국 자회사의 경영을 축소하고, 1985년 11월에는 미국에서의 시제품 생산을 중지하였다. 반도체 부문 투자에서 4대 재벌 가운데 가장 뒤졌던 대우는 사업 계획 규모를 대폭 축소하였다. 한국 전자기술연구소의 자산 평가에 대한 국가와의 이견을 구실로 그 인수를 미루다, 결국 금성이 인수하도록 하였다. 대우는 기억 회로 생산을 포기하고, 자체 수요가 있는 통신 사업용의 반도체와 광섬유 생산에만 치중하기로 하였다.

이런 경기 침체에 직면하여, 한국 반도체 회사들은 국가의 도움을 기대할 수가 없었다. 국가는 계속 재벌 규제를 시도하였고, 반도체 산업에 대한 지원을 강화할 의도가 없었다. 여기에서 재미있는 것은 해당 민간 기업의 태도로, 민간 기업들은 어려운 처지에도 불구하고 국가의 직접적 개입을 원하는 기색이 전혀 없었다. 그들은 국가의 지원을 강력히 요구하기는 하였으나, 기업 활동의 자율권을 조금도 양도할 의사가 없음을 분명히 하였다(정홍열, 1985b; *FEER*, 1985. 6. 6). 반도체 회사들은 거대한 소속 재벌 계열의 후원으로 투자 초기의 적자와 세계 반도체 산업계의 불황을 극복하였다.

1985년말부터 국제 반도체 경기가 회복되고 엔화의 강세로 일본 기업의 덤핑의 효력이 약화되었으며, 소위 '3저' 현상의 도움으로 한국 경제도 급속히 회복되었다. 국제 시장과 국내 경제 전반의 호전에 자극을 받아, 이후 한국 반도체 회사들은 투자를 가속화하였다. 1987년에는 삼성이 세계 7대 기억 회로 생산업체로 세계 시장 점유율이 7%에 이르렀고, 1988년 당시로서 가장 고급 제품인 1메가 D램에서는 8대 생산업체로 성장하기에 이르렀다(*NYT*, 1988. 8. 2). 요컨대, 1980년대말에 이르러는 한국이 미국과 일본에 뒤이어 세계에서 세번째로 큰 고급 기억 회로 생산국으로 부상하였다.

III. 국가와 사기업간 균형의 변화

1980년 집권한 정권의 단호한 중화학 공업 구조 개편 시도는 국가의 자율성과 권력이 극단적으로 표출된 것으로 간주될지도 모른다. 국가는 한국 민간 자본 중에서 가장 강력한 분파인 재벌 다수의 이해 관계에 명백히 불리한 정책을 자율적으로 수립하였고, 재벌들에게 국가의 자의적 결정에 따르도록 한 것은 최대한의 국가 권력 행사인 것으로 보인다. 여기에서 한국 정부는 자본주의 체제의 재생산을 보장하기 위하여 '권력 블록power bloc' 내의 이해 관계의 갈등을 조정하는 역할을 담당하는 '상대적 자율성'을 가진 신마르크스주의적 자본주의 국가의 모델에 잘 부합되고, 한국 정부는 이 상대적 자율성을 최대한으로 행사한 것으로 보인다.

그러나 실제로 중화학 공업 구조 개편 정책의 시행 과정은 전혀 다른 양상을 보여준다. 국가에 의하여 강요된 조정안은 국내 · 국외 자본가의 완강한 저항으로 상당히 수정되거나 취소되었다. 표면적으로는 외국 자본가와의 이해 관계의 대립이 그 시행 과정상 심각한 저해 요인이었던 것처럼 보이나, 실제로 가장 근본적인 문제는 국가와 국내 민간 자본과의 변화된 관계에 있었다. 취약한 정치적 정당성을 가진 신정권의 정당성 강화를 위하여는 경제적 안정과 성장이 필수불가결하였는데, 경제 성장과 안정은 국내 민간 자본가, 특히 한국 경제에서 압도적 비중을 차지하게 된 재벌들의 손에 달려 있게 되었다. 국가 권력의 극한적 수단으로서 민간 기업의 국유화는 반공의 이념 아래 '자유 경제' 체제를 표방하는 상황에서는 사용 불가능하였다. 그러므로 국가는 재벌들에게 심각한 불만을 갖도록 할 수가 없었다. 더욱이 경제 위기의 주된 책임이 국가의 실책으로 돌아감으로써, 국가는 경제 운용에 대한 자신감의 상실과 함께 경제 개입을 꺼리게 되었다. 경제 자유화 정책도 이런 맥락에서 이해될 수 있다.

1980년대의 반도체 산업 발전 과정은 국가와 민간 기업간 관계 변화를 나타내는 대표적인 경우로 볼 수 있다. 민간 자본, 특히 대재벌이 고도로 자본 집약적이며 기술 집약적인 반도체 부문을 확립하는 데 주도적이었던 반면, 국가는 거의 수수방관하였다. 이전에는 다른 중화학 공업과 마찬가지로 반도체 산업 부문에서도 새로운 사업 기회를 추구하는 데 있어서 민간 자본은 주로 국가의 신호에 따라 움직이는 것이 보통이었다. 그러나 1980년대에 이르러는 민간 자본이 반도체 부문의 전망과 가능성을 발견하고 주요 선도 부문으로 만들었다. 막대한 투자 규모와 높은 위험도에도 불구하고, 반도체 산업에 진출한 4대 재벌은 독자적으로 위험을 부담하고 새로운 기회를 추구하고자 하였다.

고도의 기술을 필요로 하는 반도체 제조업은 시설 투자와 운영 초기의 적자를 감당하기 위하여 대량의 장기적인 자본 투자를 필요로 한다. 예컨대, 삼성과 금성은 1982년까지 매년 적자였는데, 1982년의 적자액은 삼성이 28억 원, 금성이 17억 원에 이르렀다(김대곤, 1983: 313). 따라서 반도체 산업 경쟁의 주요 기업들 모두 한국 최대의 재벌 계열이라는 것은 전혀 우연의 일치가 아니다. 그 거대한 모계열 기업군과 특히 수직·수평적으로 통합된 계열 내 전자 회사의 지원 없이는 1980년대의 대규모 반도체 산업 투자가 실현되지 못하였을 것이며, 1985년의 불황에 견디지도 못하였을 것이다.[24] 더욱이 대재벌에 속함으로써 반도체 회사들은 국제화된 경영 방식을 쉽게 채택할 수 있었다.

결국, 1980년대 반도체 산업의 발전 과정은 거대한 양의 자원을 축

---

24) 1980년대 중반에 전자 산업이 삼성과 금성 그룹 전체 매출액의 20% 이상을 차지하였고(정홍열, 1985a: 252), 현대는 광범위한 전자 산업 기반은 없으나 자동차에 사용되는 전자 기기가 증가됨으로써 반도체에 대한 상당 규모의 자체 수요가 있었다.

적한 대재벌들이 새로운 산업 분야의 가능성을 찾아내고, 독자적으로 확장의 기회를 추구하는 양상을 예시하고 있다. 이런 새로운 양상은 한국 경제 발전의 두드러진 특징 중의 하나인 급속한 대재벌의 성장과 밀접한 관련을 맺고 있다.

6. 맺음말

이 글에서 필자는 전형적으로 '강력한' 국가로서의 한국 정부에 대한 종래의 무차별적 성격 규정에 반하여, 1960년대 중반 이래 한국에서의 반도체 산업 발전 과정에 대한 분석을 통하여 산업 발전의 단계와 시기, 정책 분야에 따른 국가 권력의 가변성을 조명하고자 시도하였다.

1965년부터 1972년 사이 한국의 반도체 산업은 미국과 일본 기업의 역외 조립 생산에 의하여 성립되었는데, 수출 확대에 대한 관심 속에서 국가는 전적으로 수출 지향적인 반도체 산업을 창출하는 과정을 주도하였다. 국가는 국가가 자율적으로 정립한 목표에 적합하도록 반도체 산업 부문의 해외 투자를 유치하고 방향을 조정하였다. 동시에, 국가는 또한 초보적 발전 단계에 머물러 있던 국내 전자 산업을 육성하는 데 있어서 국내 자본가들에 대하여 지극히 강력한 통제력을 행사하였다. 1973년에서 1979년 사이, 야심적인 중화학 공업화의 일환으로 국가는 고도의 기술을 요하는 반도체 제조 부문의 토착화 추진에 주도적이었으며, 국내 민간 자본도 국가의 이니시어티브에 열성적으로 호응하였다. 그러나 해외 기술과 자본에의 의존이 저해 요인으로 작용함으로써 실제적인 토착화의 실현에는 별 진전이 없었다. 1980년대에 이르러, 반도체 산업은 괄목할 만한 규모의 성장과 질적 변모와 함께 한국 경제의 선도 산업으로 부상하게 되었다.

이 과정에서 가장 눈에 띄는 것은 종래에는 국가가 설정한 방향에 뒤를 따르기만 하였던 국내 민간 자본이 먼저 반도체 산업의 유망성을 발견하고 선도 부문으로 만드는 과정을 주도하였다는 점이다. 특히, 고도로 자본과 기술 집약적인 반도체 산업 부문에의 참여와 경쟁에 적극적이었던 것은 국내의 4대 재벌로, 이들은 전계열의 자원을 동원하여 반도체 부문 투자를 지원하였다. 1980년대 한국 반도체 산업의 전개 양상은 한국에 있어서 국가와 민간 자본, 특히 거대 재벌과의 관계 변화를 잘 예시하고 있으며, 한국의 경제 발전에 관한 종래의 '국가 주도적' 해석에 대한 재검토를 요청한다고 볼 수 있다.

그러면, 이 글의 분석이 갖는 이론적 함의를 사회 발전론이나 정치사회학 분야에서의 국가에 대한 논의와 관련시켜 간략히 살펴보자. 첫째, 경제 발전과 산업 정책을 시행하는 데 있어서 국가의 역할에 대한 많은 연구가 국가가 민간 부문을 '인도하는가 lead' 또는 민간 부문을 '따라가는가 follow' 하는 문제에 초점을 맞추고 있으며(Wade, 1989), 소위 동아시아의 신흥 산업국 NICs과 일본이 양편 모두의 주장에 적합한 사례로 자주 이용되었다. 이 글의 분석은 경제 발전 과정에서 국가의 역할이 국가 경제 전반과 특정 산업의 발전 단계, 국제 경제적 조건, 국내 · 외적 정치 등의 요인에 따라 변화됨을 보여주고 있으며, 국가와 민간 부문의 관계에 대한 논의의 방향 전환이 필요함을 시사한다. 즉, '양자 택일 either-or'적 성격 규정에서 벗어나 국가의 역할에 영향을 미치는 중요한 변수들간의 구조적 관계를 해명하는 모델의 정립에 노력하여야 하며, 그렇게 함으로써 현실적으로 유용한 제언이 도출 가능하다는 것이다. 둘째, 국가 권력, 혹은 강력한 국가와 취약한 국가의 구분은 흔히 경제와 사회 부문에 대한 국가의 적극적 개입의 정도로 측정되어왔다. 그러나 1980년대 한국 정부의 경제 자유화 결정에서 예시되어 있는 바와 같이, 이 글의 분석은 국가 개입의 철회도 국가 권력의 표현으로 간주될 수 있음을 시사한다.

따라서, 국가 권력에 대한 분석은 '전략적 개입 strategic intervention' 뿐만 아니라 '전략적 회피 strategic abstention'도 고려하여야만 하며, 이는 국가 권력에 대한 선험적 판단을 더욱 경고하고 있다.

마지막으로, 이 글의 단점과 한계를 보완할 수 있는 연구 방향 두 가지를 지적하고자 한다. 첫째는 부문간 비교 연구다. 단일 산업 부문에 국한된 본 연구는 한국에서의 국가와 민간 자본의 관계에 대한 포괄적 이해를 위한 초석에 불과하며, 이 관계의 일반성과 특정 부문에서 나타나는 특수성을 구별하기가 어렵다. 따라서, 한국에서의 국가와 민간 자본의 관계에 대한 균형있는 이해를 위하여는 여러 부문간의 비교 연구가 필요하다. 한 걸음 더 나아가, 경제 발전에서의 국가의 역할에 관련된 다양한 변수들간의 인과 관계와 더 일반화된 가설을 정립하고 검증하기 위하여는 국가간 비교 연구가 필요하다. 둘째는 국내·외의 자본가 이외의 중요한 행위자들이 분석에 포함되어야 한다는 것이다. 특히, 국가와 노동 부문의 관계는 한국에서의 국가의 역할과 권력에 대한 포괄적 이론의 정립에 필수불가결한 요소다.

참고 문헌

경제기획원(1965~1987), 『경제 백서』.
────(1965~1987), 『주요 경제 지표』.
────(1960~1987), 『한국 통계 연감』.
────(1981a), 『제5차 경제 사회 개발 5개년 계획』.
────(1981b), 『외국인 투자 백서』.
고성국(1985), 「1970년대의 정치 변동에 관한 연구」, 최장집 편, 『한국 자본주의와 국가』, 한울, pp. 91~169.

구해근(1985), 「동아시아 경제 발전에 관한 최근의 정치경제학적 접근」, 서울대학교 인구 및 발전문제연구소 편, 『사회 변동의 이론과 실제』, 서울대학교 출판부, pp. 27~39.

권병무(1980), 「현대와 삼성 그룹 경영 전략 비교」, 『월간조선』 제1권 6호, pp. 298~307.

김교식(1984), 『한국 재벌』, 계성.

김대곤(1983), 「반도체 산업의 현장」, 『신동아』 제227호, pp. 309~15.

김대환(1987), 「국제 환경의 변화와 중화학 공업의 전개」, 박현채 편, 『한국 경제론』, 까치, pp. 203~36.

김성두(1984), 「외채 400억 달러, 이것이 문제다」, 『월간조선』 제5권 6호, pp. 354~71.

김의균(1980), 「중화학 공업 투자 조정의 내막」, 『신동아』 제196호, pp. 252~63.

김준현 외(1984), 『반도체 산업의 구조와 발전 방향』, 산업경제연구원.

김진균(1984), 「한국 사회의 계급 구조」, 『한국 사회 변동 연구』 1, 민중사, pp. 105~84.

김태일(1985), 「권위주의 체제 등장 원인에 관한 사례 연구」, 최장집 편, 『한국 자본주의와 국가』, 한울, pp. 27~90.

김호기(1985), 「경제 개발과 국가의 역할에 관한 연구」, 최장집 편, 『한국 자본주의와 국가』, 한울, pp. 171~228.

남종현(1981), 「중화학 공업」, 박종기 편, 『국가 예산과 정책 목표』, 한국개발원, pp. 172~95.

내외경제사(1977), 『대하는 흐른다: 대표적 기업들의 창업과 수성 뒤안』, 내외경제사.

노성호 · 김준현(1979), 『전자 공업의 국제 비교와 시장 구조 분석』, 산업경제연구원.

박동순(1979), 『재벌의 뿌리』, 태창.

박병윤(1975), 「한국의 재벌」, 『신동아』 제136호, pp. 90~103.

──(1977), 「기업 전쟁」, 『신동아』 제155호, pp. 210~29.

──(1978), 「재벌 전쟁」, 『신동아』 제161호, pp. 118~51.

──(1980a), 「중화학 공업계의 내막」, 『신동아』 제189호, pp. 194~211.

──(1980b), 「탄생과 몰락의 내막」, 『월간조선』 제1권 6호, pp. 258~69.

──(1982), 『재벌과 정치』, 한국양서.

박영철(1984), 「70년대의 괴물, 중화학 야망」, 『정경문화』 제20권 5호, pp. 138~47.

박영철 · 김병주 · 박재윤(1986), 『금융 산업 발전에 관한 연구, 1985~2000』, 한국개발원.

박현채(1987), 「4·19와 5·16의 민족사적 경제사적 조명」, 박현채 편, 『한국 경제론』, 까치, pp. 115~38.

배병휴(1980), 「전자 산업계의 내막」, 『신동아』 제185호, pp. 157~73.

백창기(1976), 『재벌 30년의 드라마』, 청람.

사공일(1981), 「경제 개발과 국가의 역할」, 『한국 개발 연구』 3, pp. 2~23.

상공부(1982), 『반도체 산업 육성 장기 계획』.

손광식(1983), 「경제 대통령 박정희의 딜레마」, 『정경문화』 제19권 12호, pp. 66~75.

신성순 외(1979), 『한국의 경제 관료』, 다락원.

오효진(1984), 『재벌들의 전자 전쟁』, 나남.

이성형(1985), 「국가, 계급 및 자본 축적」, 최장집 편, 『한국 자본주의와 국가』, 한울, pp. 229~86.

이재희(1984), 「자본 축적과 국가의 역할」, 이대근 · 정운영 편, 『한국 경제론』, 까치, pp. 193~220.

이창복(1984), 「마산 수출 자유 지역의 실태」, 『창작과 비평』, pp. 1212~57.

임진숙(1986), 「주변 자본주의하에서의 국가-자본 관계」, 한국 사회사연구회논문집 12, pp. 193~267.

임현진·권태환(1987), 「국가와 국제 정치, 경제 체제」, 『한국사회연구』 7, pp. 53~82.

전자시보사(1985), 『85년판 한국 전자 연감』, 전자시보사.

전철환(1987), 「한일 회담과 대외 지향적 개발의 정착」, 박현채 편, 『한국 경제론』, 까치, pp. 139~74.

전철환·박경(1986), 「경제 개발과 정부 주도 경제의 전개」, 박현채·한상진 편, 『해방 40년의 재인식』, 돌베개, pp. 17~58.

정밀기기센터(1970), 『전자 공업 편람』.

─── (1978), 『한국 전자 공업 통계 연감』.

정윤형(1984), 「한국 경제 개발 계획의 체제적 접근」, 『한국 사회 변동 연구』 1, 민중사, pp. 9~104.

─── (1987), 「유신 체제와 8·3 조치의 성격」, 박현채 편, 『한국 경제론』, 까치, pp. 175~202.

정홍열(1985a), 「첨단 전자 시장 출격 명령」, 『정경문화』 제21권 1호, pp. 251~63.

─── (1985b), 「거대한 도박 반도체 시장」, 『정경문화』 제21권 7호, pp. 289~303.

조남준(1985), 「이병철, 최초의 모험」, 『월간조선』 제6권 7호, pp. 170~89.

조동성(1983), 『한국의 종합 무역 상사』, 법문사.

진덕규(1985), 「한국 현대 정치 구조 연구 서설」, 『한국 사회 변동 연구』 2, 민중사, pp. 11~140.

최장집(1985a), 「과대 성장 국가의 형성과 정치 균열의 구조」, 『한국 사회 연구』 3, pp. 183~216.

───편(1985b), 『한국 자본주의와 국가』, 한울.

최준명(1978), 『경영인』, 다락원.

한국개발원(1979a), 『한국 전자 공업의 현황과 문제점』.

───(1979b), 『한국의 칼라 TV 공업』.

───(1981), 『경제 안정화 시책 자료집』.

───(1982), 『산업 정책의 기본 과제와 지원 시책의 개편 방향』.

한국산업은행(1967), 『한국의 산업』.

───(1970), 『전자 공업의 현황과 개발 방향』.

───(1981), 『80년대의 전략 산업』.

───(1982a), 『주요 산업별 기술 실태 조사 보고서』.

───(1982b), 『정보 산업의 개발 현황과 육성 전략』.

───(1983a), 『우리나라 전자 산업의 현황』.

───(1983b), 『주요 산업의 당면 정책 과제』.

───(1983c), 『정보 산업의 현황과 육성 방향』.

───(1984a), 『첨단 산업의 개발 전략』.

───(1984b), 『한국의 산업』.

한국전자공업진흥회(1976~1985), 『전자 · 전기 공업 통계』.

───(1980~1985), 『전자 공업 편람』.

───(1981a), 『전자 공업 20년사』.

───(1981b), 『80년대 전자 공업 진흥을 위한 자료 조사 보고서』.

───(1982), 『전자 공업 고도화 장기 전략』.

한상진(1986), 「유신 체제의 정치 경제적 성격」, 박현채 · 한상진 편, 『해방 40년의 재인식』, 돌베개, pp. 163~84.

허태홍(1974), 「마산 수출 자유 지역」, 『신동아』 제118호, pp. 144~52.

Alavi, Hamza(1972), "The State in Post-Colonial Societies : Pakistan and

Bangladesh," *New Left Review*, no. 74, pp. 59~82.

Amsden, Alice H.(1979), "Taiwan's Economic History: A case of Etatisme and a Challenge to Dependency Theory," *Modern China* 3, pp. 341~80.

————(1985), "The State and Economic Transformation: Toward an Analysis of the Conditions Underlying Effective Intervention," *Bringing the State Back In*, edited by Peter Evans, D. Rueschemeyer and T. Skocpol, New York: Cambridge University Press, pp. 78~106.

Arthur D. Little International, Inc.(ADLI)(1976), *Electronics Industry Planning Study for the Republic of Korea Prepared for the Korean Ministry of Commerce and Industry and the Korean Trade Association*, Seoul: Korean Trade Association.

Barone, Charles A.(1983), "Dependency, Marxist Theory, and Salvaging the Idea of Capitalism in South Korea," *Review of Radical Political Economics* 15, pp. 41~67.

Barrett, Richard E. and M. K. Whyte(1982), "Dependency Theory and Taiwan: Analysis of a Deviant Case."

Bienefeld, Manfred(1981), "Dependency and the Newly Industrializing Countries (NICs): Toward a Reappraisal," *Dependency Theory: A Critical Reassessment*, edited by D. Seers, London: Frances Pinter, pp. 79~96.

Biersteker, Thomas J.(1978), *Distortion or Development?: Contending Perspectives on Multinational Corporation*, Cambridge, MA: MIT Press.

Block, Fred(1977), "The Ruling Class Does Not Rule: Notes on the Marxist Theory of the State," *Socialist Revolution* 7(3), pp. 6~28.

───(1987), *Revising State Theory*, Philadelphia: Temple University Press.

Braun, Ernest and Stuart Macdonald(1982), *Revolution in Miniature: History and Impact of Semiconductor Electronics*, Second Edition, New York: Cambridge University Press.

Chang, Yu Sang(1971), *The Transfer of Technology: Economic of offshore Assembly, the Case of Semiconductor Industry*, New York: U. N. Institute for Training and Research.

Choi, Jang Jip(1983), *Interest Conflict and Political Control in South Korea: A Study of Labor Unions in Manufacturing Industries*, 1961~1980, Ph. D. Dissertation, The University of Chicago.

Cline, William(1982), "Can the East Asian Model of Development Be Generalized?," *World Development* 10, pp. 81~90.

Cole, David C. and P. N. Lyman(1971), *Korean Development: The Interplay of Politics and Economics*, Cambridge, MA: Harvard University Press.

Cumings, Bruce(1984), "The Origins and Development of the Northeast Asian Political Economy: Industrial Sectors, Product Cycles and political consequences," *International Organization* 38, pp. 1~40.

Dore, Ronald(1986), *Flexible Rigidities: Industrial Policy and Structural Adjustment in the Japanese Economy 1970~1980*, Stanford, CA. Stanford University Press.

Eckstein, Harry(1975), "Case Study and Theory in Political Science," *Strategies of Inquiry, Handbook of Political Science* vol. 7, edited by Fred I. Greenstein and N. W. Polsby, Reading, MA: Addison-Wesley, pp. 79~137.

Economic Planning Board(EPB)(1962), "The Government of Korea," *Summary of the First Five-Year Economic Development Plan*, Seoul: EPB.

————(1983a), *The Revised Fifth Five-Year Economic and Social Development Plan*, Seoul: EPB.

————(1983b), *Overall Direction of Industrial Policies in the 1980's*, Seoul: EPB.

Ernst, Dieter(1983), *The Global Race in Microelectronics*, Frankfurt: Campus Verlag.

Gerschenkron, Alexander(1962), *Economic Backwardness in Historical Perspective*, Cambridge, MA: Harvard University Press.

Gold, Thomas B.(1981), *Dependent Development in Taiwan*, Ph. D. Dissertation, Harvard University.

————(1986), *State and Society in the Taiwan Miracle*, Armonk, NY: M. E. Sharpe.

Haggard, Stephen(1986), "Tje Newly Industrializing Countries in the International System," *World Politics* 38, pp. 343~70.

———— and Chung-in Moon(1983), "The South Korean State in the International Economy: Liberal, Dependent, or Mercantile?," *The Antinomies of Interdependence: National Welfare and the International Division of Labor*, edited by John G. Ruggie, New York: Columbia University Press, pp. 131~89.

————(1986), "Industrial Change and State Power: The politics of Stabilization in Korea," Paper Presented at the Annual Meeting of the American Political Science Association, Washington, D. C.

Han, Sungjoo(1974), *The Failure of Democracy in South Korea*, Berkeley: University of California Press.

————(1977), "Power and Development in Contemporary South Korea," A Paper Presented at the Conference on Power and Development in Contemporary Korea, New York.

Hasan, Parvez(1976), *Korea, Problems and Issues in a Rapidly Growing Economy*, Baltimore: Johns Hopkins University Press.

———— and Rao, D. C.(1979), *Korea: Policy Issues for Long-Term Development*, Baltimore: Johns Hopkins University Press.

Henderson, Gregory(1968), *Korea: The Politics of the Vortex*, Cambridge, MA: Harvard University Press.

Ikenbery, G. John(1986), "The Irony of the State Strength: Comparative Responses to the Oil Shocks in the 1970s," *International Organization* 40, pp. 105~37.

Im, Hyug Baeg(1987), "The Rise of Bureaucratic Authoritarianism in South Korea," *World Politics* 39, pp. 231~57.

Jessop, Bob(1982), *The Capitalist State: Marxist Theories and Methods*, New York: New York University Press.

Johnson, Chalmers(1982), *MITI and the Japanese Miracle: The Growth of Industrial Policy, 1925~1975*, Stanford, CA: Stanford University Press.

Jones, Leroy and Il Sakong(1980), *Government, Business, and Entrepreneurship in Economic Development: The Korean Case*, Cambridge, MA: Council on East Asian Studies, Harvard University.

Katzenstein, Peter J.(ed.)(1978), *Between Power and Plenty: Foreign Economic Policies of Advanced Industrial States*, Madison, WI: University of Wisconsin Press.

Kim, Kwang Suk and Michael Roemer(1979), *Growth and Structural*

Transformation, Cambridge, MA: Council on East Asian Studies, Harvard University.

Koo, Hagen(1984), "The Political Economy of Income Distribution in South Korea: The Impact of the State's Industrialization Policies," *World Development* 12, pp. 1029~37.

───(1985b), "Transformation of the Korean Class Structure: The Impact of Dependent Development," *Research in Social Stratification and Mobility* 4, pp. 129~48.

───(1987), "The Interplay of State, Social Class, and World System in East Asian Development: The Cases of South Korea and Taiwan," *The Political Economy of New Asian Industrialism*, Edited by Frederic Deyo, Ithaca, NY: Cornell University Press, pp. 165~81.

Krasner, Stephen D.(1978), *Defending the National Interest Princeton*, NJ: Princeton University Press.

Krueger, Anne O.(1979), *The Developmental Role of the Foreign Sector and Aid*, Cambridge, MA: Council on East Asian Studies, Harvard University.

Kurth, James R.(1979), "The Political Consequences of the Product Cycle: Industrial History and Political Outcomes," *International Organization* 33, pp. 1~34.

Lee, Chae-Jin(1973), "South Korea: The Politics of Domestic-Foreign Linkage," *Asian Survey* 13, pp. 94~101.

Lee, Dong-Ho(1981), "A Case Study of Korean Electronics Industry," *Asian Economics* 36, pp. 24~69.

Lee, Hahn-Been(1968), *Korea: Time, Change and Administration*, Honolulu: East-West Center Press.

Lim, Hyun-Chin(1982), *Dependent Development in the World System: The Case of South Korea, 1963~1979*, Ph. D. Dissertation, Harvard University.

Long, Don(1997), "Repression and Development in the Periphery: South Korea," *Bulletin of Concerned Asian Scholars* 9, pp. 26~41.

Mason, Edward S. et al.(1980), *The Economic and Social Modernization of the Republic of Korea, Cambridge,* MA: Council on East Asian Studies, Harvard University.

Muto, Ichiyo(1977), "The Free Trade Zone and Mystique of Export-Oriented Industrialization," *Ampo*, Special Issue(vol. 8, no. 4), pp. 9~32.

Nakano, Kenji(1977), "Japan's Overseas Investment Patterns and FTZs," *Ampo*, Special Issue(vol. 8, no. 4), pp. 33~50.

Okimoto, Daniel I., Takuo Sugano and B. Weinstein(eds.)(1984), *Competitive Edge: The Semiconductor Industry in the U. S. and Japan,* Stanford, CA: Stanford University Press.

Ozawa, Terutomo(1979), *Multinationalism, Japanese Style: The political Economy of Outward Dependency,* Princeton, NJ: Princeton University Press.

Pacific-Asia Resources Center(PARC) (ed.)(1977), *Free Trade Zones and Industrialization of Asia,* Special Issue of *AMPO*(vol. 8, no. 4), Tokyo: PARC.

Park, Chung Hee(1963), *The State, Revolution and I,* Seoul: Hyangmunsa.

Purcell, John, F. H. and Susan K. Purcell(1977), "Mexican Business and Public Policy," *Authoritarianism and Corporatism in Latin*

America, edited by James M. Malloy, Pittsburgh: University of Pittsburgh Press, pp. 191~226.

Ruggie, John(ed.)(1983), *The Antinomies of Interdependence: National Welfare and the international division of labor*, New York: Columbia University Press.

Skocpol, Theda(1979), *States and Social Revolutions: A Comparative Analysis of France, Russia and China*, New York: Cambridge University Press.

————(1982), "Bringing the State Back In," *Items 36* (1/2), pp. 1~8.

————(1985), "Bringing the State Back In: Strategies of Analysis in Current Research," *Bring the State Back In*, edited by Peter B. Evans, D. Rueschemeyer, and T. Skocpol, New York: Cambridge University Press, pp. 3~37.

Smelser, Neil J.(1976), *Comparative Methods in the Social Sciences*, Englewood Cliffs, NJ: Prentice-Hall.

Stepan, Alfred(1978), *The State and Society: Peru in Comparative Perspective*, Princeton, Nj: Princeton University Press.

————(ed.)(1973), *Authoritarian Brazil: Origins, Policies and Future*, New Haven, CN: Yale University Press.

Tsuchiya, Takeo(1977), "South Korea: Masan——An Epitome of the Japan-Rok Relationship," *AMPO,* Special Issue(vol. 8, no. 4), pp. 53~56.

Vernon, Raymond(1966), "International Investment and International Trade in the Product Life Cycle," *Quarterly Journal of Ecomomics* 80, pp. 190~207.

————(1971), *Sovereignty at Bay: The Multinational Spread of U. S. Enterprises*, New York: Basic Books.

Wade, Robert(1989), "Industrial Policy in East Asia——Does It Lead or Follow the Market?" mimeo.

Wallerstein, Immanuel(1979), *The Capitalist World Economy*, New York: Cambridge University Press.

Wells, Louis T., Jr.(ed.)(1972), *The Product Life-Cycle and International Trade*, Boston: Graduate School of Business Administration, Harvard University.

Westphal, Larry E.(1978), "The Republic of Korea's Experience with Export-Led Industrial Development," *World Development* 6, no. 3, pp. 347~82.

————, Y. Rhee, L. Kim and A. Amsden(1984), "Republic of Korea," *World Development* 12, pp. 505~33.

Whang, In-Joung(1986), "Korea's Economic Management for Structural Adjustment in the 1980s," Paper Presented at the World Bank and KDI Working Party Meeting on Structural Adjustment in NICs.

Zysman, John(1977), *Political Strategies for Industrial Order: State, Market, and Industry in France*, Berkeley, CA: University of California Press.

The Asian Wall Street Journal Weekly(AWSJW).

The Economist.

Electronic Business.

Electronic News.

Electronics.

Electronics Week.

Far Eastern Economic Review(FEER).

The New York Times(NYT).
The Wall Street Journal(WSJ).

제6장

한국 과학 기술 기초 연구의 위상과 육성 전략

1. 머리말

종래 우리나라에서 과학 기술은 단기간 내에 산업 경쟁력 확보와 생산성 향상 등의 경제적 가치로 실현될 수 있는 구체적이고 가시적인 유용성을 가진 도구로서 그 필요성이 강조되어왔으며, 과학 기술에 대한 지원은 경제 발전의 논리에 종속되어 전개되어왔다. 시장성이 있는 상품을 개발하다보니 필요하여 관련된 응용 연구에 착수하고, 그러다보니 조금 더 기초적인 연구가 필요해져서 해당 부분에 대한 기초 연구에도 관심을 기울이는 방식으로 과학 기술에 대한 지원이 이루어져왔다.

그러나 이제는 과학 기술 기초 연구에 대하여 즉각적인 투자 효과를 기대하는 도구적 인식과 역행적인 추진 방식으로는 국가 경쟁력을 확보하기 어려운 상황으로 바뀌고 있다. 새로운 국제 질서 아래서 과학 기술이 국가 경쟁력의 핵심 요소로 부상하였음은 주지의 사실이며, 특히 기초 연구 능력이 과학 기술력의 관건이 되고 있다. 또한 오늘날 국가와 민족의 정체성 identity에 있어서 문화적 요인의 중요성이 증대되는 추세를 감안해볼 때, 현대 사회에서 문화의 중요한 부분을 이루고 있는 과학 기술의 발전은 국가적 정체성의 확보라는 차원에서도 그 당위성이 강조되어야 한다. 과학 기술 기초 연구 수준은 우리나라의 문화와 국격(國格)을 가늠하는 척도가 될 수 있다. 이러한 시대적 상황에서 과학 기술 기초 연구의 선진화는 우리 사회가 성취해야 할 국가적 목표로 인식되어야 하며, 그 육성 전략도 과거의 추격형 경제 개발 논리에서 벗어나 국가의 미래를 위한 핵심 역량의 축적과 투자라는 관점에 입각하여 재정립되어야 한다.

이러한 인식을 바탕으로 이 글에서는 먼저 새로운 세계 질서 속에서 과학 기술 기초 연구의 육성이 시급한 이유를 살펴본다. 다음에 과학 기술 기초 연구의 개념에 대해 논의한 후, 우리나라의 기초 연구 능력과 여건의 현황 및 문제점을 파악하고, 마지막으로 앞으로의 육성 전략에서 고려해야 할 문제들에 대하여 필자의 의견을 제시하고자 한다.

2. 새로운 세계 질서와 과학 기술 기초 연구

경제 활동 전반에 걸쳐 강력하고 총체적인 국제 규범의 형성과 집행을 지향하고 있는 세계무역기구 WTO 체제 아래서 과학 기술력이 국가 경쟁력의 관건임은 주지의 사실이다. 우루과이 협정문은 정부의 과학 기술 정책이 기업과 국가의 경쟁력에 영향을 미치는 다른 어떤 산업 정책보다도 중요한 수단임을 주목하고, 과학 기술 부문에 대한 정부의 지원 범위 등에 대하여 기본 방향을 언급하고 있다. 다른 한편, 경제협력개발기구 OECD에서는 국제 기술 규범 제정을 위한 지속적인 노력을 기울여왔으며, 1991년 '기술과 경제에 관한 정책 선언'이라는 7개 부문에 대한 권고 사항으로 과학 기술 관련 '신국제 규범 New Rules of the Games' 제정 움직임을 공식화하였다. 과학 기술 선진국들의 주도 아래 이루어지고 있는 이런 움직임들은 우루과이

라운드에 대한 대응 과정에서 우리나라에서는 농산물 시장 개방 문제에 가려져 별로 주목을 받지 못하였던 과학 기술 관련 내용이 향후 엄청난 파장을 가져올 수 있는 중대한 사안임을 일깨워주고 있다.

향후의 국제 협상을 주도해나갈 선진 산업국에서는 국제 질서 개편과 관련하여 과학 기술 정책에 변화가 일어나고 있다. 정부의 전반적인 연구 개발 예산을 삭감하거나 동결함에도 불구하고 기초 연구에 대하여는 지속적으로 투자하는 추세를 보이고 있으며, 세금 감면이나 금융상의 특혜 같은 정부의 간접적 지원을 통하여 민간 부문의 기초 연구 투자를 활성화시키고 있다. 또한 각국 정부는 고급 연구 인력의 확보에 노력을 기울여 고등 교육 기관에 대한 지원과 교육 제도 개혁에 적극적으로 개입하고 있다. 다른 한편으로는 우리나라와 같은 신흥 공업국들이 과학 기술 부문에서 무임 승차를 함으로써 경제적으로 후발국late developer의 이점을 누려왔다는 비판을 강력히 제기하면서 기술 이전을 기피하고 있다(윤정로 외, 1995).

현대 과학 기술의 발전 추세를 보면, 기술 혁신에 대한 기초 연구의 기여도가 증대되고 기초 연구의 상업적 가치가 날로 높아지고 있다. 과학과 기술의 경계선이 모호한 영역이 증가하고, 기초 연구가 상품 생산으로 연결되는 연구 주기와 상품 주기가 현격히 단축되고 있다. 예를 들어 반도체, 레이저의 개발이 물리학, 화학, 전자 공학 분야의 상호 작용에 의하여 이루어졌음은 널리 알려진 사실이며, DNA 구조를 밝힌 기초 연구를 토대로 새로이 형성된 생명공학 분야에서는 기초 연구와 응용 연구 또는 상품 개발의 구분이 어렵다. 따라서 앞으로 국가간 기술 개발 경쟁이 치열해질수록 기초 연구가 국가 경쟁력의 관건이 될 것이다.

현재 급변하는 세계 질서 속에서 우리나라는 독자적인 기술 개발 능력을 확보하지 못한 채 본격적인 기술 집약형 산업 구조로 개편하지 않으면 안되는 상황에 처해 있다. 결국 우리나라가 국가 경쟁력을 제고하고 선진국으로 진입하기 위해서는 과학 기술 기초 연구 능력을 획기적으로 강화하지 않으면 안되는 시점에 이르렀다. 그런데 과학 기술 기초 연구는 장기간을 요하며 그 성과가 불특정 다수인에게 귀속되는 특성이 있기 때문에, 시장 기능에만 맡기는 데는 한계가 있고 공공 부문의 지원이 필요하며, 정부 및 사회 각계에서 적극적인 육성책을 마련하여 추진하는 것이 시급하다.

3. 과학 기술 기초 연구의 개념

과학 기술 기초 연구를 육성하기 위해서는 그 대상에 대한 명확한 개념 정립이 필요하다. 필자는 이제까지 한국에서 흔히 사용되어온 기초과학basic science이라는 개념이 많은 오해를 불러일으키고 있으며, 앞으로는 연구 개발 활동의 성격을 지칭하는 과학 기술 기초 연구fundamental research in science and technology의 개념으로 바뀌는 것이 바람직하다고 본다.

지난 수십 년 간 통용되어온 연구 개발 활동의 분류법은 기초 연구 basic research, 응용 연구applied research, 개발development, 시험 test, 평가evaluation의 5단계로 구분하는 방식이다. 현재 국제적으로 통용되는 표준적인 정의도 이런 구분 방식을 따르고 있다. OECD에서는 1980년에 '프래스카티 매뉴얼 Frascati Manual'로 불리는 연구 개발 활동 측정 지침서를 발간하였다. 이 지침서에 의하면, 기초 연구란 "어떤 특정한 이용이나 응용을 목적으로 하지 않고, 주로 현상이나 관찰 가능한 사실 가운데 존재하고 있는 기초적인 새로운 지식을 획득할 목적으로 이루어지는 실험적 또는 이론적 연구"를 지칭한다. 다른 한편 응용 연구applied research란 "주로 어떤 특정한 실제적 목적을 지향하는 새로운 지식을 얻기 위하여 이루어지는 독창적인 연구"를 의미한다. 개발은 "과학적 지식을 이용하여 새로운 재료, 장치, 제품, 시스템, 서비스를 도입하거나 기존의 것을 본질적으로 개량하고자 하는 목적을 가진 활동"을 지칭한다(OECD, 1980).

최근 서구 각국에서는 기초 연구와 응용 연구라는 종래의 분류 방식을 재편하려는 시도가 이루어지고 있다. 미국 회계감사국General Accounting Office에서는 1980년대 후반 기초 연구와 응용 연구를 구분하는 대신 기초 연구fundamental research와 특정 응용 연구mission targeted applied research라는 두 가지 범주로 재편할 것을 제안하였다. 그 요체는 종전의 응용 연구를 범용 응용 연구generic applied research와 특정 응용 연구mission targeted applied research로 세분하고, 종전의 기초 연구와 범용 응용 연구를 기초 연구fundamental research라는 하나의 범주로 통합한다는 것이다. 범용 응용 연구란 응용 연구이기는 하되, 본질적으로 탐색적·장기적이고 상승 효과synergy를 창출하며 어떤 특정 단일 기관의 임무나 프로그램에 특수한 관련을 맺고 있지 않은 연구를 지칭한다.

영국에서도 1980년대 후반부터 정부 지원 연구 개발 예산에 대하여 기초 연구 basic research, 전략적 응용 연구 strategic applied research, 특정 응용 연구 specific applied research, 실험적 개발 experimental development이라는 4가지 범주의 분류법을 새로이 도입하였다. 기초 연구의 개념은 종래와 동일한 의미를 가진다. 전략적 응용 연구란 "아직까지 궁극적인 응용 방안을 명백히 밝힐 수 있는 단계에는 이르지 못한 분야에서의 응용 연구"를 지칭하며, 특정 응용 연구는 "특정적이며 상세한 제품, 공정, 체계를 목표로 하는 연구"를 지칭한다. 실험적 개발은 "기존의 지식을 이용하여 새로운 제품과 공정의 생산이나 기존의 제품과 공정의 개선을 지향하는 체계적인 작업"을 지칭한다.

미국의 범용 응용 연구와 영국의 전략적 응용 연구는 상당한 유사성을 공유하고 있다. 즉, 특정 제품이나 공정과 밀접한 연관성이 없는 연구 활동을 지칭하는 개념으로서, 통상적으로는 특정한 임무가 부여된 기관의 전체 연구 활동에서 현재 수행하고 있는 특정 응용 연구를 제외한 '잔여적 residual' 범주를 의미한다고 볼 수 있다. 영·미 양국에서는 대체로 기업에서 수행하는 기초 연구가 이런 범주로 분류되고 있다(김영걸, 1994; Averch, 1991; Nueno and Osterveld, 1988; Hicks·弘岡正明, 1991).

새로운 분류 방식에서 주목되는 것은 응용 연구를 세분화하여, 종래의 순수 연구 이외에 전략적 연구나 더 나아가서는 특정 관심 지향적인 연구까지도 기초 연구의 범주에 포함시키는 방향으로 나아가고 있다는 점이다. 이러한 경향은 우루과이 라운드 협정에서도 확인된다. 최초의 던켈안에서는 기초 연구의 경우 총비용의 50%까지, 응용 연구는 25%까지 보조금을 허용하기로 하였다. 그러나 미국과 유럽 연합에서 기초 연구와 응용 연구의 개념이 모호하다는 이유로 이의를 제기함에 따라, 최종 협정문에는 특정성이 없는 연구 개발 보조금은 허용되며, 특정성이 있다 하더라도 기업이나 기업과 계약을 맺고 있는 고등 교육 기관 또는 연구소에서 수행되는 연구 활동에 대하여 산업 연구 industrial research의 경우 소요 비용의 75%까지, 상품화 이전 개발 활동 pre-competitive development activity에 대하여는 50%까지 허용 보조금으로 인정하고 있다(김준현, 1994; 대외경제정책연구원, 1994; 송종국·박용태, 1994; 송종국·이명진, 1994). "신제품, 공정, 서비스의 개발이나 기존 제품, 공정, 서비스의 개선에 사용될 목적으로 새로운 지식을 발견하는 연구 또는 조사"를 지칭하는 산업 연구 industrial research는 미국이나 영국식 분류법의 특정 응용 연구에 해당하고, 경쟁 전 개발 활동 pre-competitive development은 영국의 실험적 개발에 해당한다고 볼 수 있다. 이렇게 특정성이 있는 산업 연구와 기초 개발 활동에까지 일부 규제가 있기는 하나 정부 보조금을 허용한 데서 우리는 자유로운 공공 지원의 대상이 되는 기초 연구의 범위를 되도록 광범위하게 규정하려는 취지를 확인할 수 있다. 이러한 기초 연구 개념의 변화는 〈그림-1〉에 도식화되어 있다.

기초 연구 개념의 확장은 물론 오늘날 과학 기술 연구의 성격이 빠르게 변화하고 있다는 데서 그 이유를 발견할 수 있다. 예를 들어 생명공학 분야에서는 기초 연구, 응용 연구, 개발의 상호 구분이 대단히 어려울 정도로 가까워지고 있다. 그러나 더욱 중요한 점은 연구 개발 활동의 분류 방식이 과학 기술 정책 분야의 국제적 쟁점으로 부상하고 있으며, 국가 주도의 대규모 연구 개발 지원 제도와 민간 기업의 기초 연구 활성화를 유도하고 있는 선진 산업국들의 이해 관계가 반영되어 있다는 것이다. 기초 연구의 개념에 광범위한 목표를 가질 수 있는 가능성을 허용하자는 입장은 미국에서 가장 강력하게 표명하고 있으며, 기타 서구 여러 나라와 일본도 이런 경향을 따르고

〈그림-1〉　　　　연구 개발 분류 및 기초 연구 영역

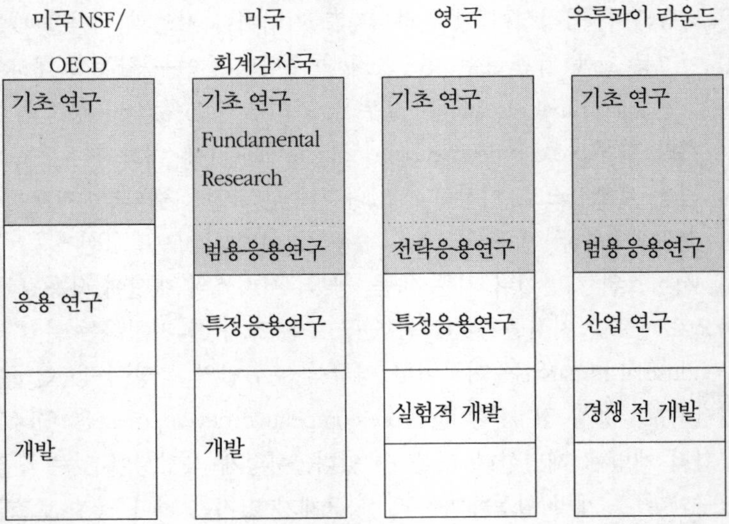

미국 NSF/ OECD	미국 회계감사국	영 국	우루과이 라운드
기초 연구	기초 연구 Fundamental Research	기초 연구	기초 연구
응용 연구	범용응용연구	전략응용연구	범용응용연구
	특정응용연구	특정응용연구	산업 연구
개발	개발	실험적 개발	경쟁 전 개발

있다.

　이러한 추이를 감안하면, 앞으로의 과학 기술 연구 지원에 있어서는 소수 자연과학 분야의 순수 학술 연구를 지칭하는 종래의 기초과학 개념보다는 자연과학과 공학 및 인접 분야의 범용 응용 연구까지 포괄하는 광의의 기초 연구 활동, 즉 과학 기술 기초 연구로 대상을 설정하여야 할 것으로 보인다.

4. 한국 과학 기술 기초 연구의 위상

　국가마다 다양한 특성을 지닌 과학 기술 기초 연구의 수준이나 성과를 하나의 계량화된 지수로 나타낸다는 것은 매우 어려운 일이며, 여러 가지 방법이 제시되기는 하였으나 아직 만족스러운 지수는 개발되지 않은 상태다. 과학 기술 기초 연구 수준에 대한 국제 비교는 먼저 각 국가 단위의 지표들에 대한 개념의 표준화와 측정의 신뢰성이 확보되어야 하므로 더욱 많은 어려움이 따른다. 현재로서는 국가 간 비교가 가능한 개략적 지표로 국제 학술지에 발표된 연구 업적 색인에 대한 통계 분석이 널리 사용되고 있으며, 가장 대표적인 데이터베이스는 과학 인용 색인 Science Citation Index(SCI)이다.[1] SCI에 등재된 논문의 수는 연구 성과의 양, 그리고 논문의 인용 빈도는 연구 성과의 질(영향력)을 나타내는 척도로 이용된다. 그러나 연구 성과의 질적 측면은 통계적 분석에 명백한 한계가 있기 때문에, 전문 연구자들의 직접적이고 주관적인 평가 방식이 도입된다(윤정로, 1992; 임양택·송충한, 1994). 본 연구에서는 SCI 자료와 함께 필자가 국내의 전문 연구자를 대상으로 실시한 설문 조사 결과가 분석에 사용되

---

1) SCI는 세계적으로 이공계 5,000여 종과 사회과학 1,500여 종의 학술지를 대상으로 하며, 현재 우리나라의 학술지 중에는 12종이 포함되어 있다.

고 있다.[2]

먼저 SCI 자료 분석에 의하면, 한국의 과학 기술 기초 연구 수준이 상승 추세를 보이고 있다. 〈표-1〉에서 보면, 수록 논문 편수나 점유율뿐만 아니라 인구 만 명당, 연구원 1인당, 대학 연구원 1인당 논문 수도 지속적으로 증가하고 있어, 전체 연구 성과뿐만 아니라 연구 생산성도 꾸준히 향상되고 있음을 알 수 있다. 특히 1990년대 이후의 현저한 상승 추세는 매우 고무적인 현상으로 보인다.

그러나 〈표-2〉에 제시된 국제 비교 수치에 의하면, 현재 한국의 기초 연구 수준은 서구 여러 나라와 일본은 물론 대만의 수준과 비교하여도 총체적인 연구 역량뿐만 아니라 인구나 연구원 규모를 감안한 연구 생산성의 측면에서도 현저한 차이를 보이고 있다. 연구 성과의 질에 대한 지표로 SCI 인용 빈도를 분석해보면, 대체로 현재 국내에서 활동하고 있는 연구자들이 집필한 논문의 인용 빈도는 대단히 낮은 수준에 머물고 있다. 높은 인용 빈도가 있는 논문은 연구자들이 주로 외국에서 수학하거나 활동할 당시 이루어진 연구 성과다. 또한 한국 과학 기술 논문이 게재된 학술지가 대체로 인지도와 인용 빈도가 낮은 학술지에 집중되어 있다(이가종, 1995).

SCI 인용 분석 결과는 우리나라 기초 연구의 수준이 양적 측면보다 질적 측면에서 더욱 뒤떨어져 있음을 나타낸다. 국내 연구자들의 논문이 인용된 빈도는 세계 평균의 60% 이하에 계속 머물고 있다. 따라서 1981년부터 1994년까지의 누적 통계를 보면 우리나라가 논문 발표 수에 있어서는 0.23%로 세계 35위를 차지한 반면, 인용 빈도에 있어서는 0.07%로 세계 60위에 그치고 있다. 수록된 논문 중에서 저자

---

2) 본 연구를 위한 설문지는 1995년 3월에서 4월까지 우편으로 배포하여 회수하였으며 응답자는 대학교수 365명(58%), 정부 출연 연구소 연구원 67명(11%), 민간 기업 연구원 202명(31%)으로 총 634명으로 구성되어 있다. 설문 조사에 대한 자세한 내용은 윤정로 외(1995)를 참조하라.

⟨표-1⟩　　　　　　한국의 SCI 수록 논문 수 및 점유율 추이

연도	논문 수	점유율 (%)	인구만명당 논문 수	연구원1인당 논문 수	대학연구원 1인당 논문 수
1981	268	0.06	0.07	0.01	
1982	328	0.07	0.08	0.01	
1983	455	0.09	0.11	0.02	
1984	540	0.10	0.13	0.02	0.04
1985	687	0.12	0.17	0.02	0.05
1986	791	0.13	0.19	0.02	0.05
1987	1,043	0.17	0.25	0.02	0.06
1988	1,227	0.21	0.29	0.02	0.07
1989	1,567	0.28	0.37	0.03	0.08
1990	1,784	0.29	0.42	0.03	0.09
1991	2,328	0.37	0.54	0.03	0.12
1992	2,611	0.40	0.60	0.03	0.12

자료: 한국과학재단, 1994, 『기초 연구 지원 통계 연보』.

⟨표-2⟩　　　　　세계 주요국 과학 기술 기초 연구 성과 비교

국가	SCI논문수 ('92)	SCI점유율 ('92, %)	인구만명당 논문 수 ('91)	연구원1인당 논문 수 ('91)	대학연구원 1인당 논문 수 ('91)
한국	2,611	0.40	0.54	0.03	0.12
미국	265,392	40.22	10.31	0.24 *	1.78
독일	50,566	7.66	6.28	0.27 *	1.21 *
프랑스	39,539	5.99	6.54	0.29	0.90
영국	54,357	8.24	8.93	0.41	1.78
일본	55,029	8.34	4.18	0.11	0.48
대만	4,432	0.67	1.75	0.08 *	—

* 1989년 통계.
자료: 한국과학재단, 1994, 『기초 연구 지원 통계 연보』; 김정구 외, 1995: 25.

가 아닌 다른 연구자들이 인용한 적이 있는 논문의 비율은 세계 평균
을 근소하게 상회하던 수준에서, 양적 성과가 급속히 증가하는 1990
년대에 들어 세계 평균 이하로 현격히 떨어지는 추세를 보이고 있다.
인용 빈도 최상위 10개 논문 중에서 국내의 연구자가 대표 저자로 되
어 있는 논문은 3개에 불과하다. 1990년부터 1995년까지 국내 연구자
들이 가장 많은 논문을 게재한 상위 10개 학술지 중에는 국내 학술지
가 4개 포함되어 있으며, 최상위 2개가 국내 학술지다. 아직 국내 학
술지의 국제적 인지도와 영향력은 대체로 낮다(한국과학재단, 1996).

　이런 객관적 지표로 나타나는 기초 연구 수준의 격차는 우리나라
연구자들의 주관적 평가에 의하여도 확인된다. 〈표-3〉에 정리되어 있
는 설문 조사 결과에 의하면, 응답자들은 기초과학 기술 전반에 있어
서 미국의 수준을 10이라고 할 때, 유럽(독일, 프랑스, 영국)의 수준은
8.2, 일본 7.7, 대만 4.7, 한국은 3.8 정도라고 평가하였다. 각국의 서
열은 객관적 지표에 의한 측정 결과와 일치하고 있으며, 절대 수치상
의 차이가 우리나라 기초 연구의 취약성을 확인해주고 있다. 응답자
들 자신의 전공 분야에 국한된 기초 연구 수준은 미국의 수준을 10이
라고 할 때, 유럽 8.3, 일본 8.2, 대만 4.6, 한국 4.5 정도로 평가함으
로써, 전공 분야 내에서는 일본과 한국에 대하여 비교적 긍정적으로
평가하고 있다. 응답자 속성에 따라 구분해보면, 연령별로 40세 미
만, 학위 취득국별로 외국, 지역별로 수도권, 분야별로 의학이나 공
학보다 자연과학 전공자, 소속 기관별로는 대학교수가 연구 수준의
차이를 더욱 심각하게 느끼고 있다는 사실이 특히 주목된다.

　이렇게 낙후된 한국의 과학 기술 기초 연구 수준은 빈약한 연구 투
자와 연구 인력에서 일차적으로 그 원인을 찾을 수 있다. 최근의 지
속적인 과학 기술 투자 증대에도 불구하고,[3] 현재 우리나라의 과학

---

3) 한국의 과학 기술 연구 개발 투자는 1983년부터 1993년까지 경상 가격 기준 총투
　자비 규모는 6,220억 원에서 6조 1,530억 원으로 늘어나 거의 10배에 가까운 증가

〈표-3〉　　　　　　　　국가별 기초과학 기술 수준에 대한 평가[1]

(미국을 10으로 할 때의 상대 평가)

응답자 속성	기초과학 기술 수준	전반적 수준				전공 학문 분야의 수준			
		한국	일본	유럽	대만	한국	일본	유럽	대만
연령	40세 미만	3.66	7.61	8.13	4.53	4.29	8.22	8.15	4.46
	40세 이상	3.97	7.81	8.24	4.75	4.63	8.16	8.36	4.75
	P Value	0.025	0.178	0.299	0.103	0.045	0.603	0.058	0.052
전공 분야	자연과학	3.74	7.58	8.11	4.56	3.98	7.73	8.23	4.32
	의학	3.94	7.99	8.27	4.99	4.60	8.06	8.38	4.89
	공학	3.85	7.69	8.20	4.56	4.71	8.50	8.23	4.68
	P Value	0.569	0.060	0.559	0.036	0.000	0.000	0.548	0.027
학위 취득국	국내	3.95	7.85	8.20	4.78	4.69	8.26	8.23	4.74
	국외	3.67	7.54	8.17	4.48	4.15	8.06	8.30	4.43
	P Value	0.051	0.019	0.829	0.047	0.004	0.232	0.384	0.101
소속 기관	대학	3.86	7.86	8.12	4.77	4.38	8.10	8.21	4.70
	정부 출연	3.79	7.33	8.24	4.57	4.52	7.83	8.38	4.48
	민간 기업	3.82	7.61	8.31	4.51	4.67	8.46	8.34	4.57
	P Value	0.939	0.016	0.237	0.205	0.272	0.022	0.458	0.570
직장 소재지	서울	3.69	7.51	8.16	4.48	4.38	8.18	8.28	4.46
	지방	3.96	7.90	8.23	4.81	4.57	8.20	8.26	4.77
	P Value	0.043	0.003	0.535	0.024	0.231	0.959	0.860	0.043
전체 평균		3.84	7.72	8.19	4.66	4.49	8.19	8.27	4.63

주: 1) "귀하는 현재 우리나라와 다른 나라의 종합적인 기초과학 기술 수준을 주관적으로 어떻게 느끼고 계십니까?(정확한 수치보다는 귀하가 인식하는 정도로 답해주십시오)"에 대한 응답이다.

를 기록하였다. 과학 기술 투자의 국민총생산 GNP에 대한 비중도 1983년의 1.11%에서 지속적으로 증가하여 1993년에는 2.33%에 이르고 있다. 정부는 1998년까지 과학 기술 투자를 국민총생산의 5% 수준으로 확대한다는 의욕적인 계획을 제시한 바 있다(과학기술처, 1995: 299~302; 한국과학재단, 1994: 155).

기술 투자는 세계 주요국과 비교하여 현격한 격차를 보이고 있다. 우선 1992년도 과학 기술 연구 개발비 총액에서 구매력 평가 기준으로 미국은 우리나라의 약 20배, 독일은 4.5배, 프랑스는 3.1배, 영국 2.5배, 일본이 8.5배에 달하고 있다. 과학 기술 투자의 국내총생산GDP에 대한 비중도 미국이 2.62%, 독일 2.75%, 프랑스 2.35%, 일본 2.80% 정도인 데 비하여, 우리나라는 2.15%로 상당히 낮은 수준이다. 각국의 기존 과학 기술 연구 개발 스톡에 커다란 차이가 존재함을 감안하면, 우리나라의 과학 기술 투자 규모는 서구 선진국에 비하여 매년 지출되는 연구 개발비의 단순 비교 수치보다 훨씬 커다란 격차를 보인다고 평가된다. 그 이유는 이미 근대 과학 기술에 대한 독자적 연구 개발 활동을 장기간 지속하여 많은 지식과 노하우, 설비 및 기반 시설이 축적되어 있는 서구 국가와 이런 활동을 본격적으로 시작한 지 20년도 채 안 되는 한국이 동일한 연구 개발비를 투자할 때 기대할 수 있는 연구 성과에는 현저한 차이가 있을 수밖에 없기 때문이다.

우리나라의 과학 기술 연구 개발 투자를 재원, 연구 주체, 연구 성격별로 고찰하면, 그 위상과 특성이 더욱 선명히 드러난다. 먼저 재원별로는 1993년도 총연구 개발비 6조 1,530억 원 중에서 민간 부문이 5조 1,140억 원(83.1%)을 투자함으로써 압도적 비중을 차지하고 있다. 과학 기술 투자의 정부 부담률은 1983년의 27.3%에서 꾸준히 감소하는 추세를 보이고 있다. 1992년도 국방 연구비를 제외한 미국 정부의 과학 기술 투자 부담률 25%, 독일 34%, 프랑스 34%, 대만 45%에 비하여, 한국 정부의 부담률 17.2%는 현격히 낮은 수준이다(한국과학재단, 1994: 113~35;『중화민국 과학 기술 통계 요람』, 1994: 17;『일본 과학 기술 백서』, 1994: 213).

연구 개발비 사용 주체의 구성비에 있어서도 재원과 마찬가지로 기업이 압도적 비중을 차지하고 있으며, 그 비중도 증가하고 있다.

기업의 비중은 1983년의 60.5%에서 1992년에는 72.7%까지 증가한 반면, 대학의 비중은 1983년의 10.3%에서 1992년에는 6.1%까지 지속적으로 감소하였으며, 특히 1989년 이후 급격한 속도로 감소하였다. 시험 연구 기관의 비중도 1982년의 29.3%에서 1992년에는 21.3%까지 지속적으로 감소하였다. 세계 주요국에서 대학이 차지하는 비중은 서구 지역에서 가장 낮은 독일이 15%이며, 일본은 20%에 이르고 있고, 대만도 14%에 이르고 있다.

연구 성격별로는 1993년 총연구 개발비의 13.2%인 8,090억 원이 기초 연구, 24.3%인 1조 4,970억 원은 응용 연구, 62.5%인 3조 8,470억 원이 개발 연구에 투자되었다. 1983년부터 10년 간의 추이를 보면, 기초 연구의 비중은 지속적으로 감소되었다. 서구 선진국과 비교하여, 우리나라는 기초 연구의 비중이 현저히 낮으며 개발 연구의 비중이 높다.

현재의 기초 연구 투자 비중의 차이보다 우리가 더욱 중요하게 눈여겨보아야 할 것은 세계 주요국의 기초 연구 투자 추세에 나타나는 변화다. 미국의 경우 기초 연구 비중이 1970년대 이후 완만하게 감소하였으나, 1980년대 후반부터는 지속적인 증가 추세로 반전되어 1993년에는 16.3%에 이르게 되었다. 독일의 경우도 기초 연구의 비중이 급격히 감소하던 1970년대와 1980년대초까지의 추세가 1980년대 후반부터는 다시 증가하는 방향으로 전환되어 약 20%의 수준을 유지하고 있다. 프랑스는 1970년대 이후 꾸준히 20% 정도를 유지하고 있다. 일본에서는 현재의 한국과 비슷한 국민 소득 수준이었던 1970년대 기초 연구 투자의 비중이 20%를 상회하였으며, 이후 꾸준히 감소하던 기초 연구의 비중이 1990년대에 이르러 증가하기 시작하는 경향을 보이고 있다(『일본 과학 기술 백서』, 1994: 569~72). 이런 추세는 국가 경쟁력 제고의 차원에서 기초과학 기술에 대한 공공 부문의 지원뿐만 아니라 민간 기업의 지원도 강화하고 있는 선진국들의 움직임과 무관할 수 없으며, 앞으로 구체화될 과학 기술의 '새로운 규범'에 영향을 미치지 않을 리 없다. 따라서 우리나라의 기초과학 기술 투자 비중의 지속적인 감소 추세는 더욱 심각한 문제를 내포하고 있다고 보여진다.

우리나라에서 기초 연구 투자가 감소하는 추세는 1980년대 이후 과학 기술 투자가 민간 기업에 의하여 주도되었던 사실과 밀접한 관련이 있다. 민간 기업의 연구 개발 투자는 시장의 원리에 따라 즉각적으로 투자 효과를 기대할 수 있는 개발이나 응용 연구에 치중되어 왔기 때문이다. 기초 연구는 투자의 위험성과 장기적 회임 기간, 수혜자의 불특정성 등의 성격으로 인하여 주로 공공 부문으로부터의 지원으로 재원을 조달하여왔다. 특히 최근 기초 연구와 응용 연구, 개발간의 관계가 밀접해지고 기술 혁신에 대한 기초 연구의 기여도가 증대하면서, 선진국에서는 과학 기술력에 입각한 국가 경쟁력 제고의 차원에서 기초 연구에 대한 공공 부문의 지원을 강화하는 추세에 있다.

한국의 기초 연구 투자에서 가장 취약한 부분은 대학에 대한 지원이다. 대학은 연구자의 자유롭고 창의적인 발상에 의존하는 기초 연구에서 중추적 역할을 맡을 뿐만 아니라 연구 인력의 훈련과 공급이라는 핵심적 기능을 전담하고 있다. 한국의 경우 전체 이공계 박사의 70%가 넘는 고학력 연구 인력이 대학에 집중되어 있다. 그러나 대학의 연구 여건, 특히 기초 연구 여건은 낙후되어 있으며, 기초 연구 수행 주체로서의 대학의 비중이 급속히 감소하고 있다. 기초 연구의 비중이 1992년 기업의 연구 개발 투자에서는 7.4%에 불과한 반면 대학에서는 61.1%를 차지하고 있음에도 불구하고, 기업이 42.6%의 연구비를 사용하는 최대의 기초 연구 주체라는 사실은 대학의 연구 여건과 활동을 단적으로 드러내고 있다(〈표-4〉 참조). 특히 1990년대 이후 대학의 연구비 조달 주체로서 기업의 비중이 높아짐에 따라, 대학에

서도 기초 연구의 비중은 감소하고 개발 연구의 비중이 증대하는 추세를 보이고 있다.[4]

대학에서의 연구는 그 자체로서의 가치뿐만 아니라 차세대 연구자를 교육하는 수단으로서도 대단히 중요한 의미가 있다. 우리나라의 대학 연구의 부진은 대학에서 배출하는 과학 기술 인력의 질적 수준에도 영향을 미치고 있다. 1980년대 이후 대학의 이공계 전공 학생 수가 급속히 증원되면서, 1993년도 국내 대학에서 배출된 이공계 학사가 약 5만 5,580명, 석사 6,540명, 박사 1,079명에 이르고 있다. 이런 고급 과학 기술 인력의 양적 성장에도 불구하고, 기업에서는 국내 대학에서 배출한 인력의 질에 대하여 학문 기초 지식, 전공 지식의 부족, 현장 적응 능력의 부족, 창의성의 부족 등 매우 부정적인 평가를 내리고 있다. 학·석·박사 모두 창의성과 전공 지식, 현장 적응 능력의 부족이 가장 빈번히 지적되었다(과학기술처·과학기술정책관리연구소, 1994: 37; 김정구, 1994; 장세희 외, 1991).

특히 고급 연구 개발에 투입되는 박사의 경우 창의성과 전공 지식의 부족은 연구자로서 치명적 결함일 것이다. 교수는 연구 활동에 수반되는 자기 교육을 통하여 학생 교육에 충실을 기할 수 있으며, 학생의 입장에서는 재학중의 창의적 연구 참여 경험이 전공 지식의 습득과 창의성, 현장 적응 능력의 개발을 위하여 필수불가결하며 최선의 방도가 된다. 따라서 대학의 낙후된 연구 여건과 부진한 연구 활동은 학생들에게 양질의 교육과 연구 경험을 쌓을 기회를 박탈함으

---

4) 대학의 연구 개발비 규모는 1983년도부터 1993년도까지 경상 가격 기준으로 640억 원에서 4,450억 원으로 약 7배가 됨으로써, 약 10배로 증대된 총연구 개발비에 비하여 증가 속도가 훨씬 뒤지고 있다. 재원별로 보면, 비중에는 약간의 부침이 있으나 1990년대 이후 민간 지원 연구비 규모는 상당히 빠른 속도로 증대되는 반면, 정부 지원은 그 절대 규모조차 축소되는 경우도 있었다. 정부에서는 1989년을 기초 과학의 원년으로 선포하였음에도 불구하고, 1990년 대학의 연구비 지원과 기초 연구비 규모는 축소되었으며, 1992년에도 이런 현상이 반복되었다.

<표-4>　　　　　　　기초 연구비의 연구 주체별 사용 분포

(단위: 억 원)

	기초 연구비(%)	연구기관(%)	대학(%)	기업(%)
1989	4,045 (100.0)	1,067 (26.4)	1,789 (44.2)	1,190 (29.4)
1990	5,385 (100.0)	1,625 (30.2)	1,489 (27.7)	2,271 (42.2)
1991	6,170 (100.0)	1,794 (29.1)	2,069 (33.5)	3,306 (37.4)
1992	6,286 (100.0)	1,759 (28.0)	1,850 (29.4)	2,677 (42.6)

자료: 과학기술처, 1993.

로써, 결국 양질의 차세대 과학 기술 인력 배출을 저해하는 결과를 낳게 된다(Drew, 1985; Martin and Irvine, 1989; OECD, 1987). 1980년대 이후 대학에서 배출된 고학력 과학 기술 인력의 급속한 양적 성장에도 불구하고 기업에서는 역설적으로 연구 인력 부족을 호소하는 현상이 바로 인력의 질의 문제이며, 그 해결의 요체는 대학의 기초 연구 활성화를 통한 교육의 질적 수준 향상에 있다.

5. 기초 연구 지원 제도의 현황

I. 지원 제도 현황

우리나라에서 과학 기술 기초 연구비 전체의 재원별 구성 통계는 집계되지 않고 있다. 민간 기업의 기초 연구 투자는 대부분 기업 내부의 자체 연구in-house research에 집중되며, 시험 연구 기관이나 대학에서의 기초 연구는 주로 공공 지원에 의존하는 경향이 있다. 정부의 기초 연구 지원은 주로 과학기술처와 교육부에서 담당하여왔으며, 효과적인 연구 지원 업무 수행을 위하여 각각 한국과학재단과 학술진흥재단을 산하 기관으로 두고 있다. 최근에는 통상산업부, 정보

통신부 등에서도 소관 업무와 밀접히 관련된 분야의 기초 연구를 지원하고 있다.

우리나라 정부의 과학 기술 기초 연구 지원은 실질적으로 과학기술처를 통하여 가장 많이 이루어지고 있다. 과학기술처의 지원 사업은 기초과학 연구 사업과 특정 연구 개발 사업으로 대별된다. 기초과학 연구 사업은 한국과학재단의 설립과 함께 1978년부터 대학의 이공계 기초 연구를 중점적으로 지원하기 위하여 시작한 사업으로, 현재에도 우리나라 기초 연구 지원 사업의 중핵을 이루고 있다. 기초과학 연구 사업은 1993년에 특정 연구 개발 사업에서 분리되었다. 정부 출연금과 기초과학 연구 기금을 재원으로 하여 운용되는 한국과학재단의 1994년도 예산 규모는 750억 원에 이르고 있으며, 사업 내용은 기초과학 연구 육성, 연구 인력 양성·활용, 학술 활동, 산학 협력, 연구 정보, 국제 교류 지원 사업으로 구분되어 있다. 과학 재단의 핵심 사업인 기초과학 연구 육성 지원 사업은 단독 또는 복수 연구자들의 개별 연구 과제에 대한 지원과 자연과학, 공학 분야의 우수 연구 센터에 대한 기관 차원의 지원이 중추를 이루고 있다. 한국과학재단을 통한 기초 연구 지원은 공모 방식을 통하여 탁월성 위주로 선별된 과제나 기관에 대한 일관·집중 지원을 원칙으로 한다.

과학기술처의 특정 연구 개발 사업은 긴밀한 산(기업 연구소)·학(대학)·연(정부 출연 연구소) 협동 체제 아래서 핵심 산업 기술의 집중 개발과 기초과학의 진흥을 도모하기 위하여 1982년부터 시작된 대형 국책 연구 개발 사업의 모체다. 과학기술처에서는 특정 연구 개발 사업을 1990년부터는 범부처적 협동 연구 개발 사업으로 개편하였으며, 1993년부터는 범국가적 대형 연구 개발 사업 중심 체제로 정착시켜 효율적인 국가 연구 개발 자원의 동원과 배분을 도모하고 있다. 1994년도의 총연구 투자 규모는 3,048억 원으로, 정부 투자 1,461억 원과 민간 투자 1,587억 원으로 구성되어 있다(과학기술처, 1995).

교육부의 기초과학 기술 연구 지원은 대학의 학술 연구 활동 진흥을 목적으로 1963년부터 시작된 학술 연구 조성비를 재원으로 하여 시행되고 있으며, 산하 기관인 한국학술진흥재단에 위탁하여 이루어지는 학술 연구 조성 사업과 교육부에서 직접 관장하는 중점 과제 지원 사업으로 구분된다. 학술 연구 조성비는 1993년부터 1995년 사이 264억 원에서 577억 원으로 크게 증대되었으며, 중점 과제 사업의 비중이 51%에서 56%로 높아졌다. 1993년 지원 실적을 분야별로 보면 기초과학 기술에 대한 지원이 2,018건 187억 원으로 지원 과제 건수의 64%, 액수의 70% 이상을 차지하고 있다. 지원 과제별 연구비는 인문학 689만 원, 사회과학 676만 원, 공학 895만 원, 자연과학 1,182만 원, 의약학 743만 원, 농·수산·해양학 732만 원, 예·체능 509만 원으로 전반적으로 영세한 규모다. 학술진흥재단의 연구비 지원은 연구를 통한 교육의 완성을 목표로 학문간, 대학간, 지역간 균형 발전을 도모하고자 한다.

대학의 과학 기술 기초 연구 육성을 위한 교육부의 직접적 지원은 중점 과제 지원 사업의 일환인 과학 기술 기초 연구 사업을 통하여 이루어진다. 이 사업의 지원 규모는 1994년도 159.6억 원에서 1995년에는 322.5억 원으로 대폭 확대되었으며, 중점 과제 지원 사업에서 과학 기술 기초 연구가 차지하는 비중은 1994년도의 77.3%에서 1995년도에는 85.2%로 증가하였다. 이처럼 중점 과제 지원 사업의 비중이 증가하고, 중점 과제 지원 사업에서 과학 기술 기초 연구의 비중이 증가하는 추세에서 교육부의 적극적 의지가 엿보인다(교육부, 1994: 한국학술진흥재단, 1991; 1994~1996).

통상산업부에서는 1987년부터 공업 발전법에 의거하여 기술 자립 기반 구축과 산업 기술 경쟁력 강화를 목적으로 공업 기반 기술 개발 사업을 시행하고 있다. 산업 현장의 공통적인 애로(隘路) 기술과 민간 기업 단독으로는 위험 부담이 큰 핵심 요소 기술 등의 민·관 공동 개발을 위해 정부가 기업의 참여를 전제로 기술 개발비의 일부를 지원하는 제도로서, 정부 지원이 기술 개발을 유도하는 종자돈seed money의 역할을 하고 있다. 대체 에너지 기술 개발 사업은 과거의 동력자원부에서 추진하던 연구 개발 사업으로, 우리나라에 부존되어 있는 신·재생 에너지와 신에너지 기술 개발을 위하여 출연 연구소, 대학, 민간 기업에 연구비를 지원하고 있다(과학기술처, 1995).

정보통신부에서는 정보 통신 분야의 연구 개발 체제를 강화하기 위하여 1991년 정보 통신 연구·개발에 관한 법률을 제정하고 1992년에는 과학기술처 산하에 있던 한국전자통신연구소를 이관하였다. 정보통신부의 기초 연구 지원은 한국전자통신연구소에서 주관하는 정보 통신 국책 연구 개발 사업과 기초 기술 연구 사업으로 구분된다. 1991년 전기통신기본법을 개정하여 전기 통신 사업자로 하여금 매년 매출액의 일정 비율을 사업자들의 공통 기술 또는 통신 방식의 연구 개발에 투자 또는 출연을 권고할 수 있도록 규정함으로써 연구 개발 재원의 안정적 확보 방안을 마련하였다. 1994년도의 연구 개발 투자 규모는 4,579억 원이다. 1993년도에 110억 원 정도의 규모였던 기초 기술 연구 사업은 정부 기관이나 통신 사업자를 통하여 대학의 기초 연구를 지원하였으나, 그 지원 방식이 산발적이고 단발적인 차원에서 이루어졌다(과학기술처, 1995; 체신부, 1994).

이러한 정부 지원 외에 민간 재단에서도 대학의 연구와 저술 등의 학술 활동 지원을 통하여 기초 연구를 지원하고 있으나, 그 규모는 영세한 수준이다. 1993년도 과학 기술 분야에 지원된 액수는 산학협동재단이 71과제 5억 6,000만 원, 아산재단은 5과제 4,200만 원에 불과하다(한국과학재단, 1994).

Ⅱ. 기초 연구 지원 제도의 문제점

필자는 설문 조사 응답자들에게 7개의 객관식 응답과 1개의 주관식 응답 중에서 현재 우리나라 기초과학 기술 연구의 주요한 문제점이라고 생각하는 바를 중요성에 따라 순서를 매겨 고르도록 요청하였다. 가장 중요한 문제점으로 지적된 빈도가 높은 항목은 연구비 지원 부족(185명), 기초 연구에 대한 사회적 인식 부족(145명), 대학 연구 기반 조성 미흡(118명), 연구 지원·관리 체제의 미흡(98명)의 순서로 나타난다. 둘째로 중요한 문제점으로는 연구비 지원 부족(141명), 대학 연구 기반 조성 미흡(131명), 연구 지원·관리 체제 미흡(104명), 기초 연구에 대한 사회적 인식 부족(93명)의 순서로 빈도가 높다. 셋째로 중요한 문제점으로 지적된 항목은 연구 지원·관리 체제의 미흡(115명), 대학 연구 기반 조성 미흡(111명), 연구비 지원 부족(103명), 기초 연구에 대한 사회적 인식 부족(81명)의 순서다. 이는 우리나라 연구자들이 개략적으로 연구비 지원 부족, 기초 연구에 대한 사회적 인식 부족, 대학의 연구 기반 조성 미흡, 연구 지원·관리 체제의 미흡을 기초과학 기술 연구의 가장 중요한 문제점으로 인식하고 있음을 보여준다.

응답 결과를 보다 일목요연하게 나타내기 위하여, 〈표-5〉에서 응답자가 문제점으로 지적한 항목에는 응답자가 부여한 중요성의 순서에 따라 8점부터 1점까지의 점수를 주고 문제점으로 지적하지 않은 항목에 대하여는 0점을 주어 그 평균치로 각 응답 항목의 중요성을 척도화하였다. 앞에서 언급한 바와 같이, 응답자들은 기초과학 기술 연구의 문제점으로서 대체로 그 중요성의 순서로 보면 연구비 지원 부족(6.57), 기초 연구에 대한 사회적 인식 부족(6.04), 대학의 연구 기반 조성 미흡(5.96), 연구 지원·관리 체제의 미흡(5.85), 연구자들의 연구 능력 부족(5.02)을 지적하였으며, 국제 교류 미흡(3.47)이나 산학연 협동 미흡(4.24)에 대하여는 비교적 작은 비중을 부여하고 있다.

응답자의 소속 기관별로 보면 대학교수들이 기초 연구에 대한 사

우리나라 기초과학 기술 연구의 문제점[1]

응답자 속성 \ 응답		①	②	③	④	⑤	⑥	⑦
연령	40세 미만	6.45	5.84	4.67	4.01	3.15	5.66	6.07
	40세 이상	6.65	5.86	5.23	4.41	3.68	6.18	6.02
	P Value	0.191	0.822	0.023	0.105	0.043	0.016	0.716
전공 분야	자연과학	6.94	5.64	4.79	3.85	3.59	6.22	6.18
	의학	6.71	6.07	5.33	4.38	3.87	6.51	5.60
	공학	6.27	5.84	4.99	4.34	3.23	5.57	6.15
	P Value	0.001	0.360	0.300	0.295	0.155	0.000	0.107
학위 취득국	국내	6.62	5.70	4.90	4.35	3.51	5.81	6.05
	국외	6.63	6.05	5.18	4.07	3.33	6.28	6.10
	P Value	0.431	0.089	0.273	0.299	0.711	0.085	0.922
소속 기관	대학	6.90	5.96	5.56	5.01	4.01	6.69	5.91
	정부 출연	6.00	5.59	3.79	2.24	3.00	3.69	5.98
	민간 기업	6.16	5.79	4.60	3.78	2.90	5.30	6.23
	P Value	0.000	0.460	0.000	0.000	0.000	0.000	0.378
직장 소재지	서울	6.61	6.01	5.06	4.26	3.63	6.00	6.11
	지방	6.53	5.71	4.98	4.23	3.35	5.95	6.00
	P Value	0.702	0.150	0.653	0.877	0.312	0.770	0.754
전체 평균		6.57	5.85	5.02	4.24	3.47	5.96	6.04

주: 1) "귀하는 현재 우리나라 기초과학 기술 연구의 문제점이 무엇이라고 생각하십니
　　까? 다수 응답의 경우, 중요한 순서대로 1, 2, 3으로 적어주십시오"에 대한 응답
　　이다.
　① 연구비 지원 부족 ② 연구 지원 · 관리 체제 미흡 ③ 연구자의 연구 능력 부족
　④ 산학연 협동 미흡 ⑤ 국제 교류 미흡 ⑥ 대학 연구 기반 조성 미흡
　⑦ 기초 연구에 대한 사회적 인식 부족 ⑧ 기타(주관식)
　응답을 8점 척도로 구성하였으며, 점수가 높을수록 중요한 문제임을 의미한다.

회적 인식 부족 이외의 전 항목에 대하여 응답자 전체 평균보다 강도
가 높게 문제점으로 지적함으로써, 기초 연구에 대하여 가장 심각한

우려와 관심을 갖고 있음을 확인하고 있다. 대학교수들은 특히 연구비 부족(6.90)과 대학 연구 기반 조성 미흡(6.69)을 문제점으로 강조하며, 연구자들의 연구 능력 부족(5.56)과 산학연 협동 미흡(5.01) 및 국제 교류 미흡(4.01)에도 상대적으로 민감한 반응을 보인다. 대조적으로, 정부 출연 연구소와 민간 연구소에서는 사회적 인식 부족을 제외하고는 전반적으로 문제점의 강도가 훨씬 낮게 나타나며, 산학연 협동이나 국제 교류의 미흡은 거의 문제시되지 않는다. 지역이나 연령, 전공 분야 또는 최종학위 취득 국가별로 인식하고 있는 문제점의 중요성 순서에는 차이가 없으나, 문제점의 강도에 대하여 수도권 지역과 40세 미만, 자연과학 전공자, 해외 학위 취득자들이 더욱 높은 반응을 보이고 있는 점은 기초 연구 수준에 대한 평가와 맥을 같이하고 있다. 기타의 주관식 응답에서 문제점으로 응답자들이 가장 자주 지적하고 있는 사항은 정부의 정책 의지와 일관성의 부족이었다.

다음으로는 향후 우리나라의 바람직한 과학 기술 기초 연구의 위상과 지원 제도가 나아갈 방향에 관한 응답자들의 견해를 살펴보자. WTO 체제의 출범 등 변화하는 국제 환경 속에서 우리나라 기초 연구의 비중이 어떻게 되어야 하는가의 질문에 대하여 응답자의 69.2%가 확대되어야 한다고 응답하였다. 응용 및 개발 연구에 비중을 두어 기초 연구의 비중이 감소되어야 한다고 생각하는 응답자는 11.2%, 기초 연구의 수준이 현 수준 정도로 유지되어야 한다는 응답자는 17.5%를 차지하였다. 기초 연구의 비중 확대 필요성에 대한 지지율을 응답자 속성에 따라 보면, 대학(71.0%)보다도 정부 출연 연구소(73.1%)에서 높고, 민간 연구소(64.7%)가 가장 낮다. 연령별로는 40세 이상, 전공 분야별로는 공학(62.4%)이나 의학(69.9%)에 비하여 자연과학(81.3%)이 현격히 높으며, 지역이나 최종학위 취득 국가별로는 별로 차이가 나지 않는다.

지원 제도의 발전 방향으로는 정부 차원의 지원 기관의 위상 강화

210

에 대하여 응답자의 76.9%, 민간 부문의 지원 제도 활성화에 대하여
는 79.7%가 지지하는 입장을 표명하였다. 특히 정부 출연 연구소
(85.0%)와 대학(82.9%), 수도권 이외 지역(80.8%), 40세 이상
(83.3%), 자연과학(83.5%)과 의학(82.1%) 전공자들이 정부 지원 기
관의 위상 강화에 적극적이었다. 민간 부문의 지원 제도 활성화에 대
하여는 민간 연구소(83.3%), 수도권 지역(81.6%), 국내 학위 취득자
(84.3%)가 약간 더 호의적인 반응을 보였다.

정부 차원의 지원이 고루 배분되어야 하는가에는 59.8%, 우수 연
구 기관 및 연구자를 집중 육성해야 하는가에 대하여는 63.8%가 지
지를 표명함으로써, 다른 문항과는 달리 응답자들 사이에 상당히 의
견이 나뉘어지는 양상을 보이고 있다. 정부 출연 연구소와 민간 연구
소, 수도권 지역, 40세 미만, 자연과학과 공학 전공자, 해외 학위 취
득자들은 상대적으로 균분에 비호의적이고 집중 육성을 선호하는 경
향을 나타낸다. 반면, 대학교수와 수도권 이외 지역, 40세 이상, 의학
전공자, 국내 학위 취득자들은 균분을 선호한다. 그러나 우수 연구
기관과 연구자에 대한 집중 육성의 필요성에 대하여는 응답자 속성
별로 구분한 모든 집단에서 과반수 이상의 지지를 표명함으로써, 대
체로 호의적인 입장을 보인다.

6. 과학 기술 기초 연구 육성 전략

우리나라의 과학 기술 투자 규모는 최근의 지속적인 증대에도 불
구하고 경제 규모에 비하면 낮은 수준이다. 연구 개발의 역사가 일천
한 우리나라는 선진국에 비하여 축적된 연구 개발 스톡이 빈약하기
때문에, 현재 동일한 연구 개발비를 투자할 때 기대할 수 있는 성과
에 차이가 날 수밖에 없다. 따라서 우리나라의 과학 기술 투자는 규

모를 확대하는 동시에 효율성과 실효성을 높여야 한다는 이중 과제를 안고 있으며, 기초 연구 육성 전략도 이러한 맥락에서 수립되어야 한다.

I. '기초과학'으로부터 '기초 연구'로

우선 기초과학 basic science과 기초 연구 fundamental research에 대한 명확한 개념 정립이 필요하다. 최근 우리나라 기술력의 취약성에 대한 근본적인 해결책으로 기초과학 연구에 투자를 확대해야 한다는 소리가 높아지고 있다. 여기에서 기초과학이란 대체로 수학, 물리학, 생물학, 지구과학 등의 특정 자연과학 분야를 지칭한다. 명확한 분야 간 구분을 바탕으로 기술을 과학의 응용이라고 보는 관점에 입각한 이런 주장은 설득력에 한계가 있다. 오늘날에는 과학과 기술의 접근 및 결합, 과학 기술의 거대화 · 복합화 추세가 현저해짐에 따라 모든 과학 기술 분야에서 수직적 · 수평적 협동 연구의 필요성이 증대되는 상황이기 때문이다. 반면 기초 연구란 연구 개발 활동의 성격을 지칭하는 개념이며, 자연과학뿐만 아니라 공학과 기타 상승 효과 synergy가 있는 인접 분야까지 포괄한다. 따라서 필자는 앞으로 우리나라의 과학 기술력 제고를 위한 육성 대상으로서 기초과학보다는 기초 연구의 개념을 사용하는 것이 바람직하다고 본다. 기초과학과 응용 기술로 구분하기보다는 어떤 분야에서라도 핵심적인 기초 연구의 중요성을 강조하는 편이 소위 기초과학 분야를 위한 지원에도 유리한 결과를 가져올 것이다.

II. 기초 연구 지원 및 관리 체제의 정비

우리나라의 과학 기술 기초 연구 능력과 직결되는 대학에 대한 정부의 지원은 과학기술처와 교육부에서 주로 담당하여왔으며, 최근에는 통상산업부, 정보통신부, 농림수산부, 보건복지부, 국방부 등에서도 소관 업무와 관련하여 지원하고 있다. 제한된 기초 연구 투자의 효과를 높이기 위해서는 관련 정부 부처간 역할 분담과 조정 및 협조 체제가 구축되어야 한다. 하나의 비유로, 우리나라에서 성공적이었던 스포츠 활동 지원에서 '선수촌 육성'과 '사회체육 진흥'은 그 성격과 추진 방식에 뚜렷한 차이가 있으며, 마찬가지로 과학 기술 기초 연구 지원도 대상과 논리 및 방식이 차별화되어야 한다. 그러나 현재로서는 부처간의 차별화와 실질적인 종합 조정 장치가 확립되어 있지 못하다. 참고할 만한 외국의 사례로서, 대만의 경우 교육부는 교육과 관련된 지원에 전념하고 인문사회과학을 포함한 모든 분야의 연구 투자는 국가과학위원회에서 총괄 조정하고 있다. 또한 전통적으로 분권형 권력 구조와 작은 정부를 지향해온 미국이 과학 기술 정책에 관하여는 상당히 중앙집중적인 방식을 취하고 있다는 점도 유의할 필요가 있다.

III. '생산'으로부터 '수확'으로

과학 기술 기초 연구에 대한 지원에는 제조업의 '생산 manufacturing' 개념과 함께 농업의 '수확 harvest' 개념이 도입되어야 한다. 기초 연구는 잠재적 응용 범위가 넓고 활용도를 명확히 예측하기 어려운 특징이 있으므로, 단기간의 투자를 통해 구체적인 성과를 얻으려는 생각보다 장기간에 걸쳐 씨를 뿌리고 거름을 주고 수확을 기다리는 자세로 지원할 필요가 있다. 또한 연구 역량이 입증된 연구자들의 연구 결과 산출에 대한 지원과 함께 발전 잠재력 potential을 기준으로 새로운 분야와 신진 연구자에 대한 지원을 강화하고 차세대 연구자의 육성과 관련된 활동에 적극 투자하여야 한다. 한마디로 젊은 세대를 위한 투자에 관심을 기울여야 한다. 1차 대전 후 미국에서 적극적인 과학 기술 진흥을 추진할 때 대학원생 지원과 박사후 과정의 도입을 통한 차세대 연구자의 육성에 가장 역점을 두었던 점을 주목할 필요가 있다.

IV. 민간 부문의 지원 유도

우리나라에서는 정부 이외에 민간 기업과 재단에서도 대학의 학술 활동 지원을 통하여 과학 기술 기초 연구 발전에 기여해왔다. 그러나 민간 재단의 과학 기술 기초 연구 지원은 다양한 사업, 그리고 다양한 지원 분야 중의 일부에 불과하고, 그 지원 규모도 영세한 수준이다. 민간 부문의 지원이 아직은 유의미한 영향을 미칠 수 있는 수준에 이르지 못하고 있으나, 앞으로 상당한 수준으로 확대될 수 있는 가능성이 있다. 미국에서 20세기초에 대자본에 대한 사회적 비판이 고조되는 분위기에서 설립된 록펠러, 카네기, 포드 등 유수한 민간 재단이 기초 연구의 발전에 중요한 기여를 하였던 역사적 경험과 최근 한국 대학들의 변화를 위한 움직임을 고려할 때, 한국에서도 민간 기업과 재단 및 개인 독지가의 과학 기술 기초 연구에 대한 지원을 적극적으로 유도할 수 있는 제도적 장치의 정립과 효과적 운영 방안에 대한 연구가 필요하다.

참고 문헌

과학기술처(1993), 『과학 기술 연구 활동 조사 보고』.
———(1995), 『'94 과학 기술 연감: 국민과 함께 하는 과학 기술』.
과학기술처 · 과학기술정책관리연구소(1994), 『2010년을 향한 과학 기술 발전 장기 계획』.
교육부(1994), 『교육 통계 연보』.
국가과학기술자문회의 · 대외경제정책연구원(1994), 『WTO 체제하의 GR · TR 대응 전략』.

김영걸(1994), 「대학에서의 기초 및 응용 연구」, 홍유수 편, 『한미간 과학 기술 협력 강화 방안 연구』, 대외경제정책연구원, pp. 83~103.

김정구(1994), 「대학의 교육 및 연구 활성화」, 21세기위원회 발표 원고.

김정구 외(1994), 『2010년을 향한 과학 기술 발전 장기 계획: 기초 연구·미래 원천 기술 부문』, 과학기술정책관리연구소.

김준현(1994), 「TR 대비 전략: 국제화 시대, 우리 과학 기술의 나아갈 길」, 『과학과 기술』, pp. 53~60, 1994년 6월.

대외경제정책연구원(1994), 『WTO 출범과 신교역 질서: 분야별 내용과 시사점』.

송종국·박용태(1994), 『UR 협정 타결에 따른 정보 통신 산업·기술 지원 정책 및 제도의 개선 방안에 관한 연구』, 과학기술정책관리연구소.

송종국·이명진(1994), 『우루과이 협정 타결과 기술 혁신 지원 제도의 개선 방향』, 과학기술정책관리연구소.

윤정로(1992), 「과학에서의 보상 체계」, 한국사회사연구회 논문집 제38집, pp. 67~88.

윤정로 외(1995), 『기술 라운드 대비 기초과학 기술 육성 방안』, 한국과학재단.

이가종(1995), 『학술지 평가 지표 개발 및 우수 학술지 육성 방안』, 1994년도 교육정책 특별 과제 연구 보고서.

임양택·송충한(1994), 「기초과학 연구 능력의 국제 비교 연구」 미출간 논문.

장세희 외(1991), 『기초과학 연구 진흥법에 따른 장기 발전 계획 수립에 관한 연구』, 한국과학재단.

체신부(1994), 『체신 백서』.

한국과학재단(1993), 『기초 연구 지원 통계 연보』.

————(1994), 『기초 연구 지원 통계 연보』.

————(1996), 『과학 재단 소식』 11월호.

한국학술진흥재단(1991), 『한국 학술 진흥 재단 10년사: 1981~1990』.

————(1994~1996), 『학술 진흥 재단 소식』.

Averch, Harvey A.(1991), "The Political Economy of R & D Taxonomies," *Research Policy* 20, pp. 179~94.

Drew, D. E.(1985), *Strengthening Academic Science*, New York: Prager.

Martin, B. and J. Irvine(1989), *Research Foresight: Priority-Setting in Science*, London.

Nueno, Pedro and Jan Oosterveld(1988), "Managing Technology Alliances," *Long Range Planning* 21 (3), pp. 11~17.

OECD(1980), *The Measurement of Scientific and Technical Activities(Frascati Manual)*, Paris: OECD.

————(1987), *University under Scrutiny*, Paris.

科學技術廳(1993), 『科學技術白書』, 東京.

————(1994), 『과학 기술 백서』, 동경.

Hicks, Diana(ヒックス, ダイアナ)・弘岡正明(1991), 『日本企業における基礎研究の定義及び日本企業における科學: 豫備的分析』, 東京: 科學技術廳 科學技術管理研究所.

臺灣 行政院 國家科學委員會 National Science Council(1994), 『中華民國科學技術統計要覽』.

216

제7장

미국의 국방 정책과 군수 산업
—— 산업 정책으로서의 국방 정책

1. 머리말

정부가 민간 부문의 경제 활동에 관여하는 방식에 있어서, 미국은
전통적으로 규제 지향적이고 시장 합리적 regulatory and market-
rational 입장을 대표한다고 알려져왔다. 미국 정부는 민간 기업들간
의 경쟁의 형태와 절차의 공정성을 유지하는 데 관심이 있을 뿐, 그
실제 내용에 관련된 문제에 대하여는 관심을 기울이지 않는다는 것
이다. 한가지 예로, 미국에는 독점을 막기 위하여 기업의 규모에 관
한 여러 가지 상세한 규정이 존재하지만 어떤 산업 부문의 육성이 필
요하며 어떤 부문은 축소되어도 무방한지에 대한 규정은 찾아볼 수
없다고 한다. 대조적으로 발전 지향적이며 계획 합리적 developmental
and plan-rational인 입장을 대표하는 일본의 경우는 정부의 경제 정책
에서 국가의 국제 경쟁력을 제고하는 방향으로 국내 산업 구조를 조
정하는 산업 정책에 역점을 둔다는 점이 지적되고 있다. 요컨대, 미
국 정부는 전략적이고 목표 지향적인 경제 운용을 위하여 치밀하고
강력한 산업 정책 수단을 보유하고 있지 않다는 견해가 널리 받아들
여져왔다(Johnson, 1982; Magaziner and Hout, 1980).

그러나 다른 한편 미국의 국방 정책은 평화시 국가 안보의 명분 아

래 시행된 사실상의 산업 정책으로 볼 수 있다는 주장도 다양한 형태로 제기되어왔다. 제2차 세계 대전을 계기로 엄청난 규모로 팽창한 미국의 군수 산업은 미국 경제에서 중요한 비중을 차지하게 되었으며,[1] 군비 지출과 군수 생산은 전쟁 수행이라는 일시적인 군사적 목적을 위해서뿐만 아니라 경제적 안정과 성장을 추구하기 위한 정부의 경제 정책 수단으로 활용할 수 있다는 인식이 자리잡게 되었다. 미국의 막대한 군비 지출의 영향력은 군수 산업의 양적 확대나 경기 조절 수단으로 작용하는 데 그치지 않고, 더욱 중요한 측면으로 무기의 개발과 생산, 유통에 결정적 영향력을 행사하여 일부 산업 부문의 성립과 발전에 핵심적인 역할을 담당함으로써 미국 경제에 구조적이고 장기적인 영향을 미쳐왔다는 점이다(김진균, 1992; 이삼성, 1991: 115~26; Castells, 1988; Hooks, 1990; Molina, 1989).

이 글은 미국 정부의 국방 정책이 전략적 중요성을 가진 산업 부문의 연구 개발과 생산에 영향을 미침으로써 부분적으로 산업 정책으로서의 함의를 가지고 있다는 관점에 입각하여, 2차 대전 이후의 미국의 국방 정책의 변화와 그 배경 및 군수 산업과 경제 전반에 대한 파급 효과를 살펴보고자 한다. 구체적으로는 1970년대까지의 냉전 시대와 1980년대의 신냉전 시대, 1990년대의 탈냉전 시대로 구분하여 미국 국방 정책과 전략적 군수 산업 부문의 관계를 파악한다.[2]

---

1) 군비 지출이 정점에 이르렀던 1986년 미국의 국방 예산은 3,710억 달러였으며, 미국 전체 노동 인구의 5.6%에 달하는 670만 명이 현역 군인이거나 군수업 관련 직업에 종사하였다. 당시 10억 달러의 군사비 지출은 5만 명의 고용 창출 효과가 있었다. 이후 급격히 감소하기 시작한 국방 예산은 1995년에는 2,520억 달러 규모로서, 10년 간 경상 가격 기준으로 32%의 감축을 기록하였다. 미국 연방 준비은행에서는 1987년부터 1997년 사이의 국방 예산 감축에 의한 고용 인원 감축 규모가 270만 명에 이를 것으로 추산하였다(Markusen, 1993: 130; Smith, L., 1993; US DOD, 1994a; B-1; 1994b).

2) 이 글에서 국방 정책이란 순수한 군사력의 운용에 국한된 좁은 의미의 군사 전략뿐만 아니라 "국가 목표를 보위하기 위하여 전시와 평화시 공히 군사력과 더불어 정

2. 냉전과 군비 증강

I. 국가 안보와 핵전략

1945년 제2차 대전의 종전과 더불어 전개된 새로운 국제 환경 아래서 미국의 국방 정책에 중대한 변화가 일어나게 되었다. 전쟁의 승패에 상관없이 구식민지 보유국의 지위가 하락하고 식민지 체제가 붕괴하면서 초래된 '힘의 공백' 상황에서, 전쟁의 상처 없이 더욱 증대된 경제력을 보유하게 된 미국은 상호 각축하는 여러 국가간의 세력 균형 유지를 위한 이전의 조정자적 역할에서 벗어나 자국 주도하의 세계 평화Pax Americana 창출과 유지에 적극적으로 나서게 되었다. 세계의 초강대국으로서 미국의 전략적 관심은 외국 군대의 침입에 대한 방어defense에서 세계 전역에 걸친 미국의 정치·경제·군사적 이해 관계의 보호라는 안보security의 개념으로 전환되었다. 이는 미국의 국방 정책에 있어서 전시와 평화시의 구분이 모호해지고 평시에도 막대한 규모의 항상적 군비 지출이 정당화될 수 있는 기반이 마련되었음을 의미한다. 다른 한편, 이전에는 세력 균형의 원리에 입각한 전략적 제휴의 대상이 되었던 소련이 사회주의권의 초강대국으로 등장하면서, 미국과 소련은 이념적·지정학적 적대 관계 속에서 전략적 우위를 확보하기 위한 경쟁에 돌입하게 되었고 '팽창주의적인 소련의 위협'이 미국의 국방 정책을 지배하는 요인으로 작용하였다.

종전 후 미국의 국방 정책은 미국이 '가장 우수한 파괴의 무기'와 함께 '가장 우수한 재건의 무기'를 보유하고 있으며, 특히 '절대 무기'를 독점하게 됨으로써 특별한 지위를 차지하고 있다는 인식을 바

치·경제·심리적 측면의 국력을 개발하고 활용하는" 거시적 수준의 국가(안보) 전략 또는 '대전략grand strategy'을 포괄하는 의미로 사용한다(Trofimenko, 1989: 11~12).

탕으로 하는 경제적·군사적 차원의 '공산주의 봉쇄 containment' 전략으로 구체화되었다. 그러나 소련의 원폭 개발 성공과 수폭 개발 경쟁의 개시를 배경으로 미국의 봉쇄 전략은 소위 '대량 보복 전략'으로 형태를 바꾸게 되었다. 대량 보복 전략이란 핵무기와 공군력의 우위를 바탕으로 국지전에 대하여도 대량 보복의 의지를 강력히 천명함으로써 모든 무력 침략을 억지할 수 있다는 발상에 토대를 두고 있다. 그러나 1957년 소련의 인공위성 스푸트니크의 발사와 함께 미국 군사력과 과학 기술력의 우월성에 대한 가정은 심각한 도전을 받게 되었으며, 소련 대륙간 탄도 미사일 ICBM의 미국 본토에 대한 직접 폭격 능력이 입증되었다. 이에 대응하여 미국은 항공 우주국 NASA을 설립하여 적극적인 우주 개발과 미사일 기술 격차의 극복에 주력하였다.

1961년 케네디 행정부의 출범과 함께 미국의 군사 전략은 모든 종류의 공격에 유연하게 대응할 수 있는 체제를 갖춤으로써 위험 부담을 최소화한다는 '유연 대응 전략'으로 전환되었다. 그러나 그 요체는 유럽과 아시아에서 대규모 전쟁과 별도의 작은 전쟁을 동시에 수행할 수 있는 능력을 확립한다는 것으로, 결국 군비 증강의 논리로 이어졌다. 1962년부터 소련의 선제 공격을 당한 후에도 소련에게 감당할 수 없는 피해를 줄 수 있는 2차 공격 능력을 미국이 보유하고 있다는 것이 분명해지면 소련의 공격을 억지할 수 있다는 논리에 의한 소위 '상호 확증 파괴 mutually assured destruction' (MAD)의 개념이 도입되면서, '공포의 균형' 유지를 위한 문자 그대로의 광기 어린 군비 증강 경쟁이 전개되었다. 베트남에 대한 군사 개입 좌절의 여파로 1970년대에 들어 미국은 닉슨 독트린의 선언과 함께 군사 전략을 제휴, 힘(군사력), 협상에 입각한 '현실 억지 전략'으로 전환하면서, 소련의 전략 핵무기 증대를 억제해야 할 필요성이 증대됨에 따라 1972년 미·소간의 제1차 전략 무기 제한 협정 SALT이 타결되었다. 그러나 전략 무기의 보유량을 제한하는 군축 협상의 이면에서는 다탄두 각개 유도 미사일 multiple independently-targeted re-entry vehicle(MIRV) 같은 보다 고성능의 정교화된 전략 핵무기 개발이 추진되었다.

냉전기 미국의 군사 전략은 세부적 변화에도 불구하고 기본적으로 소련에 대한 '봉쇄'와 핵전략이 주축을 이룬다는 특징이 있다. 1945년 미국 합동 참모본부에서 작성한 「군사 정책 수립의 기초」에 의하면, 군사력의 '충분성' 유지가 미국 군사 전략의 기본 원칙이 되어야 한다. 다시 말하면, 어떤 나라도 '미국의 반대에 맞서' 전쟁을 일으키지 못하도록 미국은 평화시에도 압도적으로 강력한 군대를 유지해야 하며, 미국의 전략 계획은 최악의 상황, 즉 가능한 가장 커다란 위협을 전제로 수립되어야 한다는 것이다. 또한 충분성 유지 방안의 하나로 미국은 무기의 우월성을 보장하기 위하여 신무기 및 그 대응 수단 개발에 주력해야 한다고 주장하였다. 이런 원칙들은 미국에서 군수 관련 연구 개발 및 생산 확대를 통한 군비 경쟁의 원동력이 되었다 (Brzezinski, 1992; 坂井昭夫, 1986: 31~53; 이삼성, 1991; Trofimenko, 1989).

II. 항공 산업과 전자 산업의 성장

전후 미국의 군사 장비 구성은 지속적으로 탱크와 대포, 군함 등 전통적인 무기의 비중이 감소하고 항공기, 미사일, 전자·통신 장비 등 새로운 무기의 비중이 증대하는 추세를 보였다. 2차 대전중이던 1942~1944년과 1962년을 비교하면, 전통적 무기와 신예 무기의 비중이 66 : 34에서 24 : 76으로 역전되었으며, 특히 미사일과 전자·통신 장비의 비중이 현격히 증대하였다(김진균·홍성태, 1996: 104). 이런 무기 체계의 변화는 전통적인 지상군 위주에서 공군력과 핵무기 위주로 전환된 미국 군사 전략의 변화를 축약적으로 보여주고 있다. 2차 대전 때의 경험을 바탕으로 전략 폭격을 통하여 소련의 보급 능력을 궤멸시키면서 지상군도 격퇴한다는 초기의 대소 봉쇄 전략 구상은 자연히 전략 폭격기 개발을 중시하게 되었다. 1950년대 후반 이후 전개된 전략 핵무기 우위와 '확증 파괴 능력'의 확보를 위한 군비 확장에서는 전략 폭격기와 함께 전략 미사일이 주축을 이루었다.

따라서 냉전기 미국에서 전략적으로 가장 중요한 군수 산업은 항공 우주 산업과 전자 산업이었으며, 1960년대초까지 이 두 부문의 발전은 국방 정책과 밀착되어 있었다.[3] 설비 투자와 운영, 수요 확보 및 연구 개발을 위한 미국 정부의 지원은 항공 우주 산업에서 더욱 압도적이었다. 미국 정부는 2차 대전 참전 기간인 1939년에서 1945년 사이 항공 산업에 대하여 35억 달러의 직접 투자와 3억 1,700만 달러의 민간 투자 보조금을 제공하였다. 이 결과 항공 산업은 미국의 최대 산업이 되었으며, 미국 정부는 1945년 기준 항공기 제조용 자산의 90%를 통제하게 되었다.

종전 후에도 미국 정부는 군사적 필요에 의한 연구 개발 활동을 적극적으로 수행하고 군용기를 생산하며 전시에는 신속히 생산을 확대할 수 있도록 대규모 항공 산업을 유지하는 데 지대한 관심을 가졌다. 전후 미국 주도에 의한 국제 민간 항공 운송업의 발전도 항공 산업 부양 방안의 일환으로 이해할 수 있다. 한국 전쟁중인 1950년에서 1953년까지 새로운 항공기 제조 설비의 80% 이상과 항공기 제조 총 투자의 65% 이상이 미국 정부의 국방 예산에 의하여 제공되었다. 미국 정부의 군용기 조달 방식은 민간 생산업체의 고정 자본뿐만 아니라 운영 자금까지 공급하여 군수업체의 재정적 위험도를 낮춤으로

---

3) 오늘날 연구 중심 첨단 전자 산업의 밀집 지역으로 유명한 미국의 실리콘 밸리 Silicon Valley의 형성도 대학-기업-정부 사이의 긴밀한 협조 아래 성장한 군수 관련 초단파 전자 산업으로부터 시작되었다. 실리콘 밸리라는 지명은 반도체를 이용한 극소 전자 산업의 밀집에서 유래하였지만, 항공 우주 산업은 실제로 최대 규모의 고용 기회와 구매력을 제공함으로써 실리콘 밸리의 성장에 결정적 영향을 미쳤다(Kargon, Leslie and Schoenberger, 1992).

써, 민간업체들이 국방성의 목표와 요구에 순응하도록 하였다. 수요 확보의 측면에서는, 1950년대에서 1960년대에 걸쳐 미국 전체 항공기 매상고의 80% 정도는 시장 상황에 영향을 받지 않고 독자적인 방식으로 체결되는 정부의 군사용 항공기 구매로 충당되었다. 1953년부터 1962년까지 미국 총연구 개발비의 1/3 이상이 항공 산업에 투자되었다(〈표-1〉 참조). 항공 산업 연구 개발비 중에서 정부에서 부담하는 비율은 88%며, 이는 정부 지원 연구 개발비 총액의 52%에 해당한다. 국방성의 지원 아래 군수 항공기 생산업체에서는 연구 개발을 확대하여, 1962년 매상고 대비 연구 개발비의 비율이 31%에 달하였다. 당시 무기 산업 전반의 매상고 대비 연구 개발비 비율은 20%, 전체 산업에서는 3% 정도에 불과하였다(産軍複合體硏究會, 1988: 166~208; Hooks, 1990: 375~79).

냉전기 미국의 국방 정책은 현대 과학 기술 혁명의 토대가 된 극소 전자 기술의 발전에도 지대한 영향력을 행사하였다. 특히 집적 회로의 탄생과 폭발적 성장은 국방 정책 방향과 민간업체의 활력이 결합하여 빚어낸 결과로 볼 수 있다. 1950년대와 1960년대에 걸쳐 국방성 (공군)에서는 전자 회로의 신뢰도 향상과 소형화를 요구하였다. 항공 산업의 경우와는 달리, 국방성의 관심이 대규모의 다각화된 전자 회사들에 대하여는 지배적 영향력을 행사할 수 없었던 반면, 군수 지향적인 소규모, 신생업체들의 연구 개발 방향 설정에는 결정적 영향을 미쳤다. 물론 집적 회로나 그 대규모 생산 공정 자체가 국방성의 직접적 지원에 의하여 개발된 것은 아니지만, 연구 개발과 제품의 판로에서 군수 의존 비율이 높던 신생업체인 텍사스 인스트루먼트Texas Instruments와 페어차일드 반도체Fairchild Semiconductors에 의하여 개발되었음을 주목하여야 한다. 집적 회로가 일단 개발된 이후 1960년대까지의 성능 개선과 생산 기술 및 생산량 확대를 위하여 국방성은 압도적 역할을 담당하였다(〈표-2〉 참조). 1960년대초의 확증 파괴 능

〈표-1〉　　　미국 항공 산업의 연구 개발 투자, 1953~1962

(단위: U.S. 100만 달러)

연도	미국 전체 (A)	정부 전체 (B)	항 공 산 업				
			민간(C)	정부(D)	(D/B, %)	합계(C+D/A, %)	
1953	3,630	1,430	118	640	(44.8)	758	(20.9)
1954	4,070	1,750	-	-		-	
1955	4,460	2,180	-	-		-	
1956	6,598	3,328	266	1,812	(54.4)	2,078	(31.5)
1957	7,725	4,336	361	2,266	(52.3)	2,627	(34.0)
1958	8,363	4,759	386	2,276	(47.8)	2,662	(31.8)
1959	9,609	5,610	405	2,769	(49.4)	3,174	(33.0)
1960	10,507	6,125	451	3,180	(51.9)	3,631	(34.6)
1961	10,872	6,436	420	3,537	(55.0)	3,957	(36.4)
1962	11,560	6,729	412	3,787	(56.3)	4,199	(36.3)

자료: Hooks, 1990: 380.

력 확보를 위한 탄도 미사일 프로그램과 항공 우주국 NASA의 구매는 값비싼 집적 회로의 시장을 제공하였을 뿐만 아니라 그 유용성을 입증함으로써, 이후 민수 시장의 폭발적 성장에 토대가 되었다. 규모의 경제로 가격이 인하됨에 따라 1967년부터는 집적 회로의 민수가 군수를 능가하게 되었다(Braun and Macdonald, 1982; Hooks, 1990: 385~90; Leslie, 1993; Molina, 1989).

이외에 정보 통신과 컴퓨터 산업의 발전에도 군수가 중요한 역할을 담당하였다. 2차 대전시의 군용 레이더 Radio Detecting and Ranging(RADAR) 개발은 기술적으로 전후 정보 통신 산업에 광범위하게 응용되었을 뿐만 아니라, 방대한 자금과 인력 지원을 통하여 전자 산업 전반의 발전에 토대를 마련하였다. 최초의 컴퓨터인 ENIAC은 미사일 항로를 계산하기 위한 목적으로 만들어졌으며, 1954년 최

〈표-2〉 미국의 집적 회로 생산과 가격 및 군수 비율, 1962~1972

연도	총생산액 (100만 달러)	평균 가격 (달러)	군수 비율 (%)
1962	–	50.0	100
1963	4.5	31.6	94
1964	13.8	18.5	85
1965	95.4	8.3	72
1966	165.0	5.1	53
1967	178.8	3.3	43
1968	247.3	2.3	37
1969	423.6	1.7	–
1970	490.2	1.5	–
1971	635.2	1.3	–
1972	–	1.0	–

자료: Braun and Macdonald, 1982: 98.

초의 상업용 컴퓨터인 UNIVAC이 만들어질 때까지의 컴퓨터 개발과 이용은 군사적 용도에 국한되었다. 1960년대초에도 컴퓨터 산업의 최대 고객은 국방성이었으며, 최대의 민간 고객은 군수가 압도적 비중을 차지하는 항공 우주 산업 부문의 기업들이었다. 1960년대 중반 이후에는 민수 시장의 비중이 50% 이상으로 증대하면서 국방성의 영향력이 상대적으로 감소하였다(Kargon, Leslie and Schoenberger, 1992; Molina, 1989; Sharpe, 1969: 185~99).

3. 신냉전과 전략 방위 구상

I. 전략 방위 구상의 전략적 의미

1980년 대통령으로 당선된 공화당의 레이건 후보는 힘있는 지위에서 소련과 대화하기 위해 미국의 군사력 우위를 회복한다는 것을 핵심 공약의 하나로 제시하였으며, 1983년 3월 23일에는 21세기를 향해 우주에 전략적 방위 체계를 구축해야 한다고 제창함으로써 미국의 국방력 강화 노력이 새로운 국면에 돌입하게 되었다.[4] '전략 방위 구상'이란 기본적으로 적국의 핵공격을 우주 및 지상에서 요격하여 무력화(無力化)시키는 방어 체계를 의미하며, '별들의 전쟁 Star Wars'이라는 별칭에서 알 수 있듯이 우주에서의 감시, 추적 및 요격을 강조하는 군사 전략이다. 이전의 상호 확증 파괴 논리가 방어를 허용하지 않는 핵 억지(抑止) 전략이며 전략 무기 제한 협정도 공포의 균형점 수준을 약간 낮추는 효과를 갖는 데 불과한 반면, 전략 방위 구상은 탄도 미사일의 효용을 없애버림으로써 핵군비의 증강을 막고 핵전쟁의 위험을 원천적으로 제거할 수 있다고 그 옹호론자들은 주장한다. 다시 말해서, 과거의 상호 확증 파괴를 '상호 확증 안전 보장 mutually assured security'으로 전환할 수 있다는 것이다.

이러한 전략 방위 구상에 대한 비판은 두 가지 쟁점으로 요약된다.

---

4) 전략 방위 구상은 국방성이나 군산 복합체의 로비에 의해서 제안된 것이 아니라 레이건 대통령 자신과 측근 참모들에 의하여 창안된 것이며, 이에는 무기 개발에 관련된 과학계의 로비가 중요한 요인으로 작용하였다는 분석들이 나와 있다. 일례로 레이건 대통령은 캘리포니아 주지사 시절부터 수소 폭탄 개발의 주역이며 주요 무기 개발 기관인 로렌스 리버모어 국립연구소Lawrence Livermore Laboratory의 설립자인 에드워드 텔러 Edward Teller 박사와 교분을 나누었으며, 그가 추천한 키워스George A. Keyworth 박사를 대통령 과학고문으로 임명하였다. 이들은 전략 방위 구상의 가장 강력한 지지자이며 홍보자로 활약하였다(Castells and Skinner, 1988: 25~32; Thompson, 1986).

첫째는 기술적 실현 가능성 feasibility의 문제다. 전략 방위 구상에서 요구하는 첨단 우주 장치들은 아직 이론적 가설이나 초보적인 개발 단계에 있는 수준에 불과하며, 설사 개발이 가능하다고 하더라도 미국 경제가 현실적으로 감당하기 어려운 엄청난 규모의 투자가 요구되고 그 시기도 21세기에 이르러서야 가능할 것으로 예측되기 때문에 적합한 군사 전략이 되지 못한다는 비판이다 (Castells and Skinner, 1988; US OTA, 1988; 豊田利幸, 1988). 이런 비판에도 불구하고 전략 방위 구상은 1984년 레이건 대통령의 재임과 함께 공식적으로 미국의 새로운 군사 전략으로 정착되었다.

둘째는 전략 방위 구상이 오히려 핵전쟁의 발발 가능성을 한층 더 고조시킬 수 있다는 비판이다. 전략적 대치 상황하에서 한쪽 편의 방어력 향상은 다른 편의 공격력 강화를 촉구하는 원인이 된다. 전략 방위 구상이 실현되면 궁극적으로 소련의 기존 핵전략 무기는 무용지물이 되기 때문에 소련으로서는 전략 방위 구상에 대비한 새로운 군비 개발과 확산 경쟁에 나서지 않을 수 없게 된다. 따라서 상호 확증 안전 보장이라는 전략 방위 구상의 논리는 허구며 실제로는 상호 확증 파괴의 연장선 위에서 군비 경쟁이 한층 더 강화되는 결과를 낳게 된다는 것이다. 결국 전략 방위 구상은 정보 전자, 항공 우주, 광학 등의 첨단 과학 기술 성과를 기반으로 전략 영역의 범위를 우주로까지 확대시킨 새로운 군사 전략 체계로서, 군사력 증강 정책이 외연적 확장으로부터 과학 기술 발전에 토대를 둔 내포적 심화로 전환되고 있음을 보여주고 있다(김진균 · 홍성태, 1996; 産軍複合體研究會, 1988; 豊田利幸, 1988; Thompson, 1986).

II. 산업 · 기술 정책으로서의 전략 방위 구상

전략 방위 구상은 근년에 추진된 가장 조직적이며 정치적으로 강력한 지지를 받는 최대 규모의 군사 기술 개발 계획으로서, 공식적인

군사 전략으로 존속한 기간보다 훨씬 장기간에 걸쳐 미국의 산업·
기술 정책에 심대한 영향을 미칠 것으로 평가된다. 전략 방위 구상은
기존의 군사 기술을 용도 폐기할 수 있는 기술적 도약을 지향함으로
써, 미국이 소련에 대하여 누리고 있는 가장 중요한 비교 우위 요소
인 첨단 과학 기술력을 토대로 전략적 우위를 확보하려는 시도다. 전
략 방위 구상은 1950~1960년대처럼 우주 항공, 전자, 정보 통신 등
의 첨단 산업과 국방 정책간의 긴밀한 관계를 복원하고 강화한다. 이
러한 첨단 산업이 1950~1960년대에는 미국 경제 구조에서 미미한
비중을 차지했던 데 비하여 1980년대에는 미국 경제 전반의 경쟁력
을 결정하는 핵심 요인으로 부상함으로써, 전략 방위 구상의 영향력
은 더욱 증폭될 수 있다(Castells and Skinner, 1988; Mosco, 1989).

전략 방위 구상은 무엇보다도 연구 개발 투자의 지형을 변화시킴
으로써 기업 및 연구 기관의 활동에 커다란 영향을 미칠 수 있는 가
능성을 보유하고 있다. 〈그림-1〉과 〈그림-2〉에서 볼 수 있는 바와 같
이, 전략 방위 구상의 추진으로 미국의 연구 개발 활동은 다시 군사
관련 부문으로 집중되었다. 1960년대말부터 축소되어오던 연방 정부
의 군사 연구 개발비 규모는 1980년대에 급속히 확대되었으며, 연방
정부의 전체 연구 개발비에서 차지하는 비중도 최저치인 1979년도의
46.1%로부터 지속적으로 높아져 1988년도에는 70.1%에 이르게 되
었다. 1984년부터 1987년도까지 미국의 총연구 개발비 지출 규모 증
가의 약 42%가 전략 방위 구상과 관련되어 있다(Stowsky, 1988: 49).

전략 방위 구상과 관련하여 1983년부터 1987년까지 500개의 민간
기업, 100개의 대학, 100개의 비영리 기관과 4,800건수의 계약이 체
결되었다. 총계약고 150억 달러 중 78%인 120억 달러는 기업, 12%
인 18억 달러는 국립연구소, 4%는 기타 정부 기관, 대학에 3%, 비영
리 기관에 1%, 나머지 2%는 외국 기관에 배당되었다(Stowsky,
1988: 62~63). 전략 방위 구상의 최대 수혜자는 전통적인 대규모 군

228

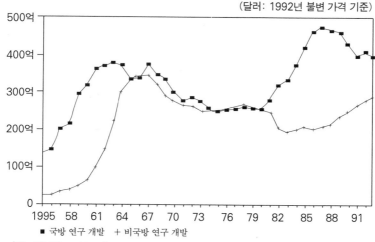

〈그림-1〉   미국 연방 정부의 연구 개발 투자액, 1955~1993

(달러: 1992년 불변 가격 기준)

■ 국방 연구 개발   + 비국방 연구 개발

자료: US OTA, 1993: 6.

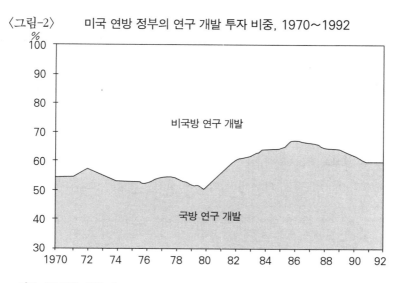

〈그림-2〉   미국 연방 정부의 연구 개발 투자 비중, 1970~1992

%

비국방 연구 개발

국방 연구 개발

자료: US OTA, 1993: 7.

수업체와 군사 연구에 주력하는 국립연구소(Lawrence Livermore Lab, Los Alamos Lab) 및 대학(MIT)이었다(〈표-3〉 참조). 상위 20대 계약 기관의 계약고가 75.5억 달러에 이르러, 전체 계약고의 50% 이상을 차지하고 있다. 기관별 계약고 평균이 상위 10대 기관의 경우에는 5.5억 달러인 데 비하여 11위에서 20위 기관은 2.2억 달러로서, 전략 방위 구상의 수혜가 소수의 기관에 집중되어 있음을 알 수 있다. 이런 대규모 업체들은 주로 실용 무기나 시제품 개발에 참여하고 있다.

전략 방위 구상은 C^3I(Command, Control, Communication, and Intelligence) 체제와 연결되어 '군사 정보화 사회 military information society'(Mosco, 1989)의 도래를 가속화하였다. 전략 방위 구상의 실현에는 컴퓨터와 인공 위성 중심 통신 기술의 결합을 통한 무기 체계의 사정 범위와 속도, 정확도 향상 및 정보 수집과 감시, 정찰 활동의 강화가 필수적이다. 따라서 전략 컴퓨터 Strategic Computing Initiative, 초고속 집적 회로 Very High Speed Integrated Circuits(VHSIC), 반도체 제조 기술 Semiconductor Manufacturing Technology Corporation (SEMATECH) 등의 정보 통신 관련 첨단 기술 개발 계획이 국방성 주도 또는 후원 아래 추진되었다. 전략 방위 구상이 군수 관련 정보 산업의 발전에 보다 직접적으로 기여한 바를 살펴보면, 우선 컴퓨터 시뮬레이션, 체계 분석, 무기 성능 평가 등의 분야에서 대규모 시장을 창출함으로써 정보 처리와 연구를 전문으로 하는 기업의 창업과 성장을 촉진하였다는 점을 들 수 있다.[5] 둘째는 새로운 소프트웨어와 네트워크의 개발과 확산에 기여한 바로서, 상이한 소프트웨어들 사

---

5) 대표적인 예로 캘리포니아 주 소재의 SAIC(Science Applications International)를 보면, 1984년 당시 5,700명의 근로자들이 전적으로 기술적이며 전략적 연구에 종사하며, 연간 매출고 4.2억 달러 중에서 90%를 미국 정부와의 계약에 의존하였다. 전직 국방장관 및 고위관료, 국가안보청장 및 고위관료, 국무차관, MIT 경영자 등으로 구성되어 있는 이사진은 군-과학계-정보 기관의 긴밀한 연계를 시사하고 있다(Castells and Skinner, 1988: 39~41).

〈표-3〉 상위 20대 전략 방위 구상 계약 기관 및 계약고, 1983~1987

(단위: 100만 달러)

순위	기관명	계약고	순위	기관명	계약고
1	Lockheed	1,024	11	MIT	353
2	GM(Hughes Aircraft)	734	12	Raytheon	248
3	TRW	567	13	LTV	227
4	Lawrence Livermore Lab	552	14	Fluor	198
5	McDonnell Douglas	485	15	Grumman	193
6	Boeing	475	16	Gencorp	191
7	EG & G	468	17	Teledyne	189
8	Los Alamos Lab	458	18	Honeywell	151
9	General Electric	42	19	Martin Marieta	134
10	Rockwell International	369	20	Textron	118

자료: Castells and Skinner, 1988: 40; Stowsky, 1988: 65.

이의 호환이 가능하도록 하는 ADA언어와 인터넷을 그 대표적인 예로 들 수 있다. 마지막으로, 전략 방위 구상에 관련된 첨단 기술 분야의 모험적 창업 자금venture capital 지원이다. 전략 방위 구상은 1986년부터 1990년까지 미국의 첨단 기술 분야 창업 자금 총액의 20% 정도를 지원하였다. 요컨대 전략 방위 구상은 다수의 소규모 혁신적인 신생 기업과 계약을 체결함으로써 대기업 중심의 전통적인 군수 조달 활동을 능가하는 영향력을 발휘하였다(Castells and Skinner, 1988; Mosco, 1989; Stowsky, 1988: 62~71).

전략 방위 구상이 궁극적으로 미국 경제 전반에 미치는 영향에 대하여는 의견이 분분하다. 옹호론자들은 전략 방위 구상 관련 연구들이 기술적 스핀-오프spin-off 효과를 창출함으로써 민간 첨단 기술 산업을 강화하는 매개체 역할을 수행할 것이라고 주장한다. 예컨대 전략 방위 구상국SDIO에서는 실현 가능성이 매우 높은 18가지의 스핀-

오프 기술로부터 향후 40년 간 약 5조 내지 20조 달러 규모의 민수 시장이 파생될 것으로 추정하였다(Stowsky, 1988: 45). 그러나 반대론자들은 군수 관련 연구의 스핀-오프 효과는 제한적일 수밖에 없는데, 전략 방위 구상이 기술 혁신을 위한 자원과 고급 인력을 군수 산업에 편중시킴으로써 고용 및 민수 축소를 초래하여 장기적으로는 미국 경제 활성화에 불리한 결과를 낳게 된다고 주장한다(조순경, 1993; Mosco, 1989).

4. 탈냉전 시대의 국방 정책과 군수 산업

I. 새로운 전략 환경의 도전과 대응: 군축과 경제 안보

소련의 해체는 전후 미국 군사 전략의 표적을 제거해버림으로써 미국의 국방 정책에 일대 변환을 요구하는 최대의 충격적 사건이었다(US DOD, 1993: 1994a). 냉전의 종식과 함께 미국의 전략 환경은 보다 복잡하고, 보다 모호하며, 보다 유동적인 방향으로 변화하고 있다. 소련의 붕괴로 미국은 유일한 초강대국으로 남게 되었다. 그러나 이것이 미국 중심의 단극(單極)적 국제 질서로의 이행을 의미하는 것은 아니며, 미국은 심각한 새로운 도전에 직면하고 있다. 첫째, 양극적 대립 구도의 소멸과 함께 세계 질서의 안정성, 단순성, 규칙성, 기율도 사라졌다. 과거 소련의 위협은 군사 및 이데올로기의 영역에 국한되어 있었으며, 명백하고 분별과 통제가 가능하였다. 그러나 이제는 다극적 경쟁 체제로 돌입하면서, 개입되는 행위 주체, 권력 수단, 상황 및 이유가 대단히 다양화되고 있다. 우리가 최근에 목격하는 바와 같이 다양한 지역에서, 그리고 국가간뿐만 아니라 국가 내부에서도 분쟁이 발생할 수 있으며, 인종이나 민족, 종교 문제 같이 냉전기에는 억제되어 있던 분쟁 요인이 분출될 수 있다는 것이다.

둘째, 소련의 붕괴로 대량 파괴 무기가 정치적으로 불안정한 지역의 국가나 테러 집단에 확산되었으며, 이에 따라 냉전기에는 미·소간에 암묵적 합의가 이루어져 있던 핵무기 불용(不用) 원칙의 준수 여부가 불투명해지게 되었다.

셋째, 미국의 군사적 우위는 유지되고 있으나 경제적 주도권이 감퇴하고 있다. 탈냉전기의 국제 정치에서는 국내와 대외 문제의 구분이 흐려짐에 따라 국내의 정치·사회·경제적 복지가 국가의 행태를 결정하는 요인으로 작용하며, 군사력이 아닌 경제력의 중요성이 증대하고 있다.

마지막으로, 국가 안보에 대한 광범위한 국민적 합의를 형성하기가 어렵다는 점이다. 이제 전쟁이 선진 산업국에서는 폐용지물이 되고 '오직 가난한 나라들만이 할 수 있는 사치품'(Brzezinski, 1992: 56)처럼 보이며 대내적으로도 빈곤, 실업, 인종 문제 등 심각한 사회적 갈등에 직면하고 있는 상황 아래서, 분산적이고 모호하며 멀리 느껴지는 안보 위협을 국민들에게 납득시켜 일사불란한 대응책을 마련하기는 결코 용이한 일이 아니다(이삼성, 1991; 하영선, 1992; Brzezinski, 1992; Foster, 1994; US DOD, 1994a; 山下正光 외, 1994: 18~26).

이렇게 예측 가능성이 사라지고 불확실성이 지배하게 된 전략 환경에서 일차적으로 나타난 국방 정책상의 변화는 대폭적인 국방 예산의 삭감이었으며, 이에 따라 군사력의 축소화와 재편성 작업이 추진되었다. 미소간의 전면적 핵전쟁 위협은 사라졌다는 판단 아래, 부시 행정부에서는 전략 핵무기 감축, 전략 방위 구상의 규모 축소와 우발적이고 제한적인 탄도 미사일 및 핵공격 저지에 중점을 두는 GPALS(Global Protection Against Limited Strikes)로의 전환, 기본 군사력 base force 개념에 의한 군사력 축소를 제안하였다. 1993년 출범한 클린턴 행정부는 추가적인 국방비 삭감 압력 아래서 국방 정책 재조정 작업의 일환으로 전략 방위 구상의 추진을 중지하고 탄도 미사일

방위 구상Ballistic Missile Defense을 제시하였다. 이 구상은 GPALS보
다 훨씬 축소된 규모며, 제3세계 지역 분쟁에서의 단거리 탄도 미사
일 공격에 대한 '방어'를 목표로 하는 전역(戰域) 탄도 미사일 방위
Theater Missile Defense에 최우선 순위를 부여하고 있다. 결국 탈냉전
시대 미국의 군사 전략은 경감된 비용으로 국제 정치의 주도권을 유
지하고자 하는 목표를 추구하고 있다(이정민, 1993; Oberdofer, 1993;
Smith, D., 1993; US DOD, 1993; 1994a; 關谷道春 1994; 山下正光 외,
1994: 18~37).

탈냉전 시대 미국 국방 정책에 나타나는 또 하나의 의미심장한 변
화는 근본적으로 국가 안보에 대한 접근 방식이 재정립되고 있다는
점이다. 미국의 국가 안보는 군사력과 경제력이라는 양대 지주에 의
지하여왔다. 그러나 2차 대전 후 미국 경제가 압도적 주도권을 행사
하게 되면서, 미국의 국가 안보는 국방·외교 정책과 동일시되었고
주로 국제 문제에 초점을 맞추었다. 물론 1970년대부터 미국 경제의
압도적 위상이 흔들리고 유럽 및 일본 경제와의 상호 의존성이 높아
지면서, 국제 경제가 국가 안보의 구성 요소로 인식되게 되었다. 탈
냉전과 함께 전개되는 새로운 국내·외 상황은 국가 안보에 대하여
경제뿐만 아니라 환경, 자원, 인구 및 제반 사회 문제를 포괄하는 방
향으로의 새로운 개념 정립을 요구한다는 인식이 고조되고 있다. 미
국의 경제 활성화에 최우선 순위를 두겠다고 공언해온 클린턴 행정
부에서는 군사 정책도 경제와의 긴밀한 연관 속에서 수행하고 있다.
미국 국방성에서는 '경제 안보economic security'를 새로운 시대 국방
정책의 핵심 요소로 규정하고, 차관보Assistant Secretary급의 전담직
을 신설하는 등 적극적 실천 의지를 표명하고 있다. 동시에 '환경 안
보'도 국방 정책의 주요 의제로 부상하였다(Ferris and Jackson, 1994;
Foster, 1994; Mathews, 1989; US DOD, 1993; 1994a).

II. 군수 산업의 구조 전환과 겸용 기술

탈냉전 시대 미국의 지속적이고 대폭적인 국방 예산 감축과 국방 정책의 변화는 군수 산업에 중대한 충격을 미치고 있다. 〈표-4〉에서 보듯이 1990년부터 1995년 사이에 미국의 전체 국방 예산 규모는 3,390억 달러에서 2,520억 수준으로 26% 감소되었다. 그 내역을 보면, 군수 조달비는 54% 감소된 반면 가동·유지비는 10%, 연구 개발비는 14% 감소하는 데 그치고 있으며, 연구 개발비는 다시 증액되는 조짐을 보이고 있다. 군수 조달비의 대규모 감축은 군수 생산을 담당하는 제조업에 가장 심각한 타격을 가하고 있다. 군수 제조업은 업종, 규모, 군수 의존도 등에 있어서 커다란 편차를 가진 수만 개의 기업으로 구성되어 있으며, 따라서 그 충격의 정도와 대응 방식에서도 차이가 있을 수밖에 없다. 일부 군수업체는 민수나 군수 이외의 정부 조달 시장으로의 전환을 시도하고 있다. 그러나 군수 의존도가

〈표-4〉　　　　　　미국 국방 예산 내역, 1990~1995

(단위: 100만 달러, 1995년 불변 가격)

연도	총액	인건비	가동·유지	조달	연구 개발	기타[1)
1990	339,091	91,152	102,953	93,671	42,107	9,208
1991[2)	304,495	93,231	127,735	80,187	40,323	-36,981
1992[2)	304,536	87,283	101,157	68,488	39,692	7,916
1993	279,563	78,257	93,251	55,888	40,048	12,119
1994	254,445	72,114	89,549	45,761	35,734	11,287
1995	252,153	70,475	92,884	43,274	36,225	9,295

주: 1) 군사 시설 건설비, 가족 주거비, 임시 회전 및 운영비, 위탁 및 수령금 포함.
　　2) 1991~1992년도의 가동·유지비 증액은 걸프전 수행에 의한 비용 상승에 따른 것이며, 연합국의 걸프전비 분담액이 수령금으로 계상되었음.
자료: US DOD, 1994a: B1-2.

높은 대규모 핵심 군수업체는 대체적으로 규모 감축, 기업 합병과 인수를 통한 업종 다각화 및 해외 사업의 확대를 통하여, '성장이 아닌 생존 가능성'을 중점적으로 모색하면서 군수 시장에 남아 있는 전략을 취하고 있다. 특히 국제 공동 대응 및 역할 분담을 강조하는 탈냉전 시대의 미국 국방 정책 기조에 따라 군수 산업의 구조 전환에서 무기의 해외 수출과 국제 무기 공동 개발 및 생산의 규모와 심도가 증대하고 있다(김진균, 1992; Bitzinger, 1994a; 1994b; Mandel, 1994).

미국의 국방 예산 삭감은 연구 개발 활동과 산업·기술 정책에도 중요한 영향을 미치고 있다. 우선 〈표-4〉에서 보듯이 1990년대의 국방 예산은 조달 비용과 병력은 대폭 삭감하되 연구 개발 투자에는 상대적으로 후한 방향으로 편성되고 있다. 이러한 편성 원칙의 기저에는 탈냉전의 상황에서도 군사력의 우위를 견지해야 할 필요가 있으며, 이를 위해서는 군사 기술의 우위 확보가 필수적이라는 인식이 자리잡고 있다. 그러나 1990년대 이후 미국의 국방 연구 개발 투자 기조는 과거의 스핀-오프spin-off 패러다임으로부터 새로운 겸용 기술 dual-use technology 패러다임으로 전환되었다. 이것은 선진 산업국들의 격심해지는 기술 주도권 경쟁과 미국의 산업·기술 경쟁력 약화 추세 속에서 미국 연방 정부 전체 연구 개발비의 60% 이상을 차지하고 있는 국방 연구 개발 투자의 경제적 효용성에 대한 진지한 재검토 작업이 필요하다는 비판에서 비롯되었다(〈그림-2〉 참조). 겸용 기술 패러다임의 요체는 막대한 국방 연구 개발비를 군사 부문과 동시에 산업 경쟁력 강화를 위한 민수 부문에도 응용될 수 있는 기술 개발 프로그램에 투입하고, 창출된 지식과 기술이 보다 쉽게 효과적으로 상업화될 수 있는 제도적 기제를 구축하는 데 중점을 둔다는 것이다 (홍성범, 1994; US OTA, 1993).

클린턴 행정부가 제시한 '경제 안보'의 골자는 겸용 기술 강화며, 1993년에 발표된 기술 재투자 계획 Technology Reinvestment Project으로 구체화되었다. 이 계획의 특징은 첫째, 통합된 국가 산업 경쟁력 제고를 위한 범부처적 공조 체제 구축에 주안점을 둔다는 것이다. 전반적인 조정과 통제는 백악관의 과학 기술 정책국 OSTP과 국가 경제 위원회 NEC가 행사하고, 국방성 산하의 고등기술개발국 Advanced Research Projects Agency(ARPA)이 위원장을 맡는 국방기술전환위원회 DTCC가 총괄 책임을 지며, 상무성의 국립표준기술연구소 National Institutie of Standards and Technology(NIST), 에너지성의 군수 연구 프로젝트 Defense Projects, 교통성, 미국 과학 재단 NSF과 항공 우주국이 공동으로 참여하도록 되어 있다. 둘째는 기술의 창출뿐만 아니라 제조 기술로의 확산, 교육 · 훈련에 이르기까지 기술 혁신 주기의 전과정을 포괄하고 있다는 점이다. 셋째, 개발 대상 기술은 정보, 전자, 기계, 보건, 교육, 훈련, 환경, 항공, 운송 수단, 조선, 첨단 축전 기술 등 11개의 분야로 첨단 핵심 기술을 망라하고 있다고 볼 수 있다. 이 외에도 첨단 신소재, 통신, 정보 처리 등의 분야에서 국방성은 별도의 겸용 기술 개발 프로그램을 추진하고 있다(홍성범, 1994; US DOD, 1994a: 91~96). 따라서 겸용 기술 패러다임으로의 전환은 미국에서 첨단 기술 개발에 대한 국방성의 영향력을 강화하는 결과를 낳을 것으로 보인다.

4. 맺음말

이 글은 2차 대전 이후 세계의 초강대국으로서 미국 국방 정책의 전개 과정과 경제적 차원의 파급 효과에 관심을 두고 있다. 그러나 이상의 논의에서 역으로 미국의 경제 여건 변화가 국방 정책의 변화를 유도하는 데 일정한 역할을 담당하여왔으며, 최근에는 양자간의 관계가 근본적으로 새롭게 설정되고 있음이 드러난다. 1990년대의 탈냉전과 경제력 중심의 세계 질서 재편 과정은 미국의 국방 정책을 조건지우는 두 가지 중요한 변화를 초래하고 있다. 첫째는 지속적인 국방비 삭감 추세며, 둘째는 첨단 기술 개발의 전략적 중요성이 증대하는 추세다. 이는 국방 전략이 예산과 기술을 결정하는 것이 아니라 예산과 기술이 전략을 좌우하는 상황으로 전환되고 있음을 의미한다.

이러한 변화 속에서 최근 관심을 모으고 있는 군수 산업의 구조 전환과 첨단 산업 부문의 겸용 기술 개발은 어떤 함의와 전망을 가지고 있는가? 군수 산업의 규모 축소와 군사 연구 개발 및 생산의 민수 부문으로의 전환은 진정한 의미에서 군사비의 평화적 목적으로의 전환을 의미하는가? 우리는 이러한 전환 과정에서 인류가 전쟁과 무기의 '문민화 civilianization'라는 새로운 위협에 직면할 수 있음을 지적한 토플러(Toffler, 1993)의 경고를 진지하게 음미할 필요가 있다. 군수업체의 민수 전환으로 동일한 생산 라인에서 군수 제품과 민수 제품을 동시에 생산하게 되면서, 소수 군수업체의 업종 전환의 이면에서는 광범위한 기업들이 군수업체로 전환되는 역과정이 일어날 수 있다. 또한 겸용 기술 개발은 민수와 군수의 구분이 없어지면서 어떤 기술이라도 바로 군사용으로 이용될 수 있음을 의미한다. 요컨대 전환의 진정한 내용은 "칼을 두들겨 보습을 만드는" 것이 아니라, 정반대로 "보습을 두들겨서 칼로 만드는" 위험을 내포하고 있다는 것이다.

참고 문헌

김진균(1992), 「1990년대 한국 군수 산업의 동향과 '경제의 군사화' 문제」, 『이론』 3, pp. 310~37.

김진균 · 홍성태(1996), 『군신과 현대 사회』, 문화과학사.

브르제진스키 Brzezinski, Zbigniew(1992), 「냉전 종식과 국제 안보」, 사

회과학원 편, 『계간 사상』 여름호, pp. 51~71.

이삼성(1991), 「미국 군수 산업의 정치 경제학」, 『사상 문예 운동』 여름
호, pp. 113~48.

────(1991), 「탈냉전 시대 미국 외교와 세계 질서: 미국 안보 정책의
지속성과 그 의미」, 경남대 극동문제연구소 편, 『한국과 국제 정
치』 7 (2), pp. 37~75.

이정민(1993), 「클린턴과 미국의 신군사 전략」, 사회과학원 편, 『계간 사
상』 봄호, pp. 101~22.

조순경(1993), 「군수 산업 중심의 산업 · 기술 정책과 경제 위기: 미국의
경험과 교훈」, 『경제와 사회』 20, pp. 20~44.

하영선(1992), 「신세계 국제 질서」, 사회과학원 편, 『계간 사상』 여름호,
pp. 72~89.

홍성범(1994), 『민군 겸용 Dual-Use 패러다임과 기술 개발 전략』, 한국과
학기술정책관리연구소 정책 보고, pp. 94~101.

Bitzinger, Richard A.(1994a), "The Globalization of Arms Industry: The
Next Proliferation Challenge," *International Security* 19 (2), pp.
170~98.

────(1994b), "Customize Defense Industry Restructuring," *Orbis* 38 (2),
pp. 261~76.

Braun, Ernest and Stuart Macdonald(1982), *Revolution in Miniature: The
History and Impact of Semiconductor Electronics*, Cambridge:
Cambridge University Press.

Castells, Manuel(1988), "General Introduction: Government Policy and
Models of Technological Development," *The State and Technology
Policy*, edited by M. Castells et al., BRIE Working Paper No. 37,
Berkeley: Berkeley Roundtable on the International Economy,
University of California, Berkeley, pp. 1~14.

Castells, Manuel and Rebecca Skinner(1988), "The Strategic Defense Initiative and the New Technological Frontier of the American State," *The State and Technology Policy*, edited by M. Castells et al., BRIE Working Paper No. 37, Berkeley: Berkeley Roundtable on the International Economy, University of California, Berkeley, pp. 15~44.

Ferris, Stephen P. and Timothy H. Jackson(1994), "Economic Influences on the Development of U. S. Policy and Military Strategy," *Strategic Review*, pp. 52~59.

Foster, Gregory D.(1994), *In Search of a Post-Cold War Security Structure*, McNair Paper 27, Washington, D. C.: Institute for National Strategic Studies, National Defense University.

Hooks, Gregory(1990), "The Rise of the Pentagon and U.S. State Building: The Defense Program as an Industrial Policy," *American Journal of Sociology* 96, pp. 358~404.

Johnson, Chalmers(1982), *MITI and the Japanese Miracle: The Growth of Industrial Policy, 1925~1975*, Stanford: Stanford University Press.

Kargon, Robert, Stuart W. Leslie and Erica Schoenberger(1992), "Far Beyond Big Science: Science Regions and the Organization of Research and Development," *Big Science*, edited by Peter Gallison and Bruce Hevly, Stanford: Stanford University Press, pp. 334~54.

Leslie, Stuart W.(1993), *The Cold War and American Science: The Military-Industrial-Academic Complex at MIT and Stanford*, New York: Columbia University Press.

Magaziner, Ira C. and Thomas M. Hout(1980), *Japanese Industrial Policy*, London: Policy Studies Institute.

Mandel, Robert(1994), "The Transformation of the American Defense Industry: Corporate Perceptions and Preferences," *Armed Forces and Security*, pp. 175~97.

Markusen, Ann(1993), "Structural Barriers to Converting the US Economy," *Economic Issues of Disarmament*, edited by Jurgen Braun and M. Chatterji, New York: New York University Press, pp. 111~36.

Mathews, Jessica Tuchmann(1989), "Redefining Security," *Foreign Affairs* 68 (2), pp. 162~77.

Molina, Alfonso Hernan(1989), *The Social Basis of the Microelectronics Revolution*, Edinburgh: Edinburgh University Press.

Mosco, Vincent(1989), "Critical Thinking about the Military Information Society: How Star Wars is Working," *Communication for and against Democracy*, edited by Marc Rabey and Peter A. Bruck, Black Rose Books, pp. 37~57.

Oberdofer, Don (1993), 「클린턴의 아시아 정책」, 사회과학원 편, 『계간 사상』 봄호, pp. 81~100.

Sharpe, William F.(1969), *The Economics of Computers*, New York: Columbia University Press.

Smith, David J.(1993), "The Missile Defense Act of 1991," *Comparative Strategy* 12 (1), pp. 71~73.

Smith, Lee(1993), "Can Defense Pain Be Turned to Gain?," *Fortune*, pp. 44~54.

Stowsky, Jay S.(1988), "The Emperor's New Clothes? U.S. SDI and the Direction of Economic and Technological Development," *The State and Technology Policy*, edited by M. Castells et al., BRIE Working Paper No. 37, Berkeley: Berkeley Roundtable on the International

Economy, University of California, Berkeley, pp. 45~74.

Thompson, E. P.(1986), *Star Wars* (『SDIとわ何か: 戰略的, 經濟的 意 味』, 東京: 新日本出版社).

Toffler, Alvin and Heidi(1993), *War and Anti-War: Survival at the Dawn of the 21st Century*, New York: Little, Brown & Co.(『전쟁과 反戰 爭: 21세기 출발점에서의 생존 전략』, 1993, 한국경제신문사).

Trofimenko, G. A.(1989), *The U.S. Military Doctrine*(강성철 역,『미국의 군사 교리』, 일송정).

U. S. Department of Defense(US DOD)(1993), *Defense 93 Peacekeeping: Why, When, How? How Long?*, Issue 6.

————(1994a), *Annual Report to the President and the Congress.*

————(1994b), *Defense 94 Almanac*, Issue 5.

U. S. Congress, Office of Technology Assessment(US OTA)(1988), *SDI Technology, Survivability, and Software*, Princeton: Princeton University Press.

————(1993), *Defense Conversion: Redirecting R & D*, OTA-ITE-552, Washington, D. C.: U. S. Government Printing Office.

坂井昭夫(Sakai, Akio)(1984), 『軍擴經濟の構圖』, 東京: 有斐閣(허강인 역,『독점 자본주의와 군사 노선』, 세계).

産軍複合體硏究會(Sankun Hukuaitai Kenkyukai)(1988), 『アメリカの核 軍擴と産軍複合體』, 東京: 新日本出版社.

關谷道春(Sekitani, Michiharu)(1994), 「TMD(戰域ミサイル防衛)の問題 點と日本の對應」, 『國防』 43 (2), pp. 48~60.

豊田利幸(Toyota, Toshiyuki)(1988), 『SDI批判』, 東京: 岩波新書.

山下正光(Yamashita, Masamitsu)・高井晉(Takai, Susumu)・岩田修一郎 (Iwada, Shuichiro)(1994), 『TMD 戰域彈道ミサイル防衛』, 東京: テイビ-エス・ブリタニカ.

제8장

일본의 첨단 기술 개발과 군수 산업
──전자 산업의 스핀-온 전략

1. 머리말

1946년에 공포된 일본의 헌법 제9조는 국제 분쟁의 해결 수단으로 무력 행사를 영원히 포기하고 육해공군 및 기타 전력을 보유하지 않으며 교전권을 인정하지 않는다고 선언하고 있다. 그러나 이 조항이 독립 국가로서의 자위권마저 부인하는 것은 아니라는 논리에 입각하여 1954년 '자위대'(自衛隊)라는 명칭으로 정규 육 · 해 · 공군이 정식으로 창설되었고, 현실적으로 일본은 이미 군사 대국으로 부상하였다. 자위대 병력은 1996년 현재 현역 군인 27만 3,000명과 예비역 4만 8,000명, 행정 요원 2만 5,000명 규모로 영국을 앞지르고 있으며, 세계 최고 수준의 고성능 장비로 무장하고 있다. 영국 국제전략문제연구소의 추계에 의하면, 일본의 1995년도 공식 국방비는 502억 달러로서 미국, 러시아에 이어 세계 3위 수준이다. 그러나 일본의 공식 국방비에서 누락된 해안 경비, 우주 개발 계획, 퇴역 군인 연금 지급 예산을 나토 회원국들의 산출 방식에 따라 포함시키는 경우, 일본의 실제 국방비는 700억 달러에 이르러 거의 러시아에 맞먹는 규모며, 러시아의 인플레이션을 고려하면 실질적으로 일본의 국방비 규모가 세계 2위라는 평가를 받고 있다(한겨레신문, 1996. 10. 26; 防衛廳, 1996;

防衛年鑑刊行會, 1996; 江畑謙介, 1995).

현대의 군사력은 최첨단 장비의 확보를 전제로 한다. 일본의 강력한 군사력도 자위대 장비의 조달과 개발을 담당하는 국내 군수 산업에 의하여 뒷받침되고 있다. 1995년도 국방비 총액 4조 8,455억 엔 중에서 군수 물자 조달 비용은 1조 9,642억 엔이며, 국내 조달이 1조 8,131억 엔으로 전체 조달액의 92%를 차지하였다. 물론 현재 군수 산업이 일본 경제 전체에서 차지하는 비중은 미국이나 기타 군사 대국에 비해서 상대적으로 낮다. 그러나 일본 정부는 각종의 최첨단 기술이 결집되어 있는 국산 장비의 생산이 적절한 방위력 확보에 전제 조건이 된다는 인식 아래 군수 산업을 지속적으로 육성하고 있으며, 첨단 군수 기술 개발을 더욱 적극적으로 추진하겠다는 의지를 밝히고 있다(防衛廳, 1996; 1997). 따라서 앞으로 일본의 첨단 기술 개발은 군수 산업과 더욱 긴밀한 관계를 맺을 것으로 전망된다.

이 글은 전자 산업[1]에 초점을 맞추어 일본의 첨단 기술과 군수 산업의 관계를 밝히고자 한다. 민수 부문 위주로 발전한 일본의 전자 산업은 세계 최고의 생산력과 기술력을 갖추고 있다. 그러나 현대의 첨단 전자 기술은 군수 부문과의 밀접한 관련 속에서 발전되어왔으며, 오늘날 무기 체계에서 전자 장비의 중요성은 더욱 증대되고 있다. 일본에서 생산된 전자 부품이 이미 미국이나 기타 국가의 첨단 무기에 사용되고 있다는 사실은 널리 알려져 있다. 전자 산업은 항공우주 산업과 더불어 일본의 대표적인 군수 산업이며, 앞으로 첨단 군수 기술 개발과 더불어 군수 산업으로서의 중요성이 더욱 증대될 것이다. 이 글에서는 먼저 일본의 군수 산업 전반의 전후(戰後) 발전 과정과 현재의 위상을 간략히 제시한 후 군수 산업으로서 전자 산업의 특성을 고찰하고자 한다. 필자는 전자 산업 전반에 대한 분석과 아울

---

1) 이 글에서 전자 산업은 전자 · 정보 · 통신 산업을 포괄하는 광의의 개념으로 사용한다.

러 특징적인 군수 기업의 사례를 살펴보고, 냉전 체제의 종식 이후 진행되고 있는 군수 산업의 변화와 관련하여 일본 전자 산업의 사례가 시사하고 있는 바를 제시하고자 한다.

2. 일본 군수 산업의 성장과 특성

일본의 군수 물자 생산은 2차 대전에서 패전한 후 경제의 '비(非)군사화' 방침에 따라 금지되었다. 그러나 1950년 한국전쟁이 발발하자, 미국은 한국에서 지리적으로 가까운 점을 이용하여 일본을 손상된 장비의 수리와 전쟁 수행에 필요한 군수 물자의 조달 기지로 활용하고자 하였으며 일본의 재무장을 촉구하였다. 한국전쟁을 계기로 부활된 일본 군수 산업은 대체로 3단계를 거쳐 성장하였다. 첫째는 한국전쟁기의 미군 군납용품 생산(1950~1953), 둘째는 1970년대까지의 자립 생산 및 첨단 장비의 공동 생산, 셋째는 1980년대 이후의 대미(對美) 기술 공여와 공동 연구 개발 단계다.

먼저, 일본에서 이른바 '특수'(特需)라고 알려진 한국전쟁 기간중 미군과의 군납 계약고 규모는 한국전 발발 직후인 1950년 7월부터 1951년 6월까지가 3억 2,900만 달러, 1951년 7월부터 1952년 6월까지는 3억 3,100만 달러였다.[2] 그 내용을 보면 첫해에는 섬유 제품, 트럭, 자동차 수리 등이 주된 품목이었으나, 둘째 해에는 금속 제품, 특히 무기 관련 제품이 수위를 차지하였다. 대일 강화조약과 미·일 안전 보장 조약이 체결되면서, 1952년 3월 미국은 일본의 무기 제조를 허가하였고 5월부터는 일본에 완성 무기를 발주하기 시작하였다. 미국측의 움직임에 보조를 맞추어, 일본 정부와 재계는 군수 산업의 성

---

2) 1952년부터 1957년까지 미군 납품은 520억 엔 규모였다(Edgar and Haglund, 1993: 139).

장에 필요한 제도적 장치를 기민하게 정비하였다. 정부에서는 무기 제조법(1953년 8월)과 항공기 제조법(1954년 6월)을 제정하였고, 재계를 대표하는 경제단체연합회(經団連)에서는 미국과의 적극적인 경제 협력을 위하여 1952년 8월에 발족시킨 경제협력간담회 3개 산하기관의 하나로 방위생산위원회를 설치하였다. 방위생산위원회는 현재까지도 일본 군수 산업계의 이해 관계를 대표하는 역할을 맡고 있다(Hopper, 1975; エコノミスト編輯部, 1978: 216~24; 木原正雄, 1994: 83~96; 富山和夫, 1979: 26~37).[3]

1954년 7월 육·해·공군을 갖춘 자위대의 발족과 함께 일본의 군수 산업은 '자주 생산' 즉 수입 대체 생산과 국내 기술 개발 단계로 이행하게 되었다. 〈표-1〉에서 볼 수 있는 바와 같이, 초기의 자위대 장비는 주로 미국의 무상 원조를 통하여 조달되었다. 그러나 일본 정부는 군수 장비의 국내 생산과 독자적 군수 기술 개발이 '자위력을 뒷받침'한다는 인식 아래 적극적인 노력을 기울였다. 일례로 1955년부터 일본은 제트기, 잠수함, 전차 등의 주요 첨단 무기 생산에 착수하였으며, 1952년 보안청 신설과 동시에 보안기술연구소를 설립하여 1954년부터 미사일과 로켓 연구를 개시하였다.[4] 자위대의 국내 조달 규모도 급속히 증가함으로써, 제1차 방위력 정비 계획이 시행되기 시작한 1958년에는 일본 군수 산업의 자위대 납품액 규모가 미군 납품 규모를 상회하게 되었고, 1962년에는 방위청의 국내 조달 비율이 84%에 이르게 되었다(富山和夫, 1979: 39~40). 일본의 군수 산업은 경제 계획과 병행하여 실시된 네 차례의 방위력 정비 계획(1958~

---

3) Hopper(1975)는 방위생산위원회에 대한 상세한 정보와 분석을 바탕으로, 일본의 국방 정책 결정 과정 속에서 재계를 하나의 공통된 목표와 이해 관계로 뭉쳐진 단일체로 일반화하는 것이 무리라는 논지를 주장하였다.
4) 보안기술연구소는 자위대 발족과 함께 방위기술연구소로 개칭되었고, 1958년 5월 기술연구본부로 확대 개편되었다.

〈표-1〉　　　　　　　　방위청의 조달 실적 추이　　　　　(단위: 억 엔)

구분 연도	국내조달(A)		무상원조(B)		유상원조(C)		일반수입(D)		합 계
	금액	%	금액	%	금액	%	금액	%	(A+B+C+D)
1950~1957	242	39.6	357	58.5	2	0.4	9	1.6	610
1958~1960	279	62.4	141	31.4	17	3.8	11	2.4	447
1961	70	64.6	26	24.0	6	5.6	6	5.8	109
1965	136	85.4	6	3.5	6	4.1	8	5.2	157
1970	231	91.8	0	0	5	2.0	16	6.2	251
1975	485	94.8	0	0	11	2.1	16	3.1	511
1980	1,051	88.5	0	0	80	6.7	57	4.8	1,188
1985	1,342	90.9	0	0	71	4.8	64	4.3	1,477
1990	1,810	89.1	0	0	138	6.8	83	4.1	2,031
1991	1,701	90.0	0	0	102	5.4	87	4.6	1,890
1992	1,768	92.2	0	0	47	2.5	101	5.3	1,916
1993	1,641	84.8	0	0	157	8.1	136	7.0	1,934
1994	1,735	88.5	0	0	106	5.4	119	6.1	1,960
1995	1,813	92.3	0	0	60	3.0	91	4.7	1,964

자료: 防衛廳, 1995: 69; 1996: 379; 1997: 376; 防衛年鑑刊行會, 1996: 482~83; 木原
　　正雄, 1994: 281~82; 富山和夫, 1979: 39.

1960, 1962~1966, 1967~1971, 1972~1976)을 거치면서 지속적으로
규모와 기술력이 강화되었으며, 1970년대까지 주로 미국에서 개발된
첨단 장비에 대한 면허 생산license production과 일부 부품의 제조를
담당하였다.
　일본의 군수 산업은 1980년대에 이르러 중요한 전기를 맞게 되었
다. 1978년 확정된 '미·일 방위 협력 지침'은 양국의 군사 협력을 대
폭적으로 강화하여, 일본과 극동 지역의 유사시에 양국이 공동 작전
을 수행하고 일본의 정치·경제·군사적 부담을 증대하기로 합의하
였다. 일본 정부는 자위대 증강 및 장비 확충의 필요성을 강조하면

서, 방위 관련 비용을 GNP의 1%까지 확대하여 '상황 변화'에 따라 가변적으로 운용하기로 결정하였다. 이 결과 1986년에는 행정 개혁의 와중에 복지·교육 예산은 삭감되는 추세 속에서, 방위비는 전년 대비 7% 증가하여 일반 세출 증가액의 45%를 차지하고 급기야 GNP의 1% 선을 초과하게 되었다.

또 다른 중요한 변화는 군사 협력의 일환으로, 일본의 첨단 기술에 대한 미국의 관심이 급속히 증대되었다는 점이다. 미국은 최초로 1980년대초 F-15 전투기의 면허 생산에 대한 재협상에서 "미국이 공여한 기술에서 파생된 모든 기술에 대한 자유로운 접근"을 요구하였으며, 1983년에는 일본의 대미(對美) 군사 기술 공여 협약이 공식적으로 체결되고 군사기술공동위원회 Joint Military Technology Committee가 설치되었다(Dauvergne, 1993: 187; 木原正雄, 1994: 353~74).[5] 이후 미국은 새로운 방위 전략인 전략 방위 구상 Strategic Defense Initiative(SDI)과 전역(戰域) 탄도 미사일 방위 구상 Theater Missile Defense(TMD)에 대한 일본의 적극적인 참여와 비용 분담을 강력히 요구하였으며, 특히 기술 교류와 첨단 무기의 공동 연구·개발·생산을 강조하였다. 일본은 1986년 SDI 연구에 참여하기로 결정하였다. 자금과 인력의 공동 부담, 기술의 공유를 조건으로 1988년 체결된 최신예 전투기 FSX(Fighter Support Experimental)의 공동 개발 협약은 일본 군수 산업의 변화를 상징적으로 드러내고 있다. 일본은

5) 월남전 수행을 위한 미군의 대규모 군납과 그 여파로 일본이 월남전에 연루될까봐 우려하는 강력한 반월남전 사회 분위기에 맞추어, 사토(佐藤榮作) 내각은 1967년 2월 공산권, UN안전보장이사회의 금지국, 분쟁 당사국이나 국제 분쟁에 개입될 가능성이 있는 지역에 무기 수출을 금지한다는 이른바 '무기 수출 3원칙'을 발표하였다. 1976년에는 중동과 라틴 아메리카 지역으로의 C-1 수송기 수출에 반대하는 시위가 강력해지자, 일본 정부는 다시 수출 금지 대상을 기타 지역 그리고 무기 생산에 사용될 수 있는 자본재와 기술로까지 확대하였다. 그러나 1983년 1월 일본 정부는 대미 군사 기술 공여는 무기 수출 3원칙의 적용 범위 바깥으로 할 것을 결정하였다(Edgar and Haglund, 1993; Taylor, 1993).

민수 부문 위주로 축적된 경제력과 기술력을 바탕으로, '면허 생산' 단계를 넘어 최고 수준의 기술 개발력을 갖춘 군수 산업을 보유하게 된 것이다.

그러면 현재 일본 군수 산업은 어떠한 특성이 있는가? 첫째, 미국 이나 유럽의 군사 대국에 비하여 일본에서는 군수 생산의 경제적 비중이 상대적으로 낮다. 1994년 일본의 군수 생산 총액은 1조 8,288억 엔으로 전체 공업 생산액에서 차지하는 비중이 0.6%에 불과하다(防衛年鑑刊行會, 1996: 264). 이것은 일본의 군수 산업 매출이 '무기 수출 3원칙'에 의하여 원칙적으로 국내 수요 충족에 한정되어 있기 때문이다.

둘째, 일본의 군수 생산은 소수의 대기업에 집중되어 있다. 물론 군수 산업은 항공기나 전자 장비로부터 피복, 식품에 이르기까지 광범위한 산업 부문에 걸쳐 다수의 기업으로 구성되어 있다. 1995년 기준으로 1,381개의 제조업체와 2,317개의 판매업체가 방위청 조달 자격을 보유하고 있으며, 이러한 주계약자 이외에도 부품 제조를 담당하는 다수의 하청업체가 있다(防衛廳, 1995; 1996). 그러나 〈표-2〉에 제시된 바와 같이, 상위 20대 군수 기업이 금액 기준으로 방위청 조달의 72.5%를 차지하며, 상위 5대 기업이 46.4%를 차지한다. 특히 미츠비시 중공업, 가와사키 중공업, 미츠비시 전기는 3대 군수업체로서 확고부동한 위치를 차지하고 있다. 거의 모든 군수 기업이 다양한 네트워크와 방식을 통하여 대규모 기업 집단과 연결되어 있다.

셋째, 〈표-2〉에서 보듯이 일본의 군수 기업은 업종이 다양화되어 있으며 군수 생산의 비중이 낮다. 예컨대 일본의 최대 군수 기업인 미츠비시 중공업은 선박, 항공기, 유도 무기 등 다양한 군수 품목을 생산하며, 기업 전체 매출액에서 군수가 차지하는 비율은 1994년 10.9%, 1995년 8%에 불과하다. 대조적으로 미국의 양대 군수 기업인 록히드 마틴과 맥도널드 더글라스는 총매출액 중 군수 비율이

〈표-2〉 　　　　　　　　　일본의 20대 군수 기업체[1]

순위	기업명	계약고(A) (억 엔)	A/중앙조달액 (%)	A/총매출액[2] (%)	주요 품목
1	三菱重工業	2,790	20.6	10.9	선박, 항공기, 유도 무기
2	川崎重工業	1,482	10.9	13.2	항공기, 유도 무기
3	三菱電氣	959	7.1	3.8	통신, 유도 무기
4	日本電氣	531	3.9	5	유도 무기, 통신
5	石川島播磨重	527	3.9	10.9	선박, 항공기
6	伊藤忠商事	474	3.5	0.3	수입품, 섬유
7	東芝	412	3.0	1.2	전기, 통신, 전파
8	三井造船	334	2.5	11.4	선박, 탄화약
9	住友重機械	331	2.4	–	선박, 기계
10	日産自動車	296	2.2	0.8	차량, 탄화약
11	富士重工業	248	1.8	4.0	항공기
12	小松製作所	238	1.8	4.8	탄화약, 차량
13	日本電算機	212	1.6	6.1	전자계산기
14	日本製鋼所	194	1.4	13.3	무기, 유도 무기
15	日立製作所	158	1.2	0.3	통신, 전파, 차량
16	ダイキン工業	156	1.2	5.2	탄화약, 기계
17	沖電氣	150	1.1	2.4	측정기, 통신, 전파
18	富士通	147	1.1	0.5	전기, 통신, 측정기
19	コスモ石油	96	0.7	0.7	연료
20	日本石油	85	0.6	0.5	연료
합계		9,820	72.5		

자료: 防衛廳, 1995: 58; 防衛年鑑刊行會, 1996: 553~57.
주: 1) 순위는 1994년 방위청의 중앙 조달 계약고 기준임.
　　2) 해당 기업의 1993년 총매출액 중 방위청의 중앙 조달 납품액이 차지하는 비중을
　　　 의미함.

60%와 67%, 영국의 최대 군수 기업 브리티시 항공 우주는 74%, 프랑스의 톰슨과 톰슨-CSF는 각각 32%와 65%에 이른다(SIPRI, 1997: 262). 일본의 20대 군수 기업 중에서 군수가 전체 매출액의 10%를 초과하는 기업은 5개에 불과하며, 전체 군수 산업체의 매출액에서 군수 생산이 차지하는 비율은 평균 8% 정도다(防衛廳, 1996: 264).

3. 전자 산업과 군수 생산

〈표-3〉에 제시되어 있는 일본의 군수 조달 품목 구성은 일본 군수 산업 구조의 변화를 반영하고 있다. 현재 일본의 주요한 군수 조달 품목은 항공기, 유도 무기, 선박, 전파 장비, 시작품(試作品)이다. 항공기 조달은 1955년부터 1970년대까지 급속히 증가하였으며, 1980년대부터 비중이 감소하는 추세를 보이지만 현재도 최대 조달 품목의 위치를 유지하고 있다. 1960년대에는 전기 통신 장비의 조달이 급증하였으며, 1980년대부터 유도 무기가 두번째로 비중이 높은 조달 품목으로 등장하였다. 1990년대 들어와서는 시작품의 비중이 높아지는 추세가 주목된다. 이러한 추세는 육군과 해군만 설치되었던 보안대에 공군이 추가되어 1954년 7월 자위대로 발족하면서 장비 구성에서 항공기의 비중이 급속히 증대하게 되었고, 일본 군대의 무기 체계가 고성능 항공기, 미사일, 전자 통신 장비 등 신예 무기 위주로 전환되었음을 보여주고 있다. 특히 최근 시작품의 비중이 증가되는 현상은 독자적인 무기 개발 능력이 현격히 신장되었음을 나타낸다.

현재 일본에서 가장 중요한 군수 산업은 항공기, 조선, 전자 산업이다. 미국이나 유럽과 마찬가지로 일본의 항공기 산업은 시작부터 군수와 밀착되어 발전하였으며, 전후의 공백기로 인하여 민수 시장 진출에 뒤진 일본의 경우 군수 의존도가 훨씬 높다. 일본 정부는 항공기 산업이 전략적으로 핵심적인 군수 산업이며 기술적 파급 효과가 큰 기술 선도 산업이라는 판단 아래 기술 개발 비용을 지원하고 지속적으로 수요를 창출하는 정책을 펼쳐왔다. 1994년 총생산액 7,878억 엔으로 전체 공업 생산액에서 차지하는 비중이 0.25%에 불과한 일본의 항공기 산업에서 군수 비중은 72.1%에 이른다. 또한, 지리적 조건상 해군력에 비중을 두어온 일본에서 조선 공업은 전통적으로 주요 군수 산업이었다. 1994년 총생산액 2조 8,982억 원, 공업 생산 비중 0.94% 규모인 조선 공업의 군수 생산 비율은 6.3%였다 (防衛年鑑刊行會, 1996: 484).

〈표-3〉　　　일본의 상위 5대 군수 조달 품목, 1954~1994[1]

순위 연도	1위		2위		3위		4위		5위	
	품목	%[2]	품목	%[2]	품목	%[2]	품목	%[2]	품목	%[2]
1954	선박	38.5	연료	12.7	섬유	11.2	항공기	8.3	전기통신	8.2
1959	항공기	32.6	선박	15.1	연료	14.9	무기	12.6	전기통신	11.6
1964	전기통신	25.0	항공기	15.9	선박	10.6	연료	10.4	무기	10.2
1969	항공기	45.0	전기통신	16.0	선박	9.5	차량	4.8	무기	4.3
1974	항공기	41.4	선박	14.4	전기통신	11.7	연료	6.3	차량	5.5
1979	항공기	18.8	선박	17.1	전기통신	11.8	유도무기	7.6	연료	7.2
1984	항공기	28.9	유도무기	16.8	통신	14.5	선박	10.4	연료	6.3
1989	항공기	24.1	통신	17.2	유도무기	16.9	시작품	6.4	연료	6.1
1990	항공기	22.4	유도무기	15.8	통신	15.0	선박	7.6	시작품	6.2
1991	항공기	21.8	유도무기	13.6	전파	9.8	선박	8.5	시작품	8.4
1992	항공기	20.9	유도무기	13.5	선박	10.6	시작품	9.7	전파	9.2
1993	항공기	16.7	유도무기	10.6	시작품	10.6	선박	9.0	전파	7.5
1994	항공기	17.8	선박	11.3	유도무기	11.3	전파	9.8	시작품	9.1

자료: 防衛年鑑刊行會, 1996: 559~61; 木原正雄, 1994: 92~95.
주: 1) 중앙 조달 금액 기준.
　　2) 해당 품목 조달액이 중앙 조달액 전체에서 차지하는 비중을 의미함.

첨단 장비 위주로 무기 체계가 변화됨에 따라, 전자 산업이 새로운 군수 산업으로 등장하였다. 유도 무기, 항공기, C³I시스템(지휘, 통제, 통신, 정보) 등 첨단 장비의 성능이 고도화될수록 전자 기기의 중요성이 높아지고 있다.[6] 1960년대부터 미츠비시 전기, 일본 전기 NEC, 토시바(東芝), 히타치(日立), 후지츠(富士通), 오키(沖) 전기, 일본 전자 계산기 등의 전자업체가 대규모 군수 기업 대열에 합류하게 되었다(富山和夫, 1979: 5~23). 현재 전자 산업은 일본 경제에서 가장 큰 비중을 차지하고 있는 부문이며, 세계 최고의 생산력과 기술력을 보유하고 있다. 1994년 생산액이 51조 7,578억 엔으로 전체 공업 생산액의 16.7%에 해당한다(防衛年鑑刊行會, 1996: 484). 그러나 일본의 전자 산업 생산액에서 군수가 차지하는 비중은 0.56%에 불과하다.[7] 일본의 주요 군수 전자업체들은 다양한 소비자용 전자 제품 생산업체로 알려져 있으며, 서구의 유사한 전자업체들과 비교할 때 군수 매출액 비율이 대단히 낮다. 예컨대, 미츠비시 전기, 일본 전기, 토시바는 1995년 전체 매출액에서 군수의 비율이 각각 3%, 2%, 1%인 반면, 미국의 휴즈 일렉트로닉스 Hughes Electronics, 레이씨온 Raytheon, 유나이티드 테크놀러지스 United Technologies는 각각 40%, 34%, 16%의 매출액을 군수에 의존하였다(SIPRI, 1997: 263~66).

민수 위주로 발전한 일본의 전자 산업이 군수 산업으로서의 역할을 담당하게 된 것은 무엇보다도 첨단 전자 기술에서는 군수와 민수의 경계가 불명확하기 때문이다. 텔레비전을 통하여 첨단 병기의 위력이 전세계에 생생히 전달된 1991년 걸프전쟁 당시, 미국 언론에서

---

6) 현재 첨단 병기 제조비에서 전자 기기가 차지하는 비중은 전투기가 50% 이상, 미사일은 70% 정도다. 이미 1960년대 후반부터 소형 유도 미사일 생산비의 50% 이상이 전자 기기에 투입되었다.

7) 서구의 경우와 마찬가지로, 일본에서도 전자 산업의 발전 초기인 1950년대에는 군수가 중요한 역할을 담당하였다(Samuels, 1994: 158~59).

는 "페르시아만에 일본 군대는 없지만, '일본산' 기술이 없으면 첨단 병기가 존재할 수 없다. 어떤 종류의 유도탄에는 부품 중에서 최대 80%까지 토시바나 미츠비시 전기 등 200개 일본 기업의 제품이 사용되고 있다"고 보도하였다. 일본 첨단 전자 기술의 군수 전환 가능성은 이미 1980년대부터 주목을 받았다. 미국과 유럽, 일본이 주축이 된 대(對)공산권 수출통제위원회COCOM에서 합의한 1980년대의 수출 금지 품목은 주로 컴퓨터 관련 제품과 소프트웨어 및 기술로 이루어져 있으며, 토시바를 비롯한 일본의 주요 전자업체들이 코콤 협정 위반으로 제소된 바 있다. 또한 1983년 일본의 대미 군사 기술 공여 협약이 체결된 후 미국 국방부에서 군사 기술 조사단을 파견하기 시작하였을 때, 미국측은 일본의 방위청 기술 연구 본부와 함께 미츠비시 전기, 일본 전기, 토시바, 히다치, 후지츠, 샤프, 마츠시타, 스미토모 전기 등 8개 전자업체를 시찰하고, 이들이 보유한 광전자공학 및 마이크로파 분야의 기술 이전에 깊은 관심을 보였다(Renwick, 1995: 92~104; 木原正雄, 1994: 30, 380~86).

일본에서 일찍이 군수용으로 개발하기 시작한 전자 기술은 유도 무기, 즉 로켓과 미사일에 관련된 부문이었다. 1952년 보안기술연구소가 발족하면서 군수용 연구 개발이 공공연히 재개된 후, 1953년부터 독자적인 유도 무기 개발의 필요성이 공론화되기 시작하였다. 그 이유는 명중도가 높고 무인(無人) 작동되는 유도 무기가 섬나라인 일본 방위의 제1선인 제공권과 제해권 확보에 절대적으로 필요하며, 유도 무기의 성능이 지형지물에 의하여 크게 영향을 받는다는 것이었다. 이에 따라 1954년 10월 방위청 내에 '유도비상체 연구위원회'가 설치되고 유도 무기 개발 장기 계획이 논의되었으며, 1955년 8월 방위기술연구소에 미사일 연구를 위한 특별조사실이 설치되었다. 1956년 방위청은 미국에 연구 개발용으로 7가지 종류의 미사일 공여를 요청하였고, 1958년에는 방위력 강화를 위하여 일본도 미사일 생산을 개시해야 한다는 의향을 미국측에 강력히 전달하였다.

일본의 재계는 유도 무기 개발 과정 초기에 실제적으로 정부보다도 더 적극적인 활동을 전개하였다. 필연적으로 유도탄이 곧 주요 장비가 될 것임을 감지한 경단련은 방위청과 자위대가 발족하기 이전인 1953년 9월에 이미 방위산업위원회 산하 병기, 항공, 전기 등 3개 전문위원회가 공동으로 정보 수집과 연구 활동을 목표로 하는 '유도탄부회'를 결성하였다. 이어서 11월에는 유도탄에 관련된 분야가 광범위하기 때문에 공동 모임으로는 부적합하다는 이유로 유도탄부회를 별도의 독립 조직인 'GM(guided missile: 유도 미사일) 간담회'로 개편하였다. 간담회는 12월에 내규를 확정하였으며, 조직적으로 운영되는 일원적인 민간 기구로서 미사일 관련 기업간의 긴밀한 협력과 제휴를 위하여 본격적인 활동에 착수하였다. 간담회에서는 1954년 3월 기술위원회를 설치하고, 7월 보안청의 방위청 승격과 자위대 발족에 맞추어 기술위원회 내에 4개 분과위원회를 설치하였으며, 9월에는 'GM 연구 방침에 관한 의견서'를 제출하는 등 방위청의 유도 무기 개발 정책 수립에 영향을 미쳤다. 의견서에서는 경비 절감 및 신속한 기술력 제고와 생산 능력 습득을 위하여, 연구 대상을 한정하고 연구 조직을 단일화하며 소수 기업 중심의 계열화된 시작(試作) 및 생산 방식이 바람직하다고 제시하였다. GM 간담회는 1957년 다시 'GM 협의회'로 확대 개편되었고, 1958년부터는 미츠비시와 후지 정밀 등을 중심으로 하는 미사일 시작품 개발이 본격적으로 시작되었다. 방위청측에서는 1955년부터 논의된 미사일 구입 계획의 실행이 지지부진한 가운데, 미츠비시 전기는 스위스의 에리콘사로부터 독자적으로 미사일을 구입하여 연구에 이용하는 정도의 열의를 보였다(Samuels, 1994: 144, 157~58; 木原正雄, 1994: 113~53; エコノミスト 編輯部, 1978: 258~59).

4. '스핀-온' 전략과 첨단 전자 기술

  일본의 국방 정책에서 일관성 있게 나타나는 특징은 선진 기술의
확보에 중점을 둔다는 점이다. 사무엘스(Samuels, 1994)가 '기술 민족
주의technonationalism'라고 표현하였듯이, 기술이 국가 안보의 핵심
요인이고 기술의 토착화와 보급, 육성이 국가 안보에 필수적이라는
인식이 19세기말 '부국강병'(富國强兵)의 구호 이래 지금까지 이어지
고 있다. 따라서 외국 선진 기술의 도입을 통하여 첨단 군사 장비의
국내 생산과 궁극적으로 국내 개발을 지향하는 '국산화'는 어느 누구
도 이의를 제기하지 않는 주요 정책 목표가 되어왔다. 그러나 다른
한편, 일본의 군수 기술 확보는 그 자체가 목적이 아니라 국가 경제
및 산업 전반을 강화하기 위한 수단으로 간주되어왔다. 이는 기술을
중시하는 국방 정책과 산업 정책, 군수 생산과 민수 경제의 융합을
의미한다. 결과적으로, 일본은 제한된 군수 생산 규모에도 불구하고,
첨단 군사 장비에 직결된 전자 및 신소재 부문에서 세계 최고 수준의
기술과 제조력을 갖추게 되었다. 전자 기술을 중심으로 일본의 군수
기술 개발 전략을 살펴보자.

  일본의 군수 연구 개발 규모를 정확히 측정하기는 대단히 어렵다.
군수 관련 연구 개발비에 관하여 발표되는 공식 통계는 방위청 예산
에 연구 개발비 항목으로 편성되어 산하의 기술 연구 본부에 배정되
는 액수가 유일하다. 문부성, 과학기술청, 통산성 등 다른 정부 부처
에서 지원하는 여러 프로그램에서도 군수 관련 연구가 이루어지고
있을 뿐만 아니라, 정부 지원은 군수 연구의 극히 일부분에 불과하
다. 전반적으로 일본은 기업에서 80% 이상의 비용을 부담하는 연구
개발 체제며, 군수 연구도 예외가 아니다(科學技術廳, 1996: 370).

  〈표-4〉에 제시된 일본의 군수 연구 개발비 규모는 최소한도의 수준

을 나타낸다. 1997년 국방 예산 중 연구 개발비는 1,582억 엔으로 방위청 예산의 3.2%, 그리고 장비 조달 예산의 17% 규모다. 군수 연구 개발비가 일본의 전체 연구 개발비에서 차지하는 비중은 1% 정도다. 미국의 경우 전체 연구 개발비 중 군수 비율이 20% 이상, 영국과 프랑스는 15% 이상, 독일이 4% 정도임을 고려할 때, 일본의 군수 연구 개발비는 규모와 비중에 있어서 대단히 낮은 수준이다(防衛廳, 1997: 173~76; 科學技術廳, 1996: 372~79).[8]

그러나 주목되는 바는 군수 연구 개발비가 지속적으로 신장 추세에 있다는 사실이다. 1981년부터 1997년까지 연구 개발비의 비율이 방위청 예산 대비 1.0%에서 3.2%로, 장비 조달액 대비 4.3%에서 17%로 증가하였다. 1968~1975년 사이 전체 국방 예산은 매년 17.8% 증가한 반면, 연구 개발비 증가율은 10.0%에 그쳤다. 그러나 1975~1984년에는 그 증가율이 9.2% 대 11.5%로 역전되었고, 1984~1995년에는 4.4%와 12.1%로 차이가 크게 벌어졌다(防衛年鑑 刊行會, 1996: 506). 이는 1980년대 이후 국방 정책에서 연구 개발이 강조되고, 특히 1990년대 국방비 증가율이 현저히 둔화되는 상황에서 연구 개발에 더욱 비중을 두고 있음을 보여준다.

최근 일본의 군수 연구 개발은 크게 두 가지 동향을 보이고 있다. 첫째는 점점 첨단화·복합화·시스템화된 기술과 소프트웨어 중심으로 이전되고 있다. 예컨대 1970년대에 개발된 전차나 항공기는 당시의 첨단 기술이 결집된 장비이기는 하나 하드웨어 위주였던 반면, 최근에는 전차와 항공기에 첨단 소재를 이용하고 첨단 전자 기기와 소프트웨어를 탑재함으로써 시스템화하는 연구가 주종을 이룬다. 개별 장비뿐만 아니라, 광역화·고속화되는 전투의 효율적 수행을 위한

---

8) 1989년 5월 경단련에서는 일본의 군수 연구 개발비가 서구 선진국에서 가장 낮은 수준, 즉 국방 예산의 5% 이상으로 증대되어야 한다는 보고서를 제출하였다 (Renwick, 1995: 88~89).

〈표-4〉　　　　일본의 방위 연구 개발비 추이, 1976~1996[1]

연도	연구 개발 예산			연구 개발 예산 비중	
	경상가격 (10억 엔)	'90불변가격 (10억 엔)	'90불변가격 (美 100만$)	방위청 예산 (%)	조달액 (%)
1976	13.5	21	140	0.89	5.2
1981	25.0	29	200	1.0	4.3
1986	57.7	61	420	1.7	5.9
1987	65.4	69	480	1.9	6.5
1988	73.3	77	530	2.0	6.6
1989	82.8	85	590	2.1	7.0
1990	92.9	93	640	2.2	7.4
1991	102.9	100	690	2.3	7.7
1992	114.8	110	750	2.5	9.1
1993	123.8	120	800	2.7	10
1994	125.5	120	810	2.7	11
1995	140.1	130	910	3.0	14
1996	149.6	140	1,000	3.1	14
1997	158.2			3.2	17

　　자료: SIPRI, 1997: 228; 防衛廳, 1997: 173~77.

시스템화가 시도되고 있다. 각종 통신 장치, 무인 정찰기, 고성능 레이더 등을 이용한 C³I 체계 구축이 대표적인 사례다.

　둘째, 특정 군사 장비의 개발에 직결되지 않은 요소 기술(要素技術)이나 대형(大型) 시험·평가 연구가 증가하고 있다. 이것은 점점 가속화되고 복합화되는 과학 기술의 발전 추세에 따른 자연스러운 현상임과 동시에, 군사 장비의 직접 운용에 결부되지 않은 분야까지도 연구 개발비를 투자할 수 있는 여유가 생긴 것으로 볼 수 있다. 특히 최근 경제 불황과 긴축 재정 아래서 이른바 '기술 실증형' 연구의 중요성이 강조되고 있다. 기술 실증형 연구란 기술적인 모험도가 높은 첨단 기술에 대하여 그 유효성과 적용 가능성을 검증하기 위하여, 구체적인 장비품의 개발을 전제로 하지 않고 당해 기술을 적용한 시작품(試作品) prototype을 만들어보는 것이다(〈표-3〉참조). 이미 개발되어 있는 범용 첨단 기술의 군수 가능성을 타진하는 시험·평가 연구는 첨단 군수 기술의 개발 기간을 단축하고 위험을 줄일 수 있다(Samuels, 1994; 防衛年鑑刊行會, 1996: 518~19; 防衛廳, 1997: 212~14).

일본의 군수 연구 개발 방식은 흔히 '스핀-온 spin-on' 방식이라고 한다. 냉전기 미국이 추구한 '스핀-오프 spin-off' 방식과 대조적이라는 의미로 일본에서 만들어낸 용어다. 스핀-오프 방식은 군수용으로 개발된 첨단 기술이 민간 경제에 광범위한 파급 효과를 미친다는 전제 아래 군수 연구에 힘을 기울인 반면, 스핀-온은 민수용 기술이 언제라도 쉽게 군수용으로 전환될 수 있음을 강조한다. 즉, 군수는 민수용 기술의 생산자가 아니라 소비자라는 것이 스핀-온의 기본 인식이다. 방위청은 공식적으로 『방위 백서』에서 군수 기술 연구 개발에 우월한 민간 기술력을 적극적으로 활용하여왔음을 인정하고 그 당위성을 역설하고 있다. "군수 기술과 민수 기술은 흑백으로 뚜렷이 구분되지 않는다. 모든 기술은 회색으로 농도가 다를 뿐이고, 적용에 있어서만 민수와 군수가 구분된다. 일본의 연구 개발 기반은 후지산(富士山)과 같다. 민간 부문 연구 개발이 광대한 저변을 이루고 있고, 이것이 대단히 유용하다"는 전직 방위청 기술 연구 본부장의 발언(Chinworth, 1992: 36에서 재인용)은 일본의 군수 연구 개발 체제의 특징을 압축적으로 드러내고 있다.

세계 최고 수준의 기술력을 보유한 일본의 민수 위주 전자 산업이 스핀-온 전략을 뒷받침하고 있다. 미국의 국방과학위원회에서는 이미 1984년 일본이 전자 및 컴퓨터 소프트웨어, 첨단 소재 관련 16개 분야에서 미국과 맞먹거나 오히려 우세한 기술력을 보유하고 있다고 평가하였다.[9] 1980년대말 일본은 공공연히 일본산 공대지(空對地) air-to-surface 미사일의 성능이 미국산보다 우수하다고 하였다. 그 이유는 회전 나침반, 특히 베어링의 성능 때문인데, 내구성이 높고 표면이 매끄러운 일본제 베어링은 원래 VTR용으로 대량 생산된 부품이라는 것이다. 대표적인 군수업체인 미츠비시 전기 고위 간부의 말대로, "군수 장비의 전자화 덕분에 드디어 일본이 미국산보다 훨씬 우수한 성능의 무기를 조립할 수 있게 되었다"(Samuels, 1994: 195).

미국과 공동 개발한 최신예 전투기 FSX기종에 탑재된 고성능 레이더 APAR(Active Phased Array Radar)은 스핀-온 전략의 대표적인 사례다. 원래 이 기술은 미국에서 텍사스 인스트루먼츠 Texas Instruments 사를 중심으로 개발되기 시작하여, 1970년대에는 레이더를 항공기에 탑재할 수 있을 정도로 발전되었다. 일본의 미츠비시 전기에서는 1960년대 TI 프로젝트에 대한 정보를 입수하고, 방위청 기술 연구 본부에 독자적인 국내 개발 가능성을 타진하였다. 기술 연구 본부는 1968년부터 예산에 APAR 개발 비용을 반영하기 시작했지만, 결국 미츠비시 전기가 전체 개발 비용의 50% 이상을 부담하고 시작품 제작 비용도 30%나 부담하였다. 요소 기술인 갈륨비화물 GaAs 칩의 개발과 생산에 기술 연구 본부는 한푼도 지원하지 않았다. 다양한 전자 제품 제조업체인 미츠비시 전기에서는 원래 민수용으로 개발된 갈륨 및 반도체 칩을 이용하였고, 레이더 부서의 엔지니어를 반도체 부서로 파견하여 갈륨 칩 제조 기술을 배우게 함으로써 레이더에 필요한 소량의 특수한 갈륨 칩을 저렴한 가격에 생산할 수 있도록 하였다.

---

9) 이 16개의 기술은 인공 지능, 영상 인식, 음성 인식 및 번역, CAD, 극초단파 IC, 갈륨 소자, 밀리미터 웨이브, 초미세 사식(寫植), 광전자 장치, 광섬유 통신, 로켓 추진, 평면 패널 디스플레이, 고온 소재, 세라믹, 복합 소재, 생산 기술이다(Renwick, 1995: 96; Samuels, 1994: 195).

기술 연구 본부에서는 1973년부터 레이더 기술 개발에 지속적인 지원을 시작하였다. 미츠비시는 1990년 미국에 레이더 모듈을 수출하기 시작하고, 1990년대초에는 일본 방위청과 민간 기업들이 이 기술을 군수 장비와 항공기 이외의 다른 민수 부문에 활용할 수 있는 용도를 적극적으로 연구하게 되었다. 즉, 대규모 민수용 연구 개발에 의한 요소 기술 개발 비용의 부담과 소규모지만 지속적이고 안정적인 정부 예산 지원에 힘입어, 일본에서는 훨씬 적은 비용으로 단시간 내에 세계 최고 수준의 군수용 레이더 개발이 가능하였다(Chinworth, 1992: 44; Samuels, 1994: 293).

스핀-온 전략의 강점은 민간 기업이 대부분의 비용을 부담하면서 군수 연구 개발을 주도하고 정부는 소규모의 지원만을 통하여 필요한 군수 기술을 적시에 확보한다는 데 있다. 그러면 어떤 기제를 통하여 이런 방식이 가능해지는지 보자. 우선 정부의 군수 기술 개발 주무부서인 방위청 기술 연구 본부는 민간 기업의 경영진이나 전문 연구진과의 일상적인 접촉을 통하여 민간 부문에서 개발되는 기술에 대하여 모니터링을 한다. 기술 연구 본부는 민간에서 추진하는 유망한 프로젝트를 지원할 수 있는 재량권이 있으며, 보통 약 200~300개의 프로젝트를 지원한다. 지원 규모는 프로젝트당 많아야 수만 달러 그리고 프로젝트 총비용의 5~20%에 불과하다. 이런 소규모 지원을 통하여, 기술 연구 본부는 광범위한 민간 부문의 첨단 기술에 접근할 수 있는 통로와 첨단 군수 기술에 대한 특허권을 확보한다.

기업의 입장에서 보면, 기술 연구 본부의 지원은 그 프로젝트가 군수 기술로서의 유용성이 입증될 경우 대규모 지원을 받고, 더 나아가서는 장비 개발과 정부 조달 단계에서 선수를 점할 수 있는 발판이 되기 때문에 소규모일지라도 적극적으로 환영한다. 기술 연구 본부의 지원을 받았다 하더라도, 민수용에 대하여는 사용료 없이 개발한 기업에 독점적 특허권을 허용하는 것이 관례다. 한정된 연구 지원금 이외에는 기업의 군수 연구 비용을 직접 변제할 수 없다. 미국과는 달리, 일본에서는 특정 장비에 관련된 연구 개발을 수행한 기업에서 생산과 납품의 주계약자를 맡는다. 기업의 연구 개발 투자 비용은 장비 조달시 기업에 유리한 방식으로 산정하는 납품 가격이나 감가 상각률을 통하여 보상을 받게 된다. 일본의 군수 장비 조달 방식은 기업에 안정적이며 실질적으로 높은 이윤을 보장하는 것으로 알려져 있고, 특히 경제 불황기의 안정적 수입원이 된다. 군수 기술 연구에 참여하는 경우, 기업은 주계약자가 되지 못한다 하더라도 보통 하도급자로 정부 조달에 일정 지분을 얻게 된다. 이런 기제를 통하여 일본 기업은 기꺼이 군수 연구 초기 단계부터 자원을 투자하게 된다 (Chinworth, 1992: 33~62).

5. 일본의 군수 전자업체

I. 미츠비시 전기

미츠비시 전기 Mitsubishi Electric Corporation(MELCO) 는 1921년 미츠비시 조선(현 미츠비시 중공업) 고베(新戶) 조선소의 전기 기계 부문을 모체로 설립되었다. 현재는 종업원 약 5만 명, 자회사 266개, 관련회사 106개를 거느리고 '우주부터 가정까지' 광범위한 분야를 포괄하는 대규모 기업 집단을 이루고 있다. 1995년 총매출액은 2조 7,517억 엔이며, 중전 기기(重電機器) 24%, 산업 기기 및 메카트로닉스 기기 18%, 정보·통신 시스템 및 전자 장치 42%, 가전 기기 16%로 구성되어 있다. 7개 부설 연구소와 3개 센터를 중심으로 한 연구 개발비 총액은 1,750억 엔, 매출액 대비 6.4%이다.

미츠비시 전기는 1960년대 이래 방위청 중앙 조달 계약고 기준으로 제3위 정도를 꾸준히 유지하고 있다. 1994년 군수 계약고는 959억 엔으로 방위청 총조달액의 7.1%이며, 미사일과 레이더 부문에서 선두를 달려왔다. 1950년대부터 미사일 개발에 적극적인 자세를 취했고, 1970년대에는 국내 미사일 생산의 약 70%를 점하게 되었다(Chinworth, 1992: 80). 미국에서 개발된 나이키 Nike, 호크 Hawk, 스패로우 Sparrow, 패트리어트 Patriot 미사일 등의 면허 생산뿐만 아니라, 중거리 지대공(地對空) 미사일 SAM, AAM, ASM, SSM을 독자적으로 개발하였다. 또 역사적인 미국과의 공동 개발 전투기 FSX에 탑재된 세계 최고 수준의 레이더 APAR도 개발하였다. 1969년 일본 최초의 국내 실용(實用) 위성 '전리층 관측 위성'의 주계약자로 선정된 이래, 일본 실용 위성 시장의 반 이상을 차지하여왔다(三菱電氣, 1981; 1996a; 1996b; 1996c).

굴지의 군수 기업으로서의 위상에도 불구하고, 미츠비시 전기는 군수 계약고가 매출액에서 차지하는 비중이 3.8%에 불과하다. 또한 기업의 조직 구성이나 홍보 활동에서도 군수 기업으로서의 면모를 찾아내기가 어렵다. 일본의 대규모 군수 기업은 민수 생산 위주로 다각화되어 있으며, 미츠비시 전기는 바로 이런 특징을 보여주는 사례다.

II. 일본 전기

일본 전기 Nippon Electric Corporation(NEC)는 스미토모(住友) 그룹의 일원이며, NTT 계열의 형(兄)격인 동시에, 그 자체로 262개의 계열사를 거느린 일본의 대표적인 기업 집단을 이루고 있다. 일본 전기는 1899년 미국 AT & T의 기기 생산을 담당한 웨스턴 일렉트릭 Western Electreic과의 합작 회사로 출발하였다. AT & T 지분은 ITT에 매각되었고, 곧 스미토모 재벌에서 ITT 지분을 인수하면서 1943년에는 스미토모 통신 공업으로 개명하였다가, 1945년 종전 이후 다시 일본 전기라는 이름을 되찾게 되었다. 1세기 전에 보급된 전화 사업을 시작으로, 다음에는 무선 및 전파 응용 통신 기기 부문에 진출하였고, 전후에는 반도체 및 정보 통신 부문으로 사업 영역이 확장되었다. 1994년 고용 인원 4만 1,000여 명, 매출액 3조 70억 엔 규모며, 매출액은 컴퓨터 49%, 통신 기기 29%, 반도체 21%, 기타 1%로 구성되어 있다. 세계적으로는 통신 기기 부문에서 5위, 컴퓨터 4위, 반도체 2위를 기록하고 있다.

1994년 군수 계약고 순위는 4위, 531억 엔 규모지만, 이것이 총매출액에서 차지하는 비율은 1.5%에 불과하다. 일본 전기는 1930년대부터 자주(自主) 기술 개발에 역점을 두었고, 군수용 무선 통신과 레이더 개발이 선도적인 역할을 담당하였다. 1941년에는 최첨단 기술을 결집하여 전파 관련 무기를 개발하기 위한 종합 연구소가 완성되었고, 태평양전쟁의 발발과 함께 일본 전기는 육·해군의 관리 아래들어가게 되었다. 종전 후에는 교환기, 가전 기기, 트랜지스터 등 민수용 통신 및 전자 기기 위주로 전환하였으나, 1959년 미국 육군에서 발주한 일본의 홋카이도(北海道), 오키나와, 한국을 잇는 고성능 통신 회선 구축을 위한 장비를 공급하면서 군수업체로 다시 기반을 얻게 되었다. 1960년대 중반 BADGE(Base-Air Defense Ground Electronics)의 주계약자로 선정되면서, 이후 15년 간 3차원 레이더, 미사일 유도 장치, 전투기 통제 장치 등의 군수 전자 부문을 강화하였다. 1965년부터 본격적으로 진출한 우주 개발 부문도 군수와 관련이 깊다(松岡功, 1996; 中川靖造, 1992a; 1992b).

III. 일본 항공 전자 공업

일본 항공 전자 공업 Japan Aviation Electronics은 1994년 고용 인원 2,000여 명, 매출액 594억 엔 규모로, 항공기 및 우주용 전자 기기를 전문으로 하는 중견 군수 기업이다. 일본 전기의 전액 출자 자(子)회사로 출발하여 현재도 주식의 51%를 보유하고 있으며, 일본 전기의 계열사로 등록되어 있다. 동시에 일본 항공 전자 공업은 해외 자회사 3개를 포함한 13개의 자회사와 관련사 1개를 거느린 기업 집단으로 성장하였다. 대기업이 정치적으로 민감하거나 특화된 군수 분야를 위하여 설립한 군수 기업의 대표적인 사례다.

일본 항공 전자 공업은 1953년 일본 전기 사옥에 6평을 배정받아, 처음에는 일본 주둔 미군의 군용기 탑재용 전자 기기 수리를 맡았다. 1955년 세계 최고 수준의 코넥터 기술을 보유한 미국의 캐논 전기(현재는 ITT캐논)와 기술 제휴를 맺으면서 코넥터 제조업으로 명성을 얻었다. 1961년 미국의 허니웰Honeywell사와 기술 제휴하여 자동 조종 장치, 자이로 기기, 연료계 등 항공 전자 기기 부문에 본격적으로 진입함으로써, 1966년에는 군수 계약고 5위를 이루게 되었다. 1958년부터 일본 항공 전자는 모기업인 일본 전기의 개입 없이 독자적으로 방위청과 계약을 체결하기 시작했고, 이후 모기업과는 긴밀한 협력 관계를 유지하면서도 때로는 경쟁을 벌이기도 한다. 예컨대, FSX용 관성 항법 장치 개발의 수주에서 파트너는 일본 전기의 경쟁사인 미츠비시 중공업이었다.

설립 1년 후인 1954년부터 독자적으로 자이로 연구에 착수할 정도로 기술 개발에 적극적인 노력을 기울임으로써, 코넥터, 자이로, 관성 항법 장치 등에서 독보적인 기술력을 확보하였다. 일본 항공 전자 공업은 군수 기술을 민수용으로 전환하는 데도 적극적이어서, 1960년대 신간선(新幹線)용 코넥터와 1964년 동경올림픽의 전광판, 자동 기록 장치 등을 공급하였다. 1970년대 후반부터는 VTR, 사무 자동화 기기, 스테레오, 금전 등록기, 자동차 등 민수용 기기를 본격적으로 개발하였다.

일본 항공 전자는 일본에서 가장 군수 비중이 높은 기업의 하나로 알려져 있음에도 불구하고, 1994년 매출액 구성은 항공 · 우주용 전자 기기 23.1%, 코넥터 65.5%, 시스템 기기 10.8%, 기타 0.6%로 다각화되어 있다. 이는 군수 전문 기업일지라도 민수 시장으로의 스핀-오프에 적극적이며, 결과적으로 민·군 겸용 기술dual technology과 스핀-온 중심의 기술 개발과 업종 다각화의 전략을 취하게 되는 일본 군수업체의 특성을 보여준다(Chinworth, 1992: 121～22; Samuels, 1994: 163; 松岡功, 1996: 86～93; 日本航空電子工業株式會社, 1984).

6. 맺음말

지난 50년 간 대내외적인 제약과 제한된 재원 및 시장에도 불구하고, 일본의 군수 산업은 세계 최고 수준의 기술력과 생산력을 갖추게 되었다. 스핀-오프 패러다임에 따라 군수 연구와 군수 산업을 우선적으로 지원한 미국과는 달리, 일본은 민간 부문의 영리를 위한 연구 개발과 생산 활동을 군수에 적극적으로 활용하는 스핀-온 전략을 취하였다. 일본은 정부와 기업이 긴밀한 정보 교류와 협력 관계를 유지하면서, 민간 기업 주도 아래 반도체, 극소 전자, 로보틱스 등 민군 겸용 부문의 기술과 그 용도를 개발하는 데 주력하고 민수용 상품의 사양과 품질 기준을 군수용품에 수용함으로써, 군수용품이 민수용품과 동일한 공장이나 생산 라인에서 생산될 수 있도록 하였다. 사무엘스의 지적대로, 일본에서는 군수 생산이 민수 경제에 '내재화embedded' 되었다(Samuels, 1994: 320～24).

그러면 일본의 경험이 시사하는 바는 무엇인가? 첫째는, 군사력과 국가 안보가 경제력에 직결되어 있다는 사실이다. 이제 군사력은 기술력의 문제며, 광범위한 민수 부문의 기술 개발과 시장 개척이 집중적인 군수 산업 육성 정책 못지않게 군수 생산에 도움이 된다. 일본의 민간 기업들은 급속히 변화하는 민수 시장에 대응하면서, 군수용품에서 요구되는 성능과 신뢰도, 품질 기준을 저렴한 비용으로 충족할 수 있었다. 그러나 다른 한편으로는, 일본이 군수 생산을 무시한 채 세계 최고의 기술력을 쌓은 것이 아니라는 사실 또한 분명하다. 1950년대초부터 일본 정부와 재계의 지도자들은 군수 생산에 상당한 관심을 기울여왔으며, 군수 기술은 민수 기술의 축적에 커다란 기여를 하였다.

둘째, 민수 경제에 내재화된 군수 생산 체제는 토플러(Toffler, 1993)가 경고한 전쟁과 무기의 '문민화 civilization' 추세에 대하여 새로운 경각심을 불러일으킨다. 1990년대 이후 미국과 유럽에서는 국방 예산이 삭감되고 국제 군수 장비 시장에서의 경쟁이 치열해지면서, 군수 산업의 구조 조정이 중요한 정책 과제로 부상하였다. 군수 업체의 '민수 전환 conversion'과 '겸용 기술 dual technology'을 강조하는 기조는 군수 산업과 민수 산업의 통합을 의미한다. 이렇게 전세계적으로 진행되는 군수 생산의 내재화 과정은 앞으로 상상을 뛰어넘는 군수 산업의 확장으로 귀결되는 위험을 내포하고 있다.

참고 문헌

防衛廳(Boeicho)(1995), 『調達實施本部の槪況』.

———(1996), 『防衛白書: 新たな時代への對應』.

———(1997), 『防衛白書』.

防衛年鑑刊行會(Boei Nenkan Kankokai)(1996), 『防衛年鑑』.

江畑謙介(Ebata, Kensuke)(1995), 『軍事大國, 日本の行方』, 東京: KKベ
　　　ストセラーズ.

エコノミスト(Economist) 編輯部 編(1978), 『戰後産業史への證言: エネ
　　　ルギ-革命 防衛生産の軌跡』, 東京: 每日新聞社.

科學技術廳(Kagakukijutsucho)(1996), 『科學技術白書』.

木原正雄(Kihara, Masao)(1994),『日本の軍事産業』, 東京:新日本出版社.

松岡功(Matsuoka, Isao)(1996),『NEC グループ』, 東京: 日本實業出版社.

三菱電氣株式會社(Mitsubishi Denki)(1981),『社史』.

———(1996a), *Annual Report*.

———(1996b),『三菱電氣會社概要』.

———(1996c),『有價證劵報告書總覽』.

中川靖造(Nakagawa, Yasujo)(1992a),『自主技術で撃て: 日本電氣にみ
るエレクツロニクス發展の軌跡』, 東京: ダイヤモンド社.

———(1992b),『技術の壁を突き破れ: NECにみる"21世紀"エレクツロニ
クスへの挑戰』, 東京: ダイヤモンド社.

日本航空電子工業株式會社(Nihon Koku Denshi)(1984),『日本航空電子
工業三十年史』.

富山和夫(Tomiyama, Kazuo)(1979),『日本の防衛産業』, 東京: 東洋經濟
新報社.

Chinworth, Michael W.(1992), *Inside Japan's Defense: Technology,
Economics and Strategy*, Washington, DC: Brassey's.

Dauvergne, Peter(1993), "U.S.-Japan High-Tech Military Cooperation:
Implications of FSX Co-development," *Asian Perspective* Vol. 17,
pp. 179~210.

Edgar, Alistair D. and David G. Haglund(1993), "Japanese Defence
Industrialization," Matthews, Ron and Keisuke Matsuyama(eds.)
(1993), *Japan's Military Renaissance?*, New York: St. Martin's
Press, pp. 137~63.

Hopper, David R., "Defense Policy and the Business Community: The
Keidanren Defense Production Committee," Buck, James H.
(ed.)(1975), *The Modern Japanese Military System*, Beverly Hills,
CA: Sage, pp. 113~47.

Renwick, Neil(1995), *Japan's Alliance Politics and Defence Production*, New York: St. Martin's Press.

Samuels, Richard J.(1994), *Rich Nation, Strong Army: National Security and the Technological Transformation of Japan*, Ithaca, NY: Cornell University Press.

SIPRI(1997), *World Armament and Disarmament: SIPRI Yearbook*, New York: Humanities Press.

Taylor, Trevor, "Japan's Policy on Arms Exports," Matthews, Ron and Keisuke Matsuyama(eds.)(1993), *Japan's Military Renaissance?*, New York: St. Martin's Press, pp. 217~32.

Toffler, Alvin and Heidi(1993), *War and Anti-War: Survival at the Dawn of the 21st Century*, New York: Little, Brown & Co.(『전쟁과 反戰爭: 21세기 출발점에서의 생존 전략』, 한국경제신문사).

제3부

과학 기술과 여성

제9장
과학 기술과 여성,
무엇이 그리고 왜 문제가 되는가?

1. 머리말

지난 1월 24일 "과학 기술도들을 정면으로 다루는 최초의 드라마"로, "과학 기술도들의 삶을 실감나게 전할 경우 과학 기술 분야가 새롭게 힘을 얻는 계기가 될 수 있을 것"(한겨레신문)으로 기대되는 텔레비전 드라마 「카이스트」 첫 회가 방영되었다. 이 드라마에는 전자공학을 전공하는 젊은 여자 교수가 주요 인물로 등장한다. 드라마가 현실을 그대로 재현하는 것은 아니고, 또한 특이하게 설정된 인물이 드라마의 극적 효과를 높일 수 있다는 점은 말할 필요조차 없다. 그러나 실제로 우리나라에서 이런 여성 교수를 찾아보기는 대단히 어렵다. 우선 이공계 분야 전체적으로 여성 교수가 적고, 특히 공학에서는 전산학을 제외하면 전국에서 각 분야마다 여성 교수의 수가 글자 그대로 한 손에 꼽힐 정도이기 때문이다. 또한 여학생과 남학생이 균형 있게 섞여 있는 강의실과 실험실 풍경도 현실과는 거리가 있다. 여성의 위상에 관한 한, 이 드라마는 지금의 현실을 생생히 그려내기보다 앞으로 어떤 방향으로 나아가야 하는지를 제시한다는 측면에서 후한 점수를 받아야 할 것으로 보인다.

과학 기술 분야에 여성의 참여가 저조한 것은 우리나라에만 있는 현상은 아니다. 서양의 여성학자들은 역사적으로 자연과학이 군대 다음으로 가장 철저하고 체계적으로 여성을 배제했던 사회 활동의 영역이었다고 지적한다. 그러나 1960년대 이후 서구에서는 여성의 과학 기술 분야 진출을 활성화하고자 여성계뿐만 아니라 국가적 그리고 국제적 차원에서 적극적인 노력을 기울인 결과, 이제는 드라마 「카이스트」 같은 인물과 배경이 낯설어 보이지 않을 정도로 바뀐 것이 사실이다. 더욱이 최근 기술 혁신의 격동기를 맞아, 서구 선진국에서는 여성 과학 기술 인력을 확대하기 위하여 보다 적극적인 정책을 펴는 데 박차를 가하고 있다.

필자는 우리나라 과학 기술계의 여성 참여 문제에 대한 관심을 촉구하고자 한다. 이 문제가 이제 우리 사회에서 현실적으로 중요한 의미를 갖게 되었다고 보기 때문이다. 이 글에서는 먼저 이러한 문제의식을 제시한 다음, 우리보다 앞서 서구 선진국에서 이루어진 노력과 성과를 소개하면서 우리의 현실을 진단하고자 한다.

2. 왜 여성의 과학 기술계 진출에 관심을 갖는가?

선진국에서는 이미 수십 년 간 여성의 사회 참여와 성차별 문제가 기본적인 인권과 사회 정의 차원의 문제로 인식되어왔다. 또한 페미니즘이 현대의 중요한 화두로, 21세기 우리의 세계관에 지대한 영향을 미치게 될 것이라는 데 이의를 달지 않는다. 과학 기술 분야의 여성 문제도 1960년대부터는 본격적으로 다루기 시작했다.

이제 우리나라도 적극적인 여성 참여 없이는 우리가 안고 있는 사회적 문제들을 해결하기 어려운 지점에 이르렀고, 특히 과학 기술 분야의 여성 진출은 중요한 의미를 지닌다고 믿는다. 우리나라 여성의 과학 기술계 진출은 매우 저조한 실정이고, 이에 대한 관심도 미미해서 이제 겨우 논의의 장이 열리는 단계에 접어들고 있다. 과학 기술 분야의 여성 진출이 문제가 되는 이유는 무엇인가?

첫째로는 물론 여성의 지위 향상이라는 이유를 들 수 있다. 우리나라 여성의 사회 참여는 국제적으로 꼴찌에 가깝다. 뜨거운 자녀 교육열 덕분에 여성의 취학률은 상위권임에도 불구하고, 경제 활동 참여율은 뒤떨어진다. 여성의 취업은 단순 기능직, 저생산성, 저임금 부문에 집중되어 있고, 학력이 높을수록 취업률은 낮아지는 양상을 띠고 있다. 몇 년 전 우리나라 여성의 정책 참여 정도는 세계에서 99위, 고급 행정·관리직의 여성 비율은 116개국 중 112위로 최하위권이라는 통계가 발표된 바 있다. 1998년 유엔개발계획 UNDP의 인간 개발 보고서에도 우리나라 여성의 정치·경제 부문 의사 결정 참여도는 세계 102개국 중 83위에 그치고 있는 것으로 나와 있다. 이런 상황에서 여성의 지위 향상을 위해서는 사회적 위신과 영향력이 있는 전문직에 더 많은 수의 여성이 진출해야 되고, 과학 기술도 바로 그런 전문직의 하나라는 것은 말할 필요조차 없다. 특히 전사회적으로 과학 기술의 중요성과 영향력이 급속히 증대되고 있는 최근의 추세를 감안할 때, 앞으로 여성의 사회 참여와 지위 향상의 문제를 풀어가는 데는 과학 기술 분야에 주목하지 않을 수 없다.

우리나라 과학 기술계의 여성 진출 현황을 보면, 1995년말 기준으로 과학 기술 분야의 정부 출연 연구소에서 여성 연구원의 비중이 5.1%고, 민간 기업 연구소는 4.8%에 불과하다. 4년제 대학의 전임직 교수 중에는 여성이 자연과학에서 5.7%, 공학 0.6%로, 이공계 전체 교수의 2.5% 정도다. 현장에서의 실무 경험을 중시하는 기술사의 경우 여성의 비율은 더욱 떨어져, 전체 자격증 보유자 9,869명 중 여성은 28명으로 0.3%밖에 안 된다. 대조적으로 1995년 배출된 자연과학 부문 학·석·박사 중 여성의 비율은 사범계를 제외하고도 각각 46%, 33%, 18%나 되며, 전체 대학 교수의 14%, 언론 기관 종사자의 14%가 여성이다. 이 같은 수치는 과학 기술 전문직에 진출한 여성이 수적으로 소수일 뿐만 아니라, 여성의 교육 수준이나 다른 전문 직종에 비해서 상대적으로도 매우 부진하다는 사실을 증언하고 있다 (윤정로 · 김명자, 1998).

둘째 이유는 국내외의 격동적인 변혁기를 맞고 있는 지금, 과학 기술 분야의 여성 진출 문제는 우리 사회의 인적(人的) 자원 확보 차원에서 시급하고 중요한 문제가 되었다는 점이다. 1990년대 과학 기술력을 축으로 국제 질서가 개편되고 과학 기술 혁신이 유례없이 가속화되는 가운데, 선진 산업국들은 과학 기술 혁신 역량 제고와 고급 과학 기술 인력 확보에 비상한 노력을 기울이고 있음은 주지의 사실이다. 선진 산업국에서 앞다투어 강도 높게 추진하고 있는 교육 개혁의 요체는 실상 더욱 광범위한 집단에서 더 재능 있는 차세대 과학 기술 인재를 발굴하여 더 질 높은 교육과 훈련의 기회를 제공하자는 것이고, 계발 잠재력이 막대한 집단으로 여성 과학 기술 인력이 관심의 대상으로 떠오르고 있다.

미국의 사례는 우리에게 시사적이다. 1960년대 이후 여성의 과학 기술계 진출을 위해 다양한 프로그램을 실시함으로써 여성의 참여 기회가 대폭 확대되었음에도 불구하고, 미국은 1990년대 들어 더욱 강도 높은 정책 추진으로 방향을 잡는다. 예컨대 우리나라의 학술원처럼 각 분야의 석학들이 추대되는 과학, 공학, 의학 한림원 National Academy of Sciences, National Academy of Engineering, Institute of Medicine의 공동 집행 기구인 국가연구위원회 National Research Council 산하 상설 기구로 '과학 · 공학 여성인력위원회 Committee on Women in Science and Engineering'가 1990년 발족되어 다각적인 정책 대안을 제시하고 매년 그 성과를 평가하고 있는 것도 이런 맥락이다.

이러한 정책 기조에는 고급 과학 기술 인력 수급 상황에 대한 위기 의식이 작용하고 있다. 1980년대부터 장기적으로 과학 기술력의 약

276

화가 미국의 국력에 가장 위협적인 요인이라는 인식이 일고 있는 가운데, 미국 과학 재단을 위시한 여러 기관에서 향후 심각한 과학 기술 인력 부족 현상이 일어나게 될 것이라는 전망을 발표하였다. 고급 과학 기술 인력의 수요는 현저히 증가될 것으로 예측되는 반면, 공급 기반이 되는 청년층의 인구는 감소하고 있다는 것이다. 더구나 대학에서 이공계를 전공하는 미국인 학생 수가 줄어들면서 외국인 유학생과 외국인 과학 기술자의 비중이 늘어나고 있던 것이, 그나마 21세기에는 외국에서 유입되는 고급 과학 기술 인력도 줄어들 것으로 예상되기 때문이다. 1990년 이민법을 개정하여 대폭적으로 규제를 강화하였음에도 불구하고, 고급 과학 기술 인력에 대해서는 오히려 이민의 문호를 활짝 열어주는 조항을 설치한 것은 바로 이런 맥락이었다. 이러한 사회적 환경 변화에 직면하여, 그 동안 고급 과학 기술 인력의 대다수가 충원된 백인 남성 중에서는 더 이상의 인력을 발굴하는 데 한계가 있고, 이제는 여성과 소수 민족 집단으로 눈을 돌리지 않을 수 없으며, 따라서 기존의 유인책보다 훨씬 적극적이고 체계적인 전략과 정책을 밀고 나가야 한다는 것이다(National Research Council, 1991 ; National Science Foundation, 1990).

셋째는 여성의 진출이 과학 기술의 발전, 그리고 바람직한 방향으로 발전하는 데 기여할 수 있다는 점이다. 서구 학자들은 근대 과학 기술이 남성의, 남성에 의한, 남성을 위한 과학 기술로 발전됨으로써, 그 인식론과 연구 방법, 내용에 있어서 편향성을 보이고 무분별한 인명 살상과 환경 파괴로까지 치닫게 되었다는 비판을 제기한다. 과학 기술 지식의 본질에 관한 철학적인 논의는 접어두더라도, 오늘날 과학 기술의 발전과 사회적 파급 효과가 어떤 주어진 시점과 사회를 둘러싸고 있는 사회문화적 맥락에 따라, 그리고 그 과정에 관여하는 사람들의 구성과 의도에 따라 차이가 난다는 것은 분명한 사실이다. 과학 기술 지식의 생산뿐만 아니라 유통과 활용 과정에서 여성이 배제되면, 결국 여성이 관심을 갖고 여성에게 문제가 되는 영역은 과학 기술적 관심에서 멀어진다. 따라서 앞으로 적극적인 여성 참여는 과학 기술의 연구 영역을 확장하고 대안적 시각을 제시함으로써, 기존 지식의 공백을 메우며 삶의 질을 높이는 방향으로 과학 기술 발전을 촉진할 수 있는 가능성을 열어줄 수 있다.

우리 사회의 성별 불평등 해소를 위하여, 그리고 고급 과학 기술 인력의 확보와 생산적이고 바람직한 과학 기술의 발전을 위하여, 여성 과학 기술 인력이 적극적으로 활용되어야 한다. 그러나 여성의 과학 기술계 참여는 지극히 저조하고, 사회적 무관심과 정책의 사각 지대로 남아 있는 것이 우리의 현실이다. 이 문제는 우리 사회의 의식과 관행, 제도에 뿌리깊이 얽혀 있고, 자연적인 변화를 기다리기에는 형편이 다급한 실정이다. 따라서 적극적인 개입이 필요하며, 변화를 앞당길 수 있는 구체적이고 현실적인 방안을 마련해야 한다. 우리보다 앞서 이 문제에 관심을 기울여온 다른 나라들의 사례에서 실마리를 찾아보기로 하자.

3. 외국에서는 어떤 노력을 기울였는가?

1964년 10월 미국의 MIT 대학에서는 '과학과 공학 분야의 미국 여성 American Women in Science and Engineering'이라는 주제를 걸고 이색적인 심포지엄이 열렸다. 이 모임은 한 여자 졸업생이 기증해서 건립된 캠퍼스 내의 최초의 여학생 전용 기숙사 준공을 기념하기 위해 여학생회에서 주최한 행사였다. 심포지엄에는 사회 각계각층의 명사들이 연사로 초청됐고, 전국 137개 대학의 학부 여학생 대표들까지 참석하여 대성황을 이루었다. 기조 연설은 정신분석학자(남성)가 맡았는데, "여성은 우선 남편에게 아내로서의 역할을 충실하게 한 연후

278

에 직장 일이나 과학 활동에 힘을 쏟아야 한다"는 것이 그 요지였다. 이에 대해 패널리스트(여성)는 "아내이자 어머니이며 해부학자인 자신의 과학에 대한 열의는 해부학 분야의 어떤 남성에게도 뒤지지 않는다"고 신랄하게 반박하였다. 여성과 남성은 선천적으로 성향이 다르고 과학자로서의 적성에 차이가 있다는 주장에 대해서도, "퀴리 부인은 '내면'을 선호하는 여성이니까 방사능의 외부 방출 대신 원자의 내부를 연구했어야 하고, 남성 정신과의사는 선천적으로 '외면'을 선호하도록 되어 있으니 가정 내부의 사랑과 조화의 문제에는 관여하지 말아야 한다는 말이냐"는 풍자를 섞어 비판을 가하였다. 이렇게 열띤 설전은 당시의 사회 분위기를 상징적으로 보여주고 있었다 (Rossiter, 1995).

이 심포지엄에서 앨리스 로시 Alice Rossi는 「과학 속의 여성: 왜 그렇게 수가 적은가?」라는 제목의 기념비적인 연설을 하였다. 로시는 잘 알려진 여성 사회학자로서, 1960년대 초부터 성차별 문제에 눈을 돌린 선구자였다. 로시의 연설은 방대한 문헌과 실증적 자료를 동원하여, 과학 기술 분야에서 여성의 위상을 분석하고, 여성의 진출을 가로막는 사회적 · 심리적 요인을 지적하고, 진출 확대를 위한 실천 과제를 조목조목 제시했다. 이 연설문은 이듬해인 1965년에 『과학 Science』지에 요약본으로 실렸고,[1] 이로써 로시는 과학 기술계에서 여성의 위상에 대해 체계적으로 문제를 제기한 학자로서 자리를 굳히게 되었다(Rossi, 1965).

가치관의 일대 변혁기였던 1960년대 말, 미국의 대학가에서 과학 기술계의 여성 문제가 본격적으로 쟁점화되기 시작했다. 당시 선풍을 일으키던 여성 운동과 여성 과학 기술자의 성장 추세가 맞물린 결과였다. 남부의 흑인 민권 운동에 참여하면서 시작된 학생 운동은,

---

1) 『과학』지는 1883년에 창간되어 현재 미국과학진흥회 American Association for the Advancement of Science에서 주간으로 발행하는 대표적인 과학 관련 종합지다.

1964년 민권법 제정이라는 결실을 거두면서 반전(反戰) 운동으로 방향이 전환되었다. 월남전 수행을 위한 징집 문제를 저항의 표적으로 삼는 반전 운동 속에서, 여성들은 현실적으로 징집 대상에서 제외되었기 때문에 주변화될 수밖에 없었다. 이를 계기로 여성들은 여성 자신의 문제로 관심을 돌리게 되었고, 1966년에는 베티 프리단Betty Friedan과 앨리스 로시 등을 주축으로 전국여성기구 National Organization of Women가 결성되어 구심점 역할을 하면서, 여성 운동이 불붙기 시작했다.

다른 한편으로는 2차 대전 이후 제대 군인의 대학 교육 지원 프로그램 G. I. Bill이 실시되고 여성에게는 결혼과 가정을 강조하는 사회 분위기가 조성되면서 미국의 대학 캠퍼스에서 여학생들이 밀려나던 것이, 1960년대에 들어서는 반전되는 추세를 보이고 1960년대말에는 여성의 과학 기술계 진출도 급속히 증가한다. 미국 과학 재단에서 발간한 『전국 과학 기술자 명부』에 의하면, 1960년부터 1970년까지 10년 간 여성 과학 기술자는 1만 3,551명에서 2만 9,293명으로 늘어나고, 그 비율도 전체 과학 기술자의 6.7%에서 9.4%로 증가한다.[2] 당시 대부분의 여성 과학 기술자는 교육 기관에 근무했다. 교육 기관에서 전일제 full-time로 근무하는 여성 과학자는 1966년부터 1968년 사이에 9,656명에서 1만 4,505명으로 50% 이상 증가하고, 1970년에는 그 비율이 전체 여성 과학자의 62%나 되었다.

그런데 문제는 대학의 여성 과학 기술자 대다수가 강사 lecturer, 준연구원 research associate, 연구 조수 research assistant 등의 저임금 임시직 종사자였다는 사실이다. 앨리스 로시도 탁월한 학문적 능력이

---

2) 임시직 연구 보조 인력과 대학원생의 부류에서 여성의 수가 대폭 증가한 것으로 추정된다. 1970년대초 연방 정부의 과학 기술 지원 예산 증가율이 둔화되면서 이른바 '박사 과잉 공급' 현상이 발생하게 되자, 일부에서 그 원인을 1960년대 후반부터 여성 대학원생의 수가 증가한 탓으로 돌린 것도 하나의 방증이 된다.

있었음에도 불구하고 이 대학 저 대학에서 강사와 준연구원으로 지낼 수밖에 없었던 여성 중 한 명이었다. 여성 운동의 물결 속에서 이들은 과학 기술계의 뿌리깊은 여성 배제 exclusion에 항거하고, 힘을 합쳐 정치적으로 형평성 equity을 추구하고자 하였다. 변화의 가능성에 고무된 이들은 여성 과학 기술자들에 대한 자료 수집과 보고서 작성, 청원서 제출, 방방곡곡의 의식화 모임 조직과 집회, 시위, 법정 투쟁 등 다양한 수단을 동원했다.

특히 1970년 벽두부터 집단 손해 배상 class-action 소송을 계기로 시작된 법정 투쟁은 위력적이었다. 대학에서의 여성 차별 고용 관행이 연방 정부와의 계약 체결자에 대하여 인종 및 여성 차별을 금지한 행정 조례 위반이고, 전국 250개 대학이 이에 해당된다는 것이었다. 3월부터 불평이 접수된 피츠버그 대학, 하버드 대학 등에 연방 정부에서 특별 조사단을 파견하자, 줄어드는 정부 지원에 목마른 대학들은 더 이상 여성 차별 문제를 수수방관할 수 없었고, 악명 높던 명문 대학들도 서둘러 반응을 보이기 시작했다. 역사적인 남녀 평등 헌법 수정안이 통과된 1972년, 여성의 교육과 고용 평등권을 명시한 교육법 수정안과 고용 기회 평등법도 함께 제정됨으로써, 여성의 참정권 투쟁 이후 또 하나의 법적 혁명이 이루어지게 되었다(Rossiter, 1995; Chamberlain, 1988).

1970년대에는 여성 인력의 과학 기술계 진출을 장려하기 위한 정부와 민간 부문의 개입 프로그램에 시동이 걸렸다. 여성의 진출을 가로막은 법적·제도적 차별 요인이 제거되자, 과학 기술 분야로 유능한 여성을 적극적으로 유인하는 방향으로 관심이 옮겨진 것이었다. 과학 기술계의 여성 문제에 관한 기존의 연구 성과를 바탕으로 개입 프로그램이 구상되었고, 이들 프로그램의 도입은 다시 이론적 연구를 고취하였다. 모든 게 순조로웠던 것은 아니지만, 여성 과학 기술자의 수는 꾸준히 늘어갔고, 참여 기회와 활동 범위도 훨씬 넓어졌다.

미국 외의 다른 나라들에서도 과학 기술과 여성 문제에 대한 관심은 활기를 띠게 된다. 전통적으로 과학 기술 활동의 중심지였던 서구에서 미국과 거의 동시에 이 문제가 사회적 관심사로 부상하였으리라는 것은 쉽게 짐작이 간다. 1960년대 서구에서도 전문직 여성들이 주도하는 여성 운동의 태동 속에, 전문직의 한 부분으로 과학 기술계의 여성 문제에 대한 관심이 높아졌다. 정책적으로는, 사회 전반적으로 여성의 경제 활동 참여율이 높아지면서 여성 노동력의 관리가 중요한 문제로 부상하였다. 특히 1960년대 들어 미국과 비교해서 서구 유럽의 과학 기술 수준이 떨어지고 점점 그 격차가 확대되고 있다는 우려가 높아짐에 따라 과학 기술 정책의 중요성이 증가하고, 따라서 여성 과학 기술 인력 문제의 비중은 더욱 높아졌다. 이론적으로는, 1960년대말부터 인문사회과학 전반에 걸쳐 프로이트 Sigmund Freud와 마르크스 Karl Marx 이론에 대한 재평가 작업이 활발히 진행되면서 과학 기술과 여성 문제에 대해 다양한 관점과 경험적 분석이 축적되는 양상을 띠었다.

소련과 동구권 국가에서는 1960년대까지 주로 노동 시장 전반에 여성의 참여율을 높이는 데 중점을 두었고, 1970년대부터 전문직 여성에 관심을 돌리면서 여성 과학 기술자에 대한 관심도 일어나기 시작했다. 소련에서는 1980년대말 페레스트로이카가 진행되면서, 과학 기술계의 주요 보직에 선출제가 도입되어 여성의 상위 보직 진출이 상대적으로 증가했고, 과학한림원 최고회의에서는 산하 연구 기관들이 여성 문제를 주요 연구 과제로 포함시킬 것을 지시했다(Stolte-Heiskanen, 1991).

국제 기구에서도 관심을 기울여왔다. 유엔 산하 기관인 유네스코 UNESCO는 1980년대초부터 과학 기술계의 여성 문제에 대한 관심을 촉구하고, 연구 활동과 국제 회의 개최를 지원하면서 회원국들에 대하여 과학 기술 분야의 평등한 여성 참여를 촉진할 수 있는 정책을 권고하고 있다. 유네스코와 국제과학연맹위원회 International Council for Science 공동 주최로 1999년에 개최된 세계과학회의 World Conference on Science에서도 여성과 젠더 gender의 문제가 가장 열띤 논의 주제였다. 개발도상국 쪽에서는 사회 발전 문제와 관련하여 여성의 과학 기술계 참여에 관심을 쏟고 있으며, 1988년에는 캐나다 국제개발처 Canadian International Development Agency와 국제 민간 기구인 제3세계 과학한림원 Third World Academy of Sciences 공동 주최로 아프리카, 아랍, 중남미, 아시아 개발도상국의 여성 과학 기술자를 주제로 대규모 학술 회의가 열렸다(Faruqui, Mohamed, Gabriella, 1988).

우리나라는 이 모든 국제 활동에 참여한 적이 없다. 1988년의 방대한 국제 학술 대회 보고서에 보면, 우리나라는 6개국의 대학과 정부 기관에 근무하는 여성 과학자를 비교한 단 하나의 논문에서 언급되고 있는데, 그나마도 표본의 수가 너무 적어 정확한 분석이 어렵다는 것이다. 우리나라에서는 1990년대 중반에야 여성 과학 기술 인력의 양성과 활용에 관련된 소수의 정책 용역 연구가 수행되기 시작했다(김명자 외, 1995; 김정자 외, 1998; 모혜정 외, 1995). 이제 선진 산업국과는 다른 역사적 배경과 사회 구조적 맥락 속에서 움직이는 우리의 과학 기술계에서 여성의 진출에 영향을 미치는 요인과 방식을 체계적으로 규명하고 진출의 물꼬를 트는 작업이 이루어져야 한다.

4. 과학 기술과 여성, 무엇이 문제인가?

지난 30여 년 간 과학 기술과 여성에 관한 연구는 이론과 실천의 긴밀한 연계 속에 역동적으로 발전하면서, 그 영역과 접근 방식이 다

양해졌다. 기본적으로 과학 기술의 남성 중심적 편향성을 비판한다
는 데는 인식을 같이하지만, 그 비판의 대상이 되는 남성 중심성의
의미에 큰 차이가 생기게 된 것이다. 페미니즘 이론 전반의 동향과
마찬가지로 과학 기술 비판도 점점 급진주의적 성향을 띠게 되었다
(Harding, 1986; Keller, 1978; 1985; 1995; Kohlstedt, 1997; Schiebinger,
1987).

초기 연구는 과학 기술계의 여성 부재 현상에서 출발하여 여성의
진출을 가로막는 구조적 장벽을 밝히는 데 주력했다. 이들은 불공평
한 교육 기회와 고용 관행을 문제의 핵심으로 보고, 여성 과학 기술
자의 수적 증가와 위상 제고를 목표로 삼았다. 이것은 본질적으로 기
회의 평등을 요구하는 정치적 비판이었고, 과학 기술의 객관성·합
리성·가치 중립성을 신봉하는 기존의 관념과는 전혀 마찰이 없었
다. 과학 기술계에 여성이 진출하든 말든, 과학 기술의 본질과 내용
에는 무관하다는 것이다.

그러나 곧 과학 기술계의 남성 지배 현상이 과학 기술의 내용에도
영향을 미친다는 비판이 나오기 시작했다. 우선, 연구 주제의 선택과
문제 제기 방식에 나타나는 남성 중심성이다. 예를 들어, 피임은 직
접적으로 남성의 관심사가 아니기 때문에 그 사회적 중요성에 비해
연구가 소홀했고, 그것도 주로 여성의 피임법만 연구된다는 것이다.
둘째는 실험 디자인에서 보이는 남성 중심적 선입견이다. 동물 실험
이나 심리학 연구는 절대 다수가 남성을 대상으로 이루어지고 있는
데, 여기에는 남성이 종(種)을 대표한다는 암묵적인 전제가 깔려 있
고, 이런 선입견은 이론 구성의 왜곡 요인으로 작용할 수 있다. 셋째
는 실험 결과와 자료 해석 방식에도 알게모르게 남성 중심적 편견이
스며 있고, 특히 우리의 일상 언어가 미치는 영향이 크다는 비판이
다. 그런데 이러한 비판들은 심리학, 영장류학, 의학, 생물학 등 소위
'부드러운 soft' 과학으로 사례가 한정되어 있고, 문제가 되는 남성 중

심성도 기존의 '과학적' 기준을 더욱 엄밀히 적용하기만 하면 시정할 수 있기 때문에, 그 파괴력은 제한되어 있었다.

1970년대말부터 페미니스트들은 '단단한 hard' 과학에도, 그리고 과학 기술의 이념 자체에도 남성 중심적 편향성이 내재되어 있다고 비판한다. 여성학 women's studies과 과학학 science studies, social studies of science의 새로운 사조가 합류한 결과였다. 1970년대에만 전국 450여 개 대학에 학위 프로그램이 만들어질 정도로 여성학이 급성장하면서, 과학 기술 분야에 대한 페미니스트들의 관심도 크게 증폭되었다. 당시 여성학에서는 '젠더 gender(사회적 성)'라는 새로운 개념이 도입되었다. 남성 male과 여성 female이라는 생물학적 성 sex과는 별도로, '남성다움 masculinity'과 '여성다움 femininity'이라는 범주가 사회 문화적으로 규정되고 있다는 사실을 부각시키기 위한 것이었다. 한마디로 젠더는 그 유명한 시몬느 드 보브와르 Simone de Beauvoir의 명제, 여성은 여성으로 '태어나는' 것이 아니라 여성으로 '만들어지는' 것임을 강조하는 용어다. 페미니스트들은 사회의 구석구석, 그리고 사회 구조 깊숙이, 심지어는 우리의 언어와 사고 방식에까지 어떻게 젠더의 구분과 남성 중심적 문화가 작용하고 있는지에 관심을 돌렸다.

페미니즘 이론이 '단단한' 자연과학 분야로 밀고들어가는 데는 과학에 대한 인문사회과학적 탐구가 결정적인 힘이 되었다. 1960년대 군비 경쟁과 환경 문제가 심각해지면서 과학 기술에 대한 비판이 제기되고, 토마스 쿤 Thomas Kuhn의 저서 『과학 혁명의 구조』가 서구 지성계에 엄청난 반향을 일으키면서, 과학철학, 과학사, 과학사회학에서 자연과학의 방법론과 인식론에 대한 비판이 활발해졌다. 자연과학의 객관성·보편성·가치 중립성이라는 신화를 해체하고, 과학을 초(超)사회적으로 독자적인 존재 양식과 발전 법칙을 가진 것이 아니라 하나의 '사회적 과정 social process'으로 보고, 자연과학 지식을 특정한 사회 문화적 · 정치적 맥락에 영향을 받는 하나의 '사회적 구성물social construct'로 이해하자는 것이다(윤정로, 1994).

이런 인식은 과학 기술의 지식과 관념 자체가 젠더화되어 있다는 비판으로 연결된다. 페미니스트들은 어떻게 서구 문화 속에서 과학 기술이 '남성다움'과 결합되고 '여성다움'과는 분리되었는지를 검토함으로써, 현재 우리가 알고 있는 과학의 남성다움이 '역사적 우연'에 의해 형성된 하나의 이데올로기임을 밝히고 과학의 신화를 그 기원에서부터 무너뜨리고자 한다. 과학 기술의 '남성다움'이라는 신화의 가장 핵심적인 요소는 자연과학의 인식론이라고 본다. 객관성 · 합리성 · 보편성 · 가치 중립성으로 대변되는 과학의 인식론과 방법론이 그 지향점과는 달리 젠더 이데올로기에 따라 형성된 것임을 밝히고, 더 나아가서는 진정으로 젠더 중립적인 대안을 모색하고자 한다.

과학 기술과 여성의 문제는 과학 기술계의 성차별 관행을 넘어서 과학 기술의 본질과 이념에 대한 비판으로 확장되었다. 과학 기술에서의 여성 소외는 단지 여성의 참여를 증가시킴으로써 해소될 수 있는 차원의 문제가 아니라, 뿌리깊은 철학적 · 문화적 · 역사적 차원의 문제라고 본다. 궁극적으로 과학 기술적 인식론과 방법론, 그리고 과학 기술의 관행practice과 과학 기술에 대한 관념 자체 속에 배어 있는 남성 우위 문화와 '남성다움'이라는 신화를 해체하지 않고서는 해결할 수 없는 문제라는 것이다. 관심의 초점은 '여성'에서 '젠더'로, '과학 기술자'에서 '과학 기술 지식'으로, '과학 속의 여성 문제 woman question in science'에서 '페미니즘 속의 과학 문제 science question in feminism'로, '역사학적 · 사회학적' 분석에서 '심리학적 · 철학적' 분석으로 옮겨지게 되었다. 초기의 여성 과학 기술자에 대한 연구가 주로 사회과학자들에 의해 이루어졌던 반면, 최근의 과학 기술과 젠더 연구는 자연과학과 공학 분야의 전문 지식에 조예가 깊은 과학 기술자 출신 학자들이 주도하고 있다.

5. 여성의 과학 기술계 진출,
무엇이 문제고 어떻게 개입할 수 있는가?

그러면 현실적으로 여성이 과학 기술 전문직으로 진출하는 데 있어서 겪게 되는 어려움이 무엇이고 그 어려움을 덜어줄 수 있는 방안으로는 어떤 것이 있을까? 주로 서구 선진국에서 수행된 연구와 실제로 운영된 프로그램의 성과를 바탕으로, 우리의 현실을 짚어보기로 하자.

앞에서 언급한 미국 국가연구위원회 과학·공학 여성인력위원회의 위촉을 받아 작성한 한 보고서에 의하면, 문제 상황을 개선해나가는 과정을 첫째 명확한 문제의 인식, 둘째 장애물의 발견, 셋째 개선책의 개발, 넷째 개선책의 실행, 다섯째 개선도의 측정과 개선책의 평가 5단계로 구분한다. 무엇보다도 먼저 과학 기술계의 저조한 여성 참여가 문제라는 인식이 없으면 이 상황은 개선될 수 없다는 것이다 (Matyas and Dix, 1992).

지난 30여 년 간 이 문제에 관심을 기울여온 선진국들에서 가장 두드러진 성과는 바로 이런 문제 인식에 대한 사회적 공감대의 확산이다. 과학 기술계의 저조한 여성 참여가 중대한 사회적 불평등과 손실로 받아들여지고 있다. 또한 고급 과학 기술 인력의 양성은 유아기부터 시작되는 대단히 긴 과정으로 학교뿐만 아니라 가정과 사회 전반의 문화가 커다란 영향을 미치고 있고, 이 과정에서 여성은 공식적·비공식적으로, 그리고 부지불식간에 다양한 방식으로 과학 기술로부터 소외되고 있으며, 따라서 여성이 과학 기술에 친숙함을 느끼고 재능을 발휘하도록 하기 위해서는 범사회적으로 체계적이고 지속적인 노력을 기울여야 한다는 인식이 널리 받아들여지고 있다. 미국을 필두로 유럽 여러 나라에서는 포괄적으로 성차별을 금지하는 법률을 제정한 데 이어, 1980년대부터는 구체적으로 과학 기술과 여성에 관련된 법률이 제정되고 과학 기술계의 여성 문제에 대한 사회적 관심을 불러일으키는 행사와 프로그램들이 지속적으로 열리고 있다.

우리나라에서는 많은 사람들이 과학 기술계의 여성 참여가 지극히 저조하다는 실태는 알고 있음에도 불구하고, 이 현상을 아직 심각한 문제로 인식하지는 못하고 있다. 교육과 고용에서의 성차별적 제도와 관행은 전통이라는 구실로 눈감아두고, 여성 과학 기술자의 수가 적은 것은 남녀간의 생물학적인 차이에서 비롯된 자연스러운 현상으로 보는 것이 우리의 현실이다.

둘째, 여성의 과학 기술계 진출을 가로막는 장애물에 대하여, 최근 외국에서는 법적·제도적 차별 이외에 눈에 보이지 않는 걸림돌에 관심을 기울이고 있다. 대표적인 예로 과학 기술 분야는 여성에게 어울리지 않는다는 고정관념이 있다. 어릴 때부터 보통 딸에게는 인형, 아들에게는 자동차나 총, 컴퓨터 게임을 사주고, 딸보다는 아들에게 컴퓨터를 배우라고 권장한다. 컴퓨터 게임도 주로 폭력, 전쟁, 스포츠 등 남자 위주로 되어 있어, 여자 어린이보다 남자 어린이들이 많은 시간을 컴퓨터 앞에서 보내게 되면서, 어릴 때부터 여성보다 남성이 과학 기술에 대해 더욱 친밀하고 편안하게 느끼게 된다. 이러한 고정관념은 학교 교육과 전공 선택, 취업에서도 작용하고 있다. 우리나라 여자 대학 최초로 이화여대에 공과대학이 신설될 때도, '여성과 기계는 어울리지 않는다'는 부정적 시각이 적지 않았다고 한다(윤정로, 1998).

이외에도 장학금과 연구비 수혜를 비롯한 경제적 지원, 교수의 기대와 관심, 연구나 교육 조교로의 활동과 경력 개발의 기회, 자신감과 성취 동기 개발, 가정과 직업의 양립을 위한 보육 서비스, 직장 분위기 등 다양한 부면에서 여성이 부딪치는 어려움을 찾아내고 이를 시정할 수 있는 조치들이 강구되고 있다. 특히 최근 초·중등학교의 수학과 과학 과목은 남녀 분반 학습을 하고, 대학에서 별도의 여성 공대를 설치하거나 여자 대학 내에 공학 전공을 설치해야 한다는 논의가 활발하다. 미국의 전통적인 명문 여자 대학인 스미스 칼리지 Smith College는 공학 부전공 과정을 그 동안 인근에 있는 매사추세츠 주립 대학과 공동으로 운영하던 방식에서 탈피하여, 여자 대학으로는 최초로 1999년부터 별도의 공학 전공 프로그램을 설치하기로 결정했다.

우리나라는 해방 이후 여성의 교육 기회에 대한 공식적 제한이 철폐되고, 모든 대학에 여성의 입학이 허용되었다. 미국보다도 앞서 이화여대에 공과대학이 설치되었다. 남녀 차별 금지 및 구제에 관한 법률도 제정되어 1999년 7월 1일부터 시행되고 있다. 그러나 이러한 법적·제도적 평등의 이면에는 엄청난 명시적·묵시적 성차별이 엄존하고 있는 것이 우리의 현실임을 부인할 수 없다. 특히, 현재 우리나라 여성 과학 기술 인력 문제의 핵심은 공급이 아니라 수요 측면에 있다. 어려운 과정을 성공적으로 통과하여 배출된 양질의 고급 여성 인력조차 여성이라는 이유로 과학 기술계 진출이 막히는 현상을 시정하는 것이 선결 과제인 것이다.

여성의 과학 기술계 진출을 돕는 개입 프로그램은 더욱 많은 수의 여성이 이공계 교육 과정을 밟도록 유인하는 것과 이렇게 유입된 여성들의 이탈을 방지하는 것으로 구분할 수 있다. 지금까지의 성과를 보면, 이 두 가지 측면을 나누어 별개의 프로그램으로 시행하기보다는 통합적인 프로그램으로 운영하는 편이 효과적인 것으로 나타난다. 미국과 유럽 다수의 대학들이 학부와 대학원 과정에서 여학생을 유치하고 지원하기 위해 다양한 프로그램을 운영하고 있다. 또한 기업과 사회 단체에서도 여성 과학 기술 인력을 양성하고 취업과 경력 개발을 돕기 위한 프로그램을 지원하고 있다. 앞서 언급한 대로, 선진국에서는 이런 개입 프로그램을 개발하여 시행해보는 단계를 넘어서, 기존의 프로그램과 성과를 평가하여 더 조직적인 방식으로 여성의 과학 기술계 진출을 촉진하는 전략을 세우고자 한다.

1997년 IMF 구제 금융 지원 사태 이후 대량 실업이 가장 심각한 사회 문제로 떠오른 현재의 상황에서, 여성의 과학 기술 전문직 진출을 늘린다는 논의 자체가 사치스러운 것으로 받아들여질 염려도 없지 않다. 그러나 여성 인력 활용의 중요성이 잊혀질 수 있는 문제는 아니다. 경제 위기 속에서 여성 인력은 더욱 취약한 상황으로 떨어져 구조 조정의 1차 대상인 것이 현실이고, 위기의 극복과 새로운 도약은 우수한 인력 자원에 기대할 수밖에 없기 때문이다. 구체적인 우리 사회의 맥락에서 무엇이 여성의 과학 기술계 진출을 가로막는지를 규명하고 합리적 대안을 모색하는 작업은 경제 난국이기에 더욱 시급하고 중요한 과제인 것이다. 이 문제에 대한 인식의 전환이 뿌리깊은 여성 소외를 해소하기 위해 내딛는 첫걸음이라고 믿는다.

참고 문헌

김명자 외(1995), 『여성 인력의 첨단 과학 기술 분야 진출 활성화 방안』, 정무장관(제2)실 학술 용역 연구 보고서, 정무장관(제2)실 정책 자료 95-4-1.

김정자 외(1998), 『여성 과학 기술 인력 개발을 위한 정책 과제』, 한국과학재단 연구 보고서.

모혜정 외(1995), 『여성 공학 교육 및 인력 활용에 관한 연구』, 과학기술정책관리연구소 조사 자료 95～06.

윤정로(1994), 「'새로운' 과학사회학: 과학지식사회학의 가능성과 한계」, 『과학과 철학』 5, pp. 82～110.

―――(1998), 「정보화와 여성」, 정보사회학회 편, 『정보 사회의 이해』,

나남, pp. 297~321.

윤정로 · 김명자(1998), 「한국의 여성 과학 기술 인력」, 『한국여성학회 1998년도 추계학술대회 자료집』, pp. 127~47.

한겨레신문, 1999년 1월 23일.

Chamberlain, Mariam K.(ed.)(1988), *Women in Academe: Progress and Prospects* (New York: Russell Sage Foundation).

Faruqui, Akhtar M., Mohamed H. A. Hassan, Gabriella Sandri (eds.)(1988), *The Role of Women in the Development of Science and Technology in the Third World* (Teaneck, New Jersey: World Scientific Publishing Co).

Harding, Sandra(1986), *Science Question in Feminism* (Ithaca, New York: Cornell University Press).

Keller, Evelyn Fox(1978), "Gender and Science," *Psychoanalysis and Contemporary Thought* 1 (3), pp. 409~33.

───(1985), *Reflections on Gender and Science* (New Haven: Yale University Press)

───(1995), "Gender and Science: Origin, History, and Politics," *Osiris* 10, pp. 27~38.

Kohlstedt, Sally G. and Helen Longino(eds.)(1997), *Women, Gender and Science: New Directions*, special edition of *Osiris* 12.

Matyas, M. L. and L. S. Dix(eds.)(1992), *Science and Engineering Programs: On Target for Women?* (Washington, D. C.: National Academy Press).

National Research Council(1991), *Women in Science and Engineering: Increasing Their Numbers in the 1990s* (Washington, D. C.: National Academy Press).

National Science Foundation(1990), *Future Scarcities of Scientists and*

Engineers: Problems and Solutions.

Rossi, Alice(1965), "Women in Science: Why So Few?," *Science* 148, pp. 1196~1202.

Rossiter, Margaret S.(1982), *Women Scientists in America: Struggles and Strategies to 1940* (Baltimore: Johns Hopkins University Press), p. xvi.

———(1995), *Women Scientists in America: Before Affirmative Action 1940~1972* (Baltimore: Johns Hopkins University Press) pp. 366~67.

———(1995), *Women Scientists in America: Before Affirmative Action 1940~1972* (Baltimore: Johns Hopkins University Press).

Schiebinger, Londa(1987), "The History and Philosophy of Women in Science: A Review Essay," *Signs* 12 (2).

Stolte-Heiskanen, Veronica(ed.)(1991), *Women in Science: Token Women or Gender Equality* (Oxford: Berg).

제10장
한국의 여성 과학 기술 인력

1. 머리말

아직 우리나라에서는 여성의 과학 기술계 진출이 대단히 저조하며, 이에 대한 관심도 미미한 실정이다. 서구 사회에서는 이미 1960년대부터 과학 기술 속에서 '여성과 젠더'의 문제가 새로운 연구 영역으로 주목을 받기 시작하였다. 이후 이런 연구는 서구의 선진 산업 사회를 넘어서 역사적·사회 구조적 맥락이 다른 다양한 사회로, 그리고 과학 기술계의 성차별 문제를 넘어서 과학 기술 지식에 대한 인식론적 비판으로 그 연구 영역을 확장해가면서, 다양한 이론화 작업과 아울러 여성의 진출과 참여를 확대하기 위한 실천적 프로그램의 기반을 꾸준히 제공하여왔다.

필자는 우리나라 과학 기술계에서 여성의 위상을 밝히는 작업이 학문적으로 유의미할 뿐만 아니라, 여성의 과학 기술 전문직 진출이 현실적으로 중요한 의미를 지닌다고 믿는다. 이 글에서는 과학 기술계의 여성 진출 현황과 고등 교육 기회 등의 주제를 중심으로 전반적인 현실을 진단하면서, 구체적인 사례로서 대덕연구단지의 여성 연구원들에 대한 분석 자료를 제시한다. 이런 논의를 통해 문제의 본질과 현실적 장벽을 넘을 수 있는 대안의 모색에 대한 관심을 불러일으킬 수 있다면, 이 글에서 기대하는 가장 큰 결실이라고 믿는다.

2. 한국의 여성 과학 기술 인력 현황

현재 과학 기술 현장에서 일하고 있는 여성 인력의 현황을 파악해 보자. 대졸 이상의 고급 여성 과학 기술 인력은 산업체에 근무하는 소수의 엔지니어를 제외한 대다수가 교직과 연구직에 몸담고 있다. 그런데 우리나라의 과학 기술 관련 통계 자료는 성별 구분에 비중을 두고 있지 않기 때문에, 여성의 진출 현황을 통계적으로 파악하는 데 한계가 있다. 이 글에서는 과학기술부, 교육부, 한국과학재단 및 과학 기술 단체에서 관리하고 있는 각종 자료를 상호 보완적으로 엮어서 실태를 파악했다.

〈표-1〉은 과학 기술 정책의 기초 자료로서 『과학 기술 연구 활동 조사』를 바탕으로 도출한 결과다. 이 자료는 OECD 지침을 기준으로 삼아, 자연과학, 공학, 의학 및 농학 분야에서 전문대학 이상의 고등 교육 기관, 시험 연구 기관, 기업, 의료 기관을 대상으로 삼는다. 1995년말 기준, 우리나라에서 연구 개발 활동에 종사하는 전체 연구원 수는 약 12만 8,315명이고, 그 중 여성 연구원은 약 1만 235명으로 8.0%를 차지한 것으로 나타난다. 이 수치는 1993년 전체 연구원 약 9만 8,764명 중에서 여성이 6.7%(6,590명)였던 것과 비교하면, 2년 사이에 괄목할 만한 증가세를 보인 것으로 해석된다.

그러나 여성 연구원 분포를 소속 기관별로 분류하는 경우, 전반적인 증가 추세의 이면에 있는 다양한 편차가 드러나고 만다. 연구원 중 여성 비율이 가장 높은 기관은 대학(12.6%)이다. 1995년 대학의 전체 연구원 고용 비중이 35% 정도인 데 비해, 여성 연구원의 경우에는 55%나 된다. 1993~1995년 사이의 여성 연구원 증가분 전체 약

〈표-1〉　　과학 기술 연구 개발 주체별 여성 연구원 분포, 1995년

소속 기관	여 성	남 성	전 체	여성비(%)
대학[1]	5,622	39,061	44,683	12.6
국·공립	1,653	15,289	16,942	9.8
사립	3,969	23,772	27,741	14.3
시험 연구 기관[2]	1,257	13,750	15,007	8.4
국·공립	496	3,855	4,351	11.4
정부 출연	417	7,791	8,208	5.1
기타[3]	344	2,104	2,448	14.1
기업	3,356	65,269	68,625	4.9
정부 투자 기관	1,801	1,043	2,844	6.3
민간 기업	3,176	62,605	65,781	4.8
합 계	10,235	118,080	128,315	8.0

주: 1) 4년제 대학, 산업대, 교육대 및 전문대학 포함.
　　2) 의료 기관 포함.
　　3) 비영리 연구 기관, 국·공립 병원, 사립 병원.
자료: 과학기술처·과학기술정책관리연구소, 1996: 100.

3,645명 중에서 64%(2,334명)가 대학에 소속된 것이 특징이다. 특히 사립 대학인 전국의 10개(1995년 당시) 여자 대학에서 여성 연구원의 비중이 높다. 이 조사에서 유의할 것은 대학원생을 대학의 연구원에 포함시키고 있다는 사실이다. 따라서, 학위 취득 후 취업에서 여성이 남성보다 훨씬 더 구직에 어려움을 겪고, 대학 연구원은 대부분 저임금 임시직이라는 사정을 고려할 때, 대학 소속 연구원 중 여성의 비율이 높은 현상은 여성 고급 인력의 잠재적 실업을 시사하고 있는 것이다. 실제로 4년제 대학의 이공계 전임직 교수의 경우, 1995년 기준 여성 교수는 2.5%에 불과하다(〈표-2〉 참조).[1] 여성 교수의 비중이

---

1) 의·약학 분야의 여성 교수 비중은 10.6%인데, 이것은 전통적으로 여성이 진출한 간호학과 약학이 포함되어 있기 때문이다. 가정학이 포함되어 있는 농·수산학 분

1.6%였던 1971년과 비교해도 미미한 증가다(과학기술처, 1971: 45). 대학의 교수 채용은, 특히 국립대의 경우, 성차별이 자심한 부문으로 꼽히고 있다.

시험 연구 기관의 여성 연구원 비율은 어떤가? 시험 평가 활동 위주인 국·공립 기관(11.4%)이나 기타 비영리 기관(14.1%)에서 여성 인력은 비교적 높게 분포된다. 반면 연구 개발에 치중하는 정부 출연

〈표-2〉　　　　이공계 대학 교수의 성별 분포, 1995년[1]

전 공 분 야	여 성[2]	남 성	전 체	여성비(%)
자연과학	219	3,629	3,848	5.7
수학	61	1,093	1,154	5.3
물리학	23	758	781	2.9
화학	52	818	870	6.0
생물학	80	764	844	9.5
지구과학	3	196	199	1.5
공학	44	6,782	6,826	0.6
전기·전자	3	1,150	1,153	0.3
컴퓨터·전산·정보	26	1,160	1,186	2.2
기계·설계	2	1,556	1,558	0.1
화학·공정	5	769	774	0.6
재료	4	572	576	0.7
토목·건축	2	1,119	1,121	0.2
환경·자원·에너지	2	456	458	0.4
합　　　계	263	10,411	10,674	2.5

주: 1) 4년제 대학 전공학과 재직 전임교수를 대상으로 한다.
　　2) 한국과학재단의 데이터베이스를 바탕으로 대한여성과학기술인회와 한국여성정보인협회의 회원 명부를 이용하여 보완하였다.

야도 여성 교수 비율이 10.8%로 높다.

연구소(이하 출연〔연〕)의 경우는 5.1%에 불과하며, 1993년과 대비하여 거의 변화가 없다. 가장 많은 연구원을 고용하고 있는 기업의 경우에는 여성 연구원의 비중이 4.9% 정도다. 이런 분석 결과는 여성 연구원의 비중이 8%라는 통계 수치와 최근의 증가세에 대해 조심스러운 해석이 필요함을 일깨우고 있다.

다음에는 전공 분야별 여성 과학 기술 인력 분포를 보자. 〈표-2〉에서 보듯, 1995년 현재 자연과학과 공학 분야의 여자 대학 교수는 모두 263명이다. 자연과학은 219명으로 전체의 5.7%, 공학은 44명으로 0.6%다. 1971년 자연과학 여교수가 18명(4.9%), 공학 여교수가 전무했던 것에 비하면 상당한 수적 증가로 보일지 모르나, 구성비에서는 별 변화가 없음이 눈에 띤다. 자연과학 여교수 비율이 5.3%던 1981년에 비하면, 여성이 전무하던 지구과학에서 3명의 여교수가 생기고 생물학(7.6%) 교수 비율이 약간 증가했을 뿐, 다른 모든 분야에서 여교수의 비율은 오히려 감소세다(과학기술처, 1971: 45; 박영자, 1983: 201). 여교수의 수와 분포 비율은 분야에 따라 큰 차이를 보이고 있다. 압도적으로 생물학(9.5%), 화학(6.0%), 수학(5.3%) 순으로 집중되어 있고, 물리학, 지구과학, 공학 분야에서는 극히 드물다. 또한 공학에서는 여교수가 전산·정보 분야에 집중되어 있어, 전산학을 제외한 공학의 여교수는 글자 그대로 한 손에 꼽힐 정도다.

〈표-3〉에 제시된 시험·연구 기관 여성 연구원의 전공별 분포도 대학 교수의 경우와 비슷한 양상을 보인다. 즉 여성 연구원의 비중이 공학보다 자연과학에서 높다. 특히 의학 분야에서 여성 비율이 월등히 높은데, 이것은 약학과 간호학에 많기 때문이다. 공학 관련 연구에 치중하는 출연(연)에 비해, 국·공립 연구소는 대체로 식품·보건 의료 분야의 시험 평가 활동을 주업무로 한다. 출연(연)과 기업 연구소가 밀집된 대덕연구단지 내에서도 화학, 생물학, 전산학 계통의 비중이 높은 연구소로 알려진 화학연구소, 생명공학연구소, 인삼연초

<表-3>　　시험 · 연구 기관의 전공별 여성 연구원 분포, 1995년

전 공 분 야	여 성	남 성	전 체	여성비 (%)
국 · 공립	496	3,855	4,351	11.4
자연과학[1]	52	255	307	16.9
공학[2]	32	408	440	7.3
농학	244	2,716	2,960	8.2
의학[3]	142	375	517	27.5
기타	26	101	127	20.5
정부 출연 · 기타[4]	761	9,895	10,656	7.1
자연과학[1]	74	984	1,058	7.0
공학[2]	330	7,439	7,769	4.2
농학	28	400	428	6.5
의학[3]	298	935	1,233	24.2
기타	31	137	168	18.5
합 계	1,257	13,750	15,007	8.4

주: 1) 컴퓨터과학 포함.
　　2) 생명공학, 식품공학 포함.
　　3) 의학 및 약학, 간호학, 보건학 포함.
　　4) 의료 기관 포함.
자료: 과학기술처 · 과학기술정책관리연구소, 1996: 110~11.

연구소, 시스템공학연구소, 전자통신연구소, LG 화학연구원 등에서 여성 연구원의 비율이 높다(〈표-4〉 참조).

　이러한 결과는 여성의 전공 선택과 취업에서 사회적 고정 관념이 상당히 작용하고 있음을 말해준다. 서구의 과학사(科學史)에서는 여성과학(女性科學)의 정형(定型)이라 할 수 있는 틀이 있었다. 예부터 텃밭이나 정원 가꾸기, 식품 가공, 요리 등의 집안 일과 관련성이 있다는 인식 때문에, 생물학이나 화학이 여성에게 적합한 분야로 치부되었고, 여성의 진출도 상대적으로 활발했던 게 하나의 전통이었다.

또한 여성은 남성보다 신체적으로 약하고 섬세하며, 정적(靜的)이고 감성적이기 때문에, 실험실에서의 정밀 실험이나 분석 활동이 많은 생물학이나 화학이 여성의 '적성'에 맞고, 체력에서 별 문제가 없는 수학 분야가 잘 어울린다는 생각이 이어져왔다. 반면 야외의 시료 채취나 탐사 등의 작업이 큰 비중을 차지하는 지구과학은 여성에게 맞지 않는 분야로 인식되었다. 특히 '여성과 기계는 어울리지 않는다'는 고정 관념은 여성의 공학 분야 진출에 커다란 걸림돌이 됐고, 전산·정보 공학에 여성의 진출이 상대적으로 활발한 현상은 이 분야가 감성과 섬세함 등 '여성적' 특성을 갖고 있다는 통념과 무관하지 않다.[2]

고용 지위와 직급에서, 여성들은 상대적으로 열악한 처지인 것으로 드러난다. 앞에서 보았듯이, 여성은 대학에서 대부분 전임교수(2.5%)가 아닌 임시직에 연구원(12.6%)으로 고용되고 있다. 대학 교수의 경우에도 전임강사와 조교수가 대다수다. 일단 전임교수로 채용된 후 승진 과정에서는 남녀 차별이 거의 없다는 점을 고려한다면, 이는 여교수의 채용이 최근에 활발해지고 있다는 사실과 연관된다. 그러나 대학 내에서도, 강의와 연구 이외의 영역에서, 나이도 어리고 직급도 낮은 이른바 '홍일점' 정도의 여교수의 영향력이 얼마나 될 것인지, 넉넉히 짐작된다.

각 기관마다 차이가 있기는 하나, 연구소의 연구직은 대체로 정규직과 비정규직으로 나뉜다. 정규직은 연구원, 선임연구원, 책임연구원의 직급 체계와 실장, 부장 등의 보직으로 구분된다. 과학기술부

---

2) 1996년 신설된 이화여대 공과대학의 초대 학장은 설립 과정중에 여성과 공학은 어울리지 않는다는 부정적 시각이 적지 않음을 느꼈다고 토로하였다(조선일보, 1997. 1. 22). 이화여대 공대에는 사회적 수요가 높은 건축, 전자, 전산학과 등이 일차적으로 설치되었는데, 동시에 이들은 공학 중에서는 비교적 '부드러운' 분야라는 것이 통념이다.

〈표-4〉　　　　　대덕연구단지 내 여성 연구원 분포, 1995년[1]

소속 기관		정규직				별정직	비상근		
		책임	선임	원	합계		박사후	별정직	연구생
정 부 출 연	전자 통신	2 / 220 (0.9)	39 / 839 (4.6)	94 / 404 (23.3)	135/1463 (9.2)		2 / 28 (7.1)	15 / 79 (19.0)	
	원자력	2 / 316 (0.6)	19 / 825 (2.3)	20 / 220 (9.1)	41 /1361 (3.0)				
	화학	6 / 76 (7.9)	11 / 132 (8.3)	4 / 43 (9.3)	21 /251 (8.4)	7 / 13 (53.8)	8 / 36 (22.2)	75 /109 (68.8)	3 / 26 (11.5)
	생명공학	4 / 43 (9.3)	6 / 85 (7.1)	8 / 53 (15.1)	18 / 181 (9.9)	61 / 122 (50.0)	20 / 47 (42.6)		33 /116 (28.4)
	인삼연초					15 / 200 (7.5)			
	시스템	1 / 35 (2.9)	7 / 100 (7.0)	18 / 97 (18.6)	26 / 232 (11.2)				
	표준	1	5	1	7 / 452 (1.5)				
	천문대	0 / 6 (0)	2 / 24 (8.3)	1 / 10 (10.0)	3 / 40 (7.5)			0 / 3 (0)	
	자원	1	3	5	9 / 307 (2.9)		0 / 5 (0)		1 / 2 (50.0)
민간 기업	LG화학	1 / 27 (3.7)	5 / 111 (4.5)	64 / 288 (22.2)	70 / 426 (16.4)				

주: 1) / 표시 앞의 숫자는 여성 연구원, 뒤의 숫자는 전체 연구원의 수를 나타낸다. 괄호 안의
　　 숫자는 여성의 비율(%)이다.
자료: 대덕연구단지관리소 제공; 대한여성과학기술인회 제공.

산하의 연구소를 대상으로 1994년말 기준 정규직 여성 연구원의 비
율을 보면, 연구원급 10.5%, 선임급 2.9%, 책임급 2.1%의 분포로
나타난다(김명자, 1995: 84). 〈표-4〉에서도 동일한 유형이 추출된다.

이는 여성 연구원의 연령이 상대적으로 젊다는 것에 기인하다고 보아, 최근 여성의 과학 기술계 진출이 늘어나고 있다는 고무적인 징표로 볼 수 있다. 그러나 비슷한 연령이라도 기관의 정책 결정과 운영에 관여하는 직책을 맡은 여성 연구원은 거의 없다는 것도 부정할 수 없는 사실이다.[3] 최근 신입 여성 연구원이 급속히 늘어난 일부 기업 연구소의 경우, 앞으로 결혼과 출산 등 개인의 생애 주기적 변화, 그리고 더 중요하게는 오늘의 경제 위기 같은 사회적 변수가 여성 연구원의 경력에 어떤 영향을 미치게 될지 주목된다.

정규직과는 대조적으로, 고용의 안정성과 보수가 낮은 비정규직에서는 여성의 비중이 대단히 높다. 비정규직 여성 연구원들은 대체로 석사 이상의 고학력자다. 특히 비정규직을 대규모로 고용하고 있는 화학연구소와 생명공학연구소에서는, 비정규직 중 여성의 비율이 44.1%며, 타 대학의 학위 과정에 있는 연구생을 제외하면 52.2%에 이른다. 이 수치는 우리나라의 고학력 여성들이 겪는 취업의 어려움과 불리한 고용 조건을 대변하고 있다.

위에서 드러나듯이, 우리나라 여성 과학 기술인 집단의 특징은 세 가지로 요약된다. 첫째, 여성의 수와 구성비가 대단히 낮다. 특히, 대학의 전임교수직에 여성의 진출이 저조하다. 둘째, 여성의 진출은 전통적으로 '여성적'이며 여성에게 '적합'하다는 이미지가 전승된 몇몇 전공 분야에 편중되어 있다. 공학보다는 자연과학, 그 중에서도 특히 생물학, 화학, 수학 분야에 그리고 공학에서는 전산학 분야에 집중되어 있다. 셋째, 여성은 조직의 위계 질서상 상대적으로 하위직에 집중되어 있다. 정규직보다는 임시직, 상위직급보다는 하위직급에서 여성 비율이 훨씬 높으며, 조직 내의 영향력 있는 직책을 맡고 있는 경우는, 여자 대학을 제외하고는, 아주 드물다.

---

3) 대덕연구단지에서 실장 중에 여성이 전혀 없는 연구소가 다수다. 예외적으로 화학연구소와 생명공학연구소에는 여성 부장이 있다.

3. 과학 기술 교육과 여성

오늘날 과학 기술자는 대단히 전문성이 높은 직업이며, 전공 분야의 고등 교육을 요구한다. 이 절에서는 우리나라 여성들이 과학 기술 분야에서 어느 정도의 고등 교육 기회를 갖고 있으며 이것이 사회 진출과 어떤 관련을 맺고 있는지 살펴본다.

1945년 해방 당시, 우리나라 여성 중에서 이공계 대학 졸업자는 단한 명, 1943년 일본의 홋카이도 제국대학(北海島帝國大學) 이학부를 졸업한 김삼순(金三純)이었다.[4] 일제 시대 우리의 교육 제도는 초등 교육을 제외하고는 남녀가 철저히 구분되었다. 유일한 4년제 대학인 경성제국대학에는 여학생의 입학이 허용되지 않았다. 여성의 고등 교육 기회는 2년제 여자전문학교에 한정되었고, 여자의전(醫專) 이외에는 이공계 전공이 없었다. 일본에서도 여성의 대학 교육 기회는 중등학교 교사 양성 이외에는 지극히 제한돼 있었다.

해방 후에는 여성의 고등 교육 기회에 대한 공식적 제한이 철폐되고, 모든 대학에 여성의 입학이 허용되었다. 1951년 서울대학교는 최초로 자연과학 전공의 여성 졸업생 5명을 배출하였다. 이에 앞서, 숙명여대의 전신인 숙명여전에 1945년 기초자연과학과가 설치되어 여성에게 자연과학 전공 교육이 시작되고, 1947년과 1948년에 25명의 졸업생이 배출되었다. 그러나 그 교과 과정 내용에 대한 분석이 수반돼야 할 것으로 판단된다. 이때 졸업생 중 소수는 서울대학교 문리과

---

4) 우리나라에는 1941년에야 비로소 이공계 대학이 설치되었기 때문에, 초기 이공계 대학 졸업생은 대다수가 해외 유학, 특히 일본의 대학을 통하여 배출되었다. 해방 당시 일본에서 이공계 대학을 졸업한 한국인은 자연과학 63명, 공학 141명으로 총 204명이었으며, 박사학위 소지자는 5명이었다(김근배, 1996: 366~76; 박성래 외, 1995).

대학으로 진학하여 최초의 여성 이학사가 되었다(박영자, 1983: 197).

여자 대학으로는 이화여대가 최초로 1951년 사범대학에 과학교육과를 설치하여 자연과학 전공자를 배출하기 시작했다. 현재 여자 대학에는 대체로 수학, 화학, 생물학, 물리학, 통계학, 전산학 분야의 학과가 설치되어 있고, 공과대학은 유일하게 이화여대에 설치되어 1996년부터 학생을 모집하고 있다.

여성 과학 기술 인력의 배출 현황을 보자. 〈표-5〉는 『교육 통계 연보』의 자료를 근거로 하여, 1994년 국내 대학에서 배출된 이공계 분야의 학사, 석사, 박사의 수를 전공별, 성별로 재구성한 결과다. 주목할 만한 특징은 첫째, 자연과학 분야의 학사 중 여성의 비율(46%)이 매우 높다는 점이다. 생물학(58%)과 수학(54%)뿐만 아니라 여성에게 적합한 분야가 아닌 것으로 치부된 지구과학(54%)까지 여성이 과반수를 넘고, 전통적으로 여성 비율이 가장 낮은 분야인 물리학도 29%나 된다. 이것은 지난 30여 년 간 여성의 이공계 전공 분야 진출을 적극적으로 장려하는 시책을 펴온 미국에 비교해서도 결코 뒤지지 않는 수치다(〈표-6〉 참조).

이런 현상은 우리 대학의 특수 사정에 기인하는 것으로 해석된다. 그 하나는, 앞에서 말한 바와 같이, 여태껏 대학 교육의 수요 초과 현상이 지속됨으로써 정원 미달 사태가 일어난 적이 없는 가운데 모든 여자 대학에 자연과학 전공학과가 설치되어 있기 때문이다.[5] 다른 하나는, 여성이 다수 진학하는 사범대학에 자연과학 전공학과가 설치되어 있기 때문이다. 따라서 이것은 우리나라 여성의 과학 기술계 진출에 대한 희망적 전망보다는 오히려 여성의 교육과 사회 진출간의 간극을 보여주고 있다.

둘째 특징은 전공 분야에 따라 여성의 비율에 현격한 차이가 나고,

5) 우리나라의 여자 대학은 전국에 10개였던 것이 1990년대말 3개가 공학으로 전환되었다.

〈표-5〉 한국의 과학 기술 인력 배출 현황, 1994년

	학사			석사			박사		
	여성	전체	여성비 (%)	여성	전체	여성비 (%)	여성	전체	여성비 (%)
자연과학	9,226	19,873	46	689	2,113	33	66	367	18
수학	1,766	3,287	54	95	211	45	17	67	25
물리학	803	2,777	29	64	332	19	5	71	7
화학	1,775	3,792	47	180	526	34	12	75	16
생물학	2,288	3,964	58	181	454	40	27	97	28
지구과학	298	556	54	19	55	35	2	9	22
전산통계	2,296	5,497	42	150	535	28	3	48	6
공학	1,494	27,574	5	155	3,735	4	14	645	2
전자	216	8,352	3	32	1,293	2	2	206	1
컴퓨터	332	1,711	19	38	294	13	3	38	8
기계	15	5,673	0.3	1	720	0.1	0	119	0
항공	12	384	3	0	62	0	0	7	0
화학	254	3,017	8	24	422	6	4	80	5
재료	74	1,361	5	6	251	2	2	41	5
토목	52	2,928	2	8	284	3	1	87	1
건축	464	3,440	13	45	326	14	2	52	4
자원	47	489	10	0	37	0	0	12	0
원자력	28	219	13	1	46	2	0	3	0

자료: 김명자 외, 1995: 48, 53~54.

여성 인력은 몇몇 분야에 국한되어 있다는 것이다. 공학의 여성 비율은 학사 5%, 석사 4%, 박사 2%에 불과하다. 컴퓨터공학(332명, 19%), 건축공학(464명, 13%), 화학공학(254명, 8%)은 여성 학사의 숫자와 비중 모두 높고, 전자공학(216명, 3%)은 비율은 낮아도 숫자는 다수이며, 자원공학(47명, 10%)과 원자력공학(28명, 13%)은 소수

<표-6>　　　　미국의 여성 과학 기술 인력 배출 현황, 1989년

	학 사		석 사		박 사	
	수	구성비 (%)	수	구성비 (%)	수	구성비 (%)
수학	7,016	46.0	1,366	39.9	171	19.4
물리학	5,107	29.7	1,533	26.7	759	19.7
생물학	18,109	50.2	2,449	49.6	1,298	36.7
전산정보	9,416	30.7	2,623	27.9	81	15.1
공학	11,622	13.6	3,186	13.0	400	8.8

자료: NRC, 1991: 18.

이지만 비율이 높은 특성을 띤다. 여성의 비율이 가장 낮은 분야는 기계공학(15명, 0.3%)이다.

　셋째 특징은 여성의 교육 기회는 학사에서 석사, 박사로 올라갈수록 현격히 떨어진다는 것이다. 모든 분야에서 여성의 비율은 학사보다 석·박사에서 감소하며, 특히 여성 박사의 비율이 급격히 감소한다. 다시 말하면, 여성의 대학원 진학률이 상대적으로 낮다. 자연과학 분야에서 배출되는 학사 대비 석사의 비율은 남성이 13.4%인 반면 여성은 7.5%고, 석사 대비 박사의 비율은 남성 21.1%에 비하여 여성은 9.6%에 불과하다. 공학은 남성과 여성의 학사 대비 석사 비율이 각각 13.3%와 10.4%, 석사 대비 박사는 17.6%와 9.0%다.

　<표-6>에서 보듯이, 미국에서도 학위 수준이 올라갈수록 여성의 비율이 감소하며, 석사보다 박사가 훨씬 적다. 그러나 우리나라에서는 그 정도가 훨씬 심하다. 여기에는 복합적인 이유가 작용하고 있지만, 이공계 여성들이 졸업 후 전공 분야의 취업 기회를 얻기가 매우 어려운 까닭에 대학원 진학의 꿈을 버리게 된다는 측면을 무시할 수 없다. 고학력일수록 취업이 어려우므로, 전문직을 원하는 경우 석사 졸

업 후 박사과정에 진학하느니 취업을 택하게 되는 것이다.

넷째로, 여성의 대학원 진학 유형이 전공 분야에 따라 다르다는 점이 흥미롭다. 자연과학에 비해 공학은 여성의 수와 비중은 작지만, 학사 대비 석사의 비율이 높다. 이에 대한 해석을 위해서는 앞으로 엄밀한 분석이 필요하겠으나, 대학에서 '남다르게' 공학을 선택한 여성들이 상대적으로 전공에 대해 높은 관심과 성취 욕구를 갖기 때문으로 볼 수 있다. 또는 대학원 진학이 공학도에게는 취업에 이롭다는 인식에 연유한 것으로도 추정된다. 자연과학에서는 생물학의 여성 진학률이 높고, 물리학이 가장 낮다. 공학에서는 화학, 재료, 토목공학을 전공한 여성의 대학원 진학률이 박사과정까지 내내 상당히 높은 편이다. 건축, 전자, 컴퓨터공학은 석사과정 진학률은 높은 반면 박사과정 진학률은 급격히 떨어진다. 이는 아마도 이 분야에서 석사 인력의 취업 기회가 높은 것과 관련이 있을 것으로 보인다. 원자력, 자원, 기계, 항공공학은 여성의 대학원 진학이 극히 저조하다.

마지막으로, 여성 과학 기술 인력의 배출은 최근 상당한 수적 증가와 전공의 다양화 추세를 보이고 있다. 학생 선발 방식, 학부제, 여자 대학 내의 공과대학 설립 등 최근의 사회 제도적 변화는 이런 추세에 영향을 미친다. 하나의 사례로, 1994년 신입생 중 여학생 비율이 서울대학교 공대(이하 서울공대)는 3.8%, 한국과학기술원(이하 과기원)은 13.6%였다. 서울공대는 학과별로 신입생을 선발하는 반면 과기원에서는 입학한 후 전공을 선택하도록 한다. 여학생의 이공계, 특히 공학으로의 진학에는 후자의 방식이 유리한 것으로 보인다. 과기원에서는 학부 신입생 중 여학생 비율이 1990년 5.5%에서 1991년에는 14.4%로 급격히 증가하였고, 이후 15% 내외를 유지하고 있다. 4년 뒤인 1995년부터는 석사과정에서, 다시 2년 뒤인 1997년부터는 박사과정에서 여학생 비율이 급격히 증가하였다. 이것은 1987년부터 졸업생을 배출하기 시작한 과학고등학교에 처음에는 여학생의 입학이 허용되지 않다가, 남녀 공학으로 바뀌어 1991년부터 여학생이 배출되기 시작했기 때문이다. 마찬가지로, 여자 대학에서의 공학 전공 기회는 여성 공학 인력 배출에 유의미한 변화를 가져오는 계기가 되리라 기대된다.

그러면 이렇게 배출된 여성 과학 기술 인력의 사회 진출 상황은 어떠한가? 자연과학 분야의 학·석·박사 학위에서 각각 46%, 33%, 18%나 되는 여성 비율이 시험·연구기관의 연구원 중에는 9.2%(〈표-3〉 참조), 대학 교수는 5.7%(〈표-2〉 참조)에 불과하다는 사실은 과학 기술계 고용 불평등의 실상을 단적으로 드러낸다. 현재로서는, 여성 과학 기술 인력 문제의 핵심은 공급 측면보다는 수요 측면에 있다. 이는 이공계 고학력자들이 일자리를 못 찾아 떠도는 한편에서 기업은 쓸 만한 '고급 인력의 부족'을 호소하는 '구직난 속의 구인난'이라는 기현상과도 무관하지 않다.

4. 대덕연구단지의 여성 연구원

현재 활동하고 있는 여성 과학 기술인 집단으로 '한국 과학 기술의 메카'로 일컬어지는 대덕연구단지 여성 연구원들의 오늘의 삶의 모습을 살펴본다.[6] 분석에 사용한 자료는 1996년 5월 연구 단지 내에 근무하는 이공계 연구자를 대상으로 실시한 설문 조사 결과다. 원래의 조사는 남녀 구분 없이 12개 연구소에서 표본을 선정하였으며, 전체 표본 408명 중 여성 31명이 포함되었다. 연구 단지 내에서 비교적 규

---

6) 대덕연구단지는 첨단 과학 기술 연구 개발 기관을 집중 배치함으로써 국가 과학 기술 발전에 견인 역할을 맡기기 위해 1973부터 834만 평 부지에 정부 주도로 개발되었다. 1970년대 후반 연구 기관들이 입주하기 시작해서, 1996년 현재 53개 기관 1만 5,000여 명의 상근 인원 규모로 성장했다.

모가 크고 여성 연구원이 많은 15개 연구소를 대상으로 121명의 여성 연구원에 대하여 별도의 조사를 실시하였다. 총 152명의 표본은 표집 대상이 된 연구소에 근무하는 전체 여성 연구원의 약 1/3 정도다.[7]

〈표-7〉에서 나타나는 여성 연구원 집단의 주된 특성은 다음과 같다. 첫째, 여성 연구원의 평균 연령이 남성보다 적다(여성 80%가 25~34세). 따라서 재직 기간도 짧고, 직급도 낮으며, 대다수가 공동 연구원으로 일한다. 둘째, 남성은 거의 기혼자(91%)인 반면, 여성은 미혼자가 많다(36%). 여성의 미혼률은 30대에서 27%(남성은 2.5%), 40대 이상에서 22%(남성은 전무)다. 여성 박사의 미혼률은 28%(남자 박사는 0.8%)이고, 여성 석사의 미혼률은 47%(남자 석사는 14%)로서, 학력이 높고 경력이 많은 여성 연구원에게 미혼 비율이 높게 나타난다.

셋째, 여성 연구원은 상대적으로 석사학위 소지자가 많다. 그리고 여성 연구원의 전공이 자연과학(63%)에 집중되는 가운데, 공학 전공자가 24%라는 것이 이채롭다. 이는 연구단지 소재 연구소가 공학 분야 연구에 치중하는 데서 나온 결과로 보이며, 자연과학보다는 공학 분야에서 배출되는 여성 인력의 취업이 용이함을 시사한다. 넷째, 남녀 모두 대다수의 연구원이 대전 이외 지역에서 학업을 마치고 취업한 것으로 조사되었다. 여성의 경우 대전 소재 대학을 졸업한 비율이 상대적으로 높은데, 이것은 여성 연구원 대다수가 연구소가 대전으로 이주한 후 입사하였기 때문이다. 다섯째, 종교별로는 기독교 신자가 45%로 전국 평균을 훨씬 상회하며, 불교 신자는 전국 평균을 하회한다.[8]

---

7) 이 설문 조사는 충남대학교 사회과학연구소에서 주관하고 필자가 공동 연구원으로 참여한 교육부 인문 · 사회과학 분야 중점 영역 연구 '삶의 질: 과학과 기술' 과제를 위하여 실시되었다. 자세한 조사 내용과 결과는 연구 보고서(충남대학교 사회과학연구소, 1996)로 나와 있다.

응답자 속성		여성 N=152	남성 N=377	응답자 속성		여성 N=152	남성 N=377
연령	20~24	3.9	1.1	전공	자연과학	62.5	24.3
	25~29	38.2	15.1	분야	공학	24.3	69.3
	30~34	31.6	31.3		의·약학	7.2	1.3
	35~39	14.5	33.2		농학	3.9	2.7
	40~44	11.2	13.5		기타	2.0	2.4
	45~54	0.7	5.8				
혼인	기혼	63.8	90.5	소속	정부 출연	71.1	61.8
	미혼	36.2	9.5	기관	기업	28.9	38.2
종교	개신교	23.3	25.5	직급	책임 연구원	6.7	17.5
	천주교	21.3	14.4		선임 연구원	31.5	46.6
	불교	14.0	12.2		연구원	49.0	30.5
	무	41.3	47.9		기타[1]	12.8	5.4
재직	0~4년	40.4	23.9	역할	연구 책임자	10.7	24.3
기간	5~9년	34.4	38.9		공동 연구원	83.3	66.9
	10~14년	20.6	24.1		연구 보조원	4.0	4.8
	15년 이상	4.6	13.1		기술·기능원	2.0	4.0
학력	학사 이하	21.0	18.3	입사 전	서울	48.0	57.4
	석사	53.3	46.8	최종학교	대전	19.7	12.8
	박사	25.7	34.8	소재지	국내 기타	19.7	14.6
					외국	12.5	15.2

주: 1) 비정규직, 기술·기능직.

8) 1997년 기준으로 우리나라 18세 이상 인구 중 신자는 개신교 20.3%, 천주교 7.4%, 불교 18.3%이다(조선일보, 1998년 6월 8일). 대덕연구단지에서는 기독교 신자의 비율이 남성 연구원은 40%(〈표-7〉), 남성 연구원의 부인은 59%(개신교 38%, 천주교 21%)로 나타나, 전체적으로 기독교 문화의 영향이 강한 커뮤니티로 보인다(충남대학교 사회과학연구소, 1996: 118).

<table>
<tr><th colspan="2"></th><th>일</th><th>가정</th><th>취미 생활</th><th>사회 활동</th><th>기타</th><th>합계</th></tr>
<tr><td rowspan="12">여 성 연 구 원</td><td>평균</td><td>45.9</td><td>27.7</td><td>5.4</td><td>2.0</td><td>18.9</td><td>100.0</td></tr>
<tr><td>연령 20대</td><td>42.6</td><td>31.1</td><td>9.8</td><td>1.6</td><td>14.8</td><td>100.0</td></tr>
<tr><td>30대</td><td>44.9</td><td>27.5</td><td>2.9</td><td>1.4</td><td>23.3</td><td>100.0</td></tr>
<tr><td>40대 이상</td><td>61.1</td><td>16.7</td><td>0</td><td>5.6</td><td>16.7</td><td>100.0</td></tr>
<tr><td>학력 학사</td><td>32.3</td><td>35.5</td><td>6.5</td><td>3.2</td><td>22.6</td><td>100.0</td></tr>
<tr><td>석사</td><td>48.7</td><td>28.2</td><td>7.7</td><td>1.3</td><td>14.1</td><td>100.0</td></tr>
<tr><td>박사</td><td>51.3</td><td>20.5</td><td>0</td><td>2.6</td><td>25.6</td><td>100.0</td></tr>
<tr><td>역할 연구 책임자</td><td>50.0</td><td>31.3</td><td>0</td><td>0</td><td>18.8</td><td>100.0</td></tr>
<tr><td>공동 연구원</td><td>47.1</td><td>26.4</td><td>5.8</td><td>2.5</td><td>18.2</td><td>100.0</td></tr>
<tr><td>연구 보조원</td><td>16.7</td><td>33.3</td><td>16.7</td><td>0</td><td>33.3</td><td>100.0</td></tr>
<tr><td>혼인 기혼</td><td>35.4</td><td>38.5</td><td>2.1</td><td>1.0</td><td>22.9</td><td>100.0</td></tr>
<tr><td>미혼</td><td>65.4</td><td>7.7</td><td>11.5</td><td>3.8</td><td>11.5</td><td>100.0</td></tr>
<tr><td rowspan="12">남 성 연 구 원</td><td>평균</td><td>44.7</td><td>29.5</td><td>13.0</td><td>3.3</td><td>9.5</td><td>100.0</td></tr>
<tr><td>연령 20대</td><td>42.4</td><td>25.4</td><td>16.9</td><td>3.4</td><td>11.9</td><td>100.0</td></tr>
<tr><td>30대</td><td>47.3</td><td>30.7</td><td>11.2</td><td>2.9</td><td>7.9</td><td>100.0</td></tr>
<tr><td>40대 이상</td><td>37.7</td><td>29.0</td><td>15.9</td><td>4.3</td><td>13.0</td><td>100.0</td></tr>
<tr><td>학력 학사</td><td>33.8</td><td>33.8</td><td>16.2</td><td>7.4</td><td>8.8</td><td>100.0</td></tr>
<tr><td>석사</td><td>45.9</td><td>29.1</td><td>14.0</td><td>2.3</td><td>8.7</td><td>100.0</td></tr>
<tr><td>박사</td><td>49.2</td><td>27.3</td><td>10.2</td><td>2.3</td><td>11.0</td><td>100.0</td></tr>
<tr><td>역할 연구 책임자</td><td>51.1</td><td>26.1</td><td>9.1</td><td>2.3</td><td>11.4</td><td>100.0</td></tr>
<tr><td>공동 연구원</td><td>42.9</td><td>32.8</td><td>13.0</td><td>2.4</td><td>8.9</td><td>100.0</td></tr>
<tr><td>연구 보조원</td><td>38.9</td><td>11.1</td><td>33.3</td><td>16.7</td><td>0</td><td>100.0</td></tr>
<tr><td>혼인 기혼</td><td>44.9</td><td>32.3</td><td>10.8</td><td>3.0</td><td>9.0</td><td>100.0</td></tr>
<tr><td>미혼</td><td>42.9</td><td>2.9</td><td>34.3</td><td>5.7</td><td>14.3</td><td>100.0</td></tr>
</table>

〈표-8〉　　　　대덕연구단지 연구원의 삶의 보람의 원천　　　（단위: %）

주: "귀하는 삶의 보람을 주로 어디에서 찾습니까?"에 대한 응답.

　　여성 연구원들의 직업관에 대해 살펴보자. 〈표-8〉에서 보듯이, 여성 연구원의 거의 반(46%)이 일에서 삶의 보람을 찾고 있어, 그들에

<표-9>   대덕연구단지 연구원의 직장 만족도   (단위: %)

	여성 연구원	남성 연구원
매우 만족한다	5.3	5.1
대체로 만족한다	39.7	46.1
그저 그렇다	36.4	30.4
별로 만족하지 못한다	16.6	15.7
전혀 만족하지 못한다	2.0	2.7
합계	100.0	100.0

주: "귀하는 현재 근무하시는 직장에 대해서 어떻게 생각하십니까?"에 대한 응답.

게 과학자로서의 삶이 매우 소중함을 보여준다. 연령, 학력, 연구 과
제 책임이 높아질수록, 그리고 미혼자에게서 일이 차지하는 비중이
높아진다. 남성과 비교하면, 가장 중요한 삶의 영역으로 일과 가정의
비중이 비슷하게 나타난다. 그러나 취미 생활 즐기기에서는 남성은
13%인 반면 여성은 5%에 불과하다. 여성의 19%가 기타 영역을 중
시하고 있는데, 특히 종교 활동이 높은 빈도를 보인다. 남녀 모두 사
회 활동의 중요성은 대단히 낮다.

결혼 여부와 연령별로 보면 남녀간의 현저한 차이가 나타난다. 남
성의 경우 일에서 보람을 찾는 비율이 결혼에 상관없이 비슷한 반면,
여성은 기혼자는 35%인 데 비해 미혼자는 65%나 된다. 남성은 40세
이상이 되면 일의 중요성(38%)이 감소하지만, 여성은 오히려 현격히
증가한다(61%). 이는 여성 연구원 중에 미혼의 고학력 장기 근속자
가 많은 것과 관련된다. 결론적으로, 여성 연구원은 무엇보다도 자신
의 일을 중시하는 헌신적인 전문가 집단으로 나타난다.

그러면, 여성 연구원들은 자신의 직장에 대해 어떻게 평가하고 있
는가? <표-9>에서 여성 연구원 중 45%가 만족감을 표시하고, 불만족
은 19%에 불과하다. 그러나 유의해야 할 점은 남성(51%)에 비하여

<표-10>　　대덕연구단지 연구원의 직장의 장·단점에 대한 인식　(단위: %)

	여성 연구원		남성 연구원	
	장점	단점	장점	단점
보수	11.7	25.2	10.5	27.3
안정성(신분 보장)	20.7	27.2	18.8	39.8
승진 기회	0.7	18.5	1.1	12.8
인간 관계	15.2	11.3	17.2	7.8
하는 일	47.6	7.9	46.8	6.7
업무량	5.5	9.9	3.0	7.8
장래성	3.4	37.7	9.4	26.7
사회적 위신·명예	6.9	0.7	8.0	3.2
생활 환경	24.1	3.3	22.7	2.7
연구 여건	25.5	15.2	19.9	25.4
업무 자율성	22.1	9.9	24.9	14.7
복리 후생	6.9	9.3	4.7	6.4
자기 발전의 기회	7.6	19.2	10.8	15.8
기타	0	0.7	0.8	1.3
합계	200.0	200.0	200.0	200.0

주: "귀하가 현재의 직장에 대해 만족/불만족스럽게 생각하는 점은 무엇입니까?
　　가장 중요한 것 두 가지만 보기에서 골라 번호를 적어주십시오"에 대한 응답.

여성의 만족도가 낮고, '그저 그렇다'는 여성 연구원이 36%나 됨으로써, 직장에 별로 만족하지 못하는 여성 연구원의 비율이 55%에 이른다는 사실이다. 상대적으로 미혼, 40세 이상, 15년 이상 장기 근속자, 석·박사학위 소지자들이 더 불만족스럽게 여기고 있다. 이들은 바로 여성 연구원 중에서도 일에 더 큰 중요성을 부여하는 집단이므로, 이들 반응에 대해 그 이유를 밝히는 작업이 필요하다.

〈표-10〉은 자신의 직장에 대한 장·단점을 구체적으로 제시한다. 가장 중요한 장·단점 두 가지씩을 고르는 데서, 장점으로는 하는 일

(48%)이 우선으로 꼽히고, 연구 여건(26%), 생활 환경(24%), 업무 자율성(22%), 안정성(21%)이 비교적 높게 나타난다. 단점으로는 장래성(38%), 안정성(27%), 보수(25%), 자기 발전의 기회(19%), 승진 기회(19%)의 순서다. 여기서 장점으로 꼽힌 직업 안정성이 동시에 단점으로 지적되었다는 점이 주목된다. 이 설문 조사에서 우리는 성취 욕구가 강한 여성 연구원들이 자신의 일 자체에는 보람을 느끼지만, 발전 가능성이 불확실하고 사회적 기여나 업무의 과중함에 비해 보수가 적다고 느끼고 있음을 확인하게 된다. 여성 연구원은 장래성과 승진 기회, 자기 발전의 기회에 대하여 남성 연구원보다 더 부정적으로 체감하고 있는 것이다.

5. 맺음말

과학 기술자로서의 성장 과정은 여기저기 구멍이 뚫린 파이프라인에 비유되기도 한다. 오랜 세월의 극기적인 훈련과 고도의 몰입이 요구되는 전문직인 까닭에, 고비마다 마치 구멍을 통해 물이 새나가듯 이탈자가 많이 생긴다는 뜻이다. 우리나라에서는 특히 여성 인력이 이탈자의 압도적 다수를 이루고 있다. 1995년 이공계 연구 인력 중 여성 비율이 8%, 대학의 전임교수 중 2.5%라는 통계에서 단적으로 드러나지 않는가. 1994년 배출된 이학사의 46%가 여학생이고, 1996년 기준 고용 인구 중 여성이 41%고, 1997년 경제 활동 인구의 49.5%가 여성이라는 수치를 고려하면, 과학 기술계의 여성 인력 이탈은 그야말로 심각한 수준이다.

어렵게 파이프라인을 통과해서 일자리를 얻은 여성 과학자들은 자신의 직업에 헌신적인 전문가 집단임에도 불구하고, 열악한 고용 조건에서 안정성과 발전 가능성이 취약한 임시직과 조직 내 영향력이 미미한 하위직에 편중되어 있다. 한국의 현 상황은 "여성을 과학자로 고용하기보다는 여성에게 과학 교육을 시킨다는 것 자체에 더 호의적이었고, 예외적인 소수의 여성을 제외하고는 능력 개발과 승진 기회 주기를 완강히 거부했다"(Rossiter, 1982: xvi)고 비판을 받는 20세기초 미국 사회, 여성이 참정권도 없었던 그 옛날의 모습을 그대로 연출하고 있다.

21세기 문턱에서, 과학 기술 분야의 여성 진출 장벽과 여성 인력의 극심한 이탈은 그대로 방치될 수 없다. 치열한 국제 경쟁 속에 과학 기술력이 국가 경쟁력의 핵심 요소로 부상한 상황에서, 인구의 반 이상을 차지하는 여성의 동참 없이는 과학 기술 입국의 꿈이 실현될 수 없다. 학사 이상 고급 여성 과학 기술 인력의 사장(死藏)은 엄청난 고등 교육 투자의 낭비와 국력의 낭비를 의미한다. 또한 오늘날 가속적인 과학 기술 혁신과 정보화의 물결 속에 과학 기술의 사회적 중요성이 날로 증대되는 상황에서, 여성의 과학 기술계 진출은 앞으로 여성의 지위 향상에 더욱 중대한 함의를 갖는다. 구체적인 한국 사회의 맥락에서 무엇이 여성의 과학 기술계 진출을 가로막는지를 체계적으로 규명하고, 합리적 대안을 모색하는 작업이 이루어져야 한다.

참고 문헌

과학기술처(1971), 『과학 기술계 인력 자원 조사』.

과학기술처 · 과학기술정책관리연구소(1996), 『1996 과학 기술 연구 활동 조사 보고』.

김근배(1996), 「일제 시기 조선인 과학 기술 인력의 성장」, 서울대학교 박사학위논문.

김명자 외(1995), 『여성 인력의 첨단 과학 기술 분야 진출 활성화 방안』,

정무장관(제2)실 학술 용역 연구 보고서, 정무장관(제2)실 정책 자료 95-4-1.

김정자 외(1998), 『여성 과학 기술 인력 개발을 위한 정책 과제』, 한국과 학재단 연구 보고서.

대덕연구단지관리소 자료.

대한여성과학기술인회 회원 명부 및 자료.

모혜정 외(1995), 『여성 공학 교육 및 인력 활용에 관한 연구』, 과학기술 정책관리연구소 조사 자료 95-06.

박성래 외(1995), 『한국 과학 기술자의 형성 연구』, 한국과학재단 연구 보고서.

박영자(1983), 「기초과학에서의 우리나라 여성 과학자의 지위와 역할에 관한 연구」, 『아세아 여성 연구』 22, pp. 195~223.

박영자 외(1991), 『여성 과학 인력의 활용 방안』, 한국과학재단 연구 보고서.

충남대학교 사회과학연구소(1996), 『과학 기술의 생산과 삶의 질』, 교육 부 인문사회과학 분야 중점 영역 연구 보고서.

한국과학재단 데이터 베이스.

한국여성정보인협회 회원 명부.

Faruqui, Akhtar M., Mohamed H. A. Hassan, Gabriella Sandri(eds.)(1988), *The Role of Women in the Development of Science and Technology in the Third World*, Teaneck, New Jersey: World Scientific Publishing Co.

Harding, Sandra(1986), *Science Question in Feminism*, Ithaca, New York: Cornell University Press.

Keller, Evelyn Fox(1988), "Feminist Perspectives on Science Studies," *Science, Technology, and Human Values* 13, pp. 235~49.

————(1995a), "Gender and Science: Origin, History, and Politics," *Osiris*

10, pp. 27~38.

———(1995b), "The Origin, History, and Politics of the Subject Called 'Gender and Science': A First Person Account," in Sheila Jasanoff et al. (eds.), *Handbook of Science and Technology Studies,* London: Sage, pp. 80~94.

Kohlstedt, Sally G. (1995), "Women in the History of Science: An Ambiguous Place," *Osiris* 10, pp. 39~58.

Kohlstedt, Sally G. and Helen Longino (eds.) (1997), *Women, Gender and Science: New Directions,* special edition of *Osiris* 12.

National Research Council (1991), *Women in Science and Engineering: Increasing Their Numbers in the 1990s,* Washington, D. C.: National Academy Press.

———(1994), *Women Scientists and Engineers Employed in Industry: Why So Few?,* Washington, D. C.: National Academy Press.

Rossi, Alice (1965), "Women in Science: Why So Few?," *Science* 148, pp. 1196~202.

Rossiter, Margaret S. (1982), *Women Scientists in America: Struggles and Strategies to 1940,* Baltimore: Johns Hopkins University Press.

———(1995), *Women Scientists in America: Before Affirmative Action 1940~1972,* Baltimore: Johns Hopkins University Press, pp. 366~67.

Stolte-Heiskanen, Veronica (ed.) (1991), *Women in Science: Token Women or Gender Equality,* Oxford: Berg.

제11장
정보화와 여성

1. 머리말

현재 우리나라의 경제 활동 인구는 15세 이상 일할 수 있는 인구의 50%밖에 안 된다. 그 이유는 여성의 경제 활동 비율이 낮은 데 있으며, 앞으로 여성이 어떻게 경제 활동을 하느냐가 우리나라의 경제 문제 해결과 더 나아가서 선도적인 정보 사회 진입의 관건이 될 것이다. [……] 정보화 시대는 여성에게 무한한 가능성을 열어주는 시대로 [……] 남녀가 점점 더 평등해질 것이다. [……] 여성들이 열린 마음으로 21세기 지향적으로 움직여주면 일류 국가의 행복한 국민이 될 것이다. (정보통신부 장관 초청 여성 정책 간담회, 1996. 6. 28)

정보화가 진전되면 여성의 삶은 어떻게 달라질까? 우리는 정보화가 가져다줄 편익과 새로운 삶의 모습을 귀에 익도록 듣고 있다. 우리나라의 광고에 출연할 만큼 친숙해진 앨빈 토플러 같은 미래학자나 대중 매체에서 전하는 바에 의하면, 여성이 앞으로 정보화의 최대 수혜자가 된다고 한다. 정보화는 여성의 사회 참여를 확대하고 성별 불평등을 해소할 수 있는, 지금까지는 한번도 없었던 절호의 기회를 제공한다는 것이다. 정보통신부 장관의 발언도 바로 이런 인식을 반영하고 있다.

정보화에 대한 논의에서 일찍이 가정 · 집 home은 정보화의 요충지로 주목을 받았다. 미래학자들은 정보 기술의 발전과 확산이 바야흐로 가정에 혁명적인 변화를 일으키고, 이러한 가정의 변화는 우리의 생활 양식과 사회 조직을 근본적으로 바꾸어놓을 것으로 예측하였다. 정보화가 진전될수록 재택 근무, 홈쇼핑, 홈뱅킹, 홈엔터테인먼트 등 집에서 이루어지는 활동이 현격히 증가하게 된다. 토플러의 '전자 주택 electronic cottage'이란 비유가 시사하듯이(Toffler, 1980), 산업 혁명 이전의 가내 수공업 cottage industry 시대에 모든 가정에서 물레를 사용했던 것처럼, 정보화 시대에는 생계 활동과 일상 생활에 집 안에 설치된 컴퓨터를 사용하게 된다. 정보화는 다양한 사회적 기능을 집 안으로 끌어들임으로써, 지리적으로 분산되어 있는 가정을 사회의 중심지로 만드는 것과 동시에 개인에게 권한을 부여 empowerment하고 사회를 분권화 decentralization하는 거대한 사회 혁명을 일으킨다는 것이다(Forester, 1989)

전통적으로 가정은 여성의 영역으로 치부되기 때문에, 이러한 정보화는 누구보다도 바로 여성에게 혜택을 준다는 것이 통념이다. 즉, 정보화 덕분에 많은 가사 노동이 자동화됨으로써, 여성들은 가사 노동에서 해방되고 가정 밖의 사회 활동에 참여할 수 있는 시간과 기회가 늘어난다. 밖으로 나가지 않고 집 안에서도 자유롭게 경제 · 정치 · 문화 · 교육 · 오락 등 다양한 활동에 참여할 수 있게 된다. 더구나 정보화로 인하여 대부분의 직업이 육체적 힘을 필요로 하지 않게 되고, 특히 새로운 지식과 아이디어를 기반으로 정보 사회에서 각광을 받는 '골드 칼라 golden-collar' 직종은 섬세함과 감성 등 '여성적' 특성이 요구되기 때문에 여성의 사회 진출이 활발해지게 된다는 등의 이야기를 쉽게 접할 수 있다.

그러나 우리는 이러한 미래에 대한 전망이 오늘의 현실과는 상당한 괴리가 있음을 목격하고 있다. 또한 장밋빛 미래에 대한 공상이 주는 행복감보다는, 냉엄한 현실에 대한 분석을 토대로 실천적 대안을 모색하는 것이 더 나은 미래를 가져오는 데 유용함을 알고 있다. 이 글은 정보화의 진전이 여성의 삶에 어떤 의미를 갖고 있는지 `비판적으로 살펴보고자 한다. 먼저 정보 기술의 발전과 여성의 관계를 바라보는 시각을 간략히 제시한 후, 지금까지의 정보화 과정에서 드러나는 정보 격차와 사이버 스페이스 문화의 문제점을 논의한다. 다음으로는 정보화와 더불어 여성의 삶에 일어나는 변화를 일터와 가정, 성(性)과 아이덴티티에 대한 인식을 중심으로 살펴본다.

2. 어떤 관점에서 볼 것인가

현재 진행중인 정보 기술의 발전과 정보화가 여성의 삶에 어떤 변화를 일으킬 것인지를 논의하기에 앞서, 타자기와 전화의 예를 들어 보자. 흔히 1세기 전인 19세기말에 발명된 타자기와 전화가 급속히 보급되면서 여성들의 삶에 커다란 영향을 미쳤다는 평가를 받고 있기 때문이다.

타자기의 발명가로 알려진 숄즈Christopher L. Sholes가 서거하기 직전 그 며느리가 "아버님, 세상을 위해서 정말 훌륭한 일을 하셨습니다"고 하자, "글쎄 세상을 위한 것인지는 잘 모르겠다. 하지만 언제나 그렇게 힘들게 일해야만 했던 여자들을 위해서는 상당히 좋은 일을 했다는 생각이 드는구나. 내가 만들어낸 타자기 덕분에 여자들이 더 쉽게 생계를 해결할 수 있겠지" 하고 대답했다고 한다.

많은 사람들이 숄즈처럼 타자기 도입의 결과 미국에서 여성의 사무직 취업이 급속히 증가하고, 더 나아가서 여성의 취업에 따라 광범위한 사회적 변화가 일어나게 되었다는 인식을 공유하고 있다. 타자수의 압도 다수가 여성이라는 사실이 이런 견해를 뒷받침하는 것처럼 보인다. 그러나 실제로 역사를 보면, 타자기가 발명되기 전부터 이미 미국의 경제 규모와 정부 기구가 확대되고 대기업이 출현하면서 사무직 수요가 급성장하였고, 노동력의 부족 때문에 전에는 남성 전유의 직종이었던 사무직에 불가피하게 다수의 여성이 진출하기 시작하였다. 급속한 사무직의 확대와 여성 진출이 타자기 때문이라고 볼 수는 없다. 타자기는 하나의 촉진 요인이었을 뿐이고, 오히려 이런 사회 구조적 변화로 인하여 상업적으로 성공한 타자기의 대량 생산과 보급이 가능했다고 보는 것이 타당하다.

다른 한편, 타자기 때문에 사무직 업무가 기계화되고 세분화돼서 여성이 하루 종일 타자만 치는 단순 노동을 맡게 되었다는 비판도 있다. 이에 대해서도 타자기의 도입으로 업무의 기계화가 기술적(技術的)으로 가능하게 되었을지는 모르지만, 사무직 근로자나 특히 여성들이 세분화된 단순 반복 작업에 배치된 것이 타자기의 본질적 속성 때문이라고 할 수는 없다. 이것은 당시 자본가들의 경영 전략과 여성의 열악한 사회적 지위에 따른 결과였다(Davies, 1988).

현재 정보 통신 기술과 컴퓨터 기술이 급속히 융합되는 추세를 볼 때, 거의 보편적인 통신 매체로 사용되는 전화의 사례는 정보화와 여성의 관계를 살피는 데 특히 중요한 시사점을 제공한다. 주로 집 안에서 생활하고 집 안 일이나 어린 자녀들 때문에 외출이 자유롭지 못하여 사회적으로 '고립된' 여성들에게, 전화는 만나기 어려운 가족이나 친구들과 대화를 나누고 쇼핑 등의 가사(家事) 처리나 다양한 정보 입수가 가능하도록 해주었다는 긍정적인 평가를 받고 있다. 타자수와 마찬가지로, 교환수를 비롯하여 전화와 관련된 하급 사무직에도 대부분 여성이 취업하였다. 물론 여성들의 전화 사용에 대하여 '쓸모 없는 수다에 전화를 붙들고 있다'는 부정적인 이미지가 조성되어 있는 것도 사실이다.

그런데 흥미로운 점은 전화가 발명되고 보급되기 시작할 단계에서는 여성과는 무관한 것으로 인식되었다는 사실이다. 발명자인 알렉산더 그래함 벨 Alexander Graham Bell이나 전화 회사에서는 전화가 더욱 신속하고 편리한 전보(電報) 대용품으로, 주로 남성들이 업무용으로 사용할 것으로 보았다. 원래 의도한 용도와 달리 여성들이 전화를 사교(社交) 수단으로 사용하자, 전화 회사에서도 뒤늦게 이 새로운 용도의 잠재력을 인식하고 마케팅 전략을 수정함으로써 통신 산업이 획기적으로 성장하는 계기를 이루게 되었다. 기술은 공급자의 본래 의도에 상관없이 소비자가 새로운 용도와 특성을 개발하는 탄력성이 있으며, 전화의 경우 바로 여성들이 이러한 '혁신적인 소비자 users as innovators'로서 기술의 재구성에 영향력을 발휘하였다 (Fischer, 1988 ; Rakow, 1988).

이런 사례가 시사하는 바는, 정보 기술의 발전이나 정보화가 여성의 삶에 미치는 영향을 분석함에 있어서 어떤 주어진 시점과 사회를 둘러싸고 있는 역사적·사회적 조건을 고려해야만 한다는 점이다. 어떤 기술 혁신이나 그 사회적 파급 효과는 그것이 배태되고 활용되는 특정 사회와 시대에 따라, 그리고 관여하는 집단들의 구성과 의도에 따라 달라지기 때문이다. 상업적으로 성공한 타자기의 개발이 바로 19세기말의 사회 경제적 변화와 관련이 있고, 여성 타자수는 저렴한 여성 사무직 노동력의 필요성 때문에 출현한 것이며, 남성의 업무용으로 개발된 전화는 여성 사용자들에 의하여 재구성되었다. 마찬가지로 정보화에 있어서도, 무슨 기술이 개발되어 어떤 용도로 활용되고 어떤 영향을 미치게 될 것인지는 일률적으로 정해져 있는 것이 아니라, 사회와 시대에 따라 달라진다. 더욱 중요한 것은, 우리의 깨어난 인식과 지금부터 기울이는 노력이 앞으로 정보 사회에서 여성의 삶의 모습에 유의미한 차이를 만들어낼 수 있다는 점이다.

다시 말하면, '기술 결정론 technological determinism'에서 벗어나

'사회 구성론social constructivism'의 관점을 적극적으로 수용할 필요가 있다. 기술 결정론이란 기술이 역사의 원동력으로 사회 변화를 주도하며, 기술은 독자적인 존재 양식과 발전 법칙을 갖고 있고, 따라서 기술이 사회에 미치는 영향도 이미 결정되어 있는 것으로 보는 관점이다. 현대 사회에서 기술이 심대한 영향력을 행사하고 있는 것은 분명하다. 정보 사회가 유토피아라는 환상이나 또는 끔찍한 디스토피아라는 공포를 불어넣는 요란한 전망들은 대다수가 기술 결정론의 관점에 입각하고 있다. 이런 관점에 의하면 우리는 불가항력적인 정보화에 그저 관망하는 자세를 취하고 피동적으로 이끌려갈 수밖에 없다. 그러나 최근 사회 구성론에서는 기술의 발전 과정은 예정된 경로를 따르는 것이 아니며, 기술의 사회적 파급 효과는 정치 · 경제 · 문화 등 다양한 사회적 변수에 따라 달라지고, 기술의 내용도 사회적 요인에 의하여 영향을 받는다는 점을 구체적으로 보여주고 있다. 즉, 기술의 내용과 발전 및 사회적 파급 효과는 특정 사회 내에서 이해 당사자들간의 지속적인 교섭negotiation 과정에 의하여 달라진다는 사실을 강조한다(윤정로, 1995a; 1995b).

3. 무엇이 문제인가

I. 정보 격차

1996년 10월 기준으로 우리나라 가정의 21%가 컴퓨터를 보유하고 있고, 13세 이상 인구 중 32%가 컴퓨터를 이용하고 있다(한국정보문화센터, 1996: 102, 112). 현재 판매되는 가정용 컴퓨터에는 거의 모두 모뎀과 시디롬CD-ROM이 장착되어서, 팩스, PC 통신, 인터넷, 전자우편, 텔레비전, 전자신문, 게임 등을 즐길 수 있게 되어 있다. 우리나라의 PC 통신 가입자는 서비스가 시작된 1988년에 1,000여 명,

1990년 6,700명에 불과하던 것이 1997년 8월에는 260만 명이 넘었다. 전세계 인터넷 이용자의 수가 이미 1억을 돌파했다고 한다. 자동차는 물론 세탁기, 밥솥이나 심지어는 크리스마스 카드에도 컴퓨터 기능이 장착되어 있다. 베스트셀러 『디지털이다 Being Digital』의 저자인 네그로폰테 Nicholas Negroponte가 "컴퓨팅은 이제 더 이상 컴퓨터에 국한된 문제가 아니다. 그것은 삶이다"(1995: 7)라고 선언하였듯이, 이미 우리의 삶은 컴퓨터와 불가분의 관련을 맺게 되었다. 우리의 삶이 컴퓨터를 중심으로 한 전자 매체 위주로 이전되는 추세는 앞으로 지속될 뿐만 아니라, 그 속도가 더욱 빨라질 전망이다.

이러한 정보화가 제공하는 새로운 삶의 방식과 기회를 누리기 위하여는 우선 컴퓨터를 사용할 수 있어야만 한다. 문자 매체 위주로 움직여온 종래의 사회에서는 문자를 읽고 쓸 줄 아는 능력 literacy이 그 구성원으로서 권리와 의무를 수행하는 데 필수 조건이었다. 마찬가지로, 전자 매체 위주로 움직이는 정보화 사회에서는 컴퓨터를 이용한 커뮤니케이션 능력 computer literacy, proficiency이 사회 구성원 누구에게나 요구되는 기본적인 자질이며 시민권의 조건으로 될 것이다. 또한 경제적 재화와 권력, 사회적 영향력이 점점 더 컴퓨터를 매개로 창출되고 배분될 것이다.

그런데 현실적으로 컴퓨터에 대한 접근 access과 활용 능력 literacy은 성(性), 계층, 세대, 국가, 지역별로 구조적인 차이가 있으며, 이를 보통 정보 격차 information gap 또는 정보 불평등 information inequity이라고 한다. 거의 모든 국가에서 여성은 정보화에 상대적으로 뒤떨어져 있다. 이는 역사적으로 여성들이 '문맹 illiteracy'으로 인하여 사회적 불이익을 당하여왔듯이, 앞으로는 다시 '컴맹 computer illiteracy' 때문에 불리한 처지에 놓일 가능성이 대단히 높다는 것을 시사한다.

1996년 20세 이상의 성인 1,700명을 대상으로 한 설문 조사 결과에 의하면, 정보 설비, 정보 이용, 정보화에 대한 관심을 측정하여 종합한 정보화 지수는 우리나라에서 남성을 100으로 했을 때 여성은 32 정도에 불과하다. 남녀 취업률(남성 71%, 여성 29%)을 고려하여 계산하면, 여성의 지수가 정보 설비(PC 보유율과 PC 통신 가입률)의 차원에서는 32, PC 통신이나 인터넷, 전자우편 등의 정보 이용은 34, 정보화에 대한 관심과 투자에서는 31로 나타난다. 더욱이 컴퓨터를 보유하고 정보 통신 서비스를 이용하고 있는 응답자 중에서도, 여성보다 남성이 더 자주, 더 오랜 시간, 더 다양한 서비스를 이용하고 있다 (오정훈, 1997).

앞에서 언급한 한국정보문화센터의 1996년 설문 조사 결과도 컴퓨터 이용에서 남녀간에 현격한 차이가 있음을 보여주고 있다. 전국의 13세 이상 응답자 1,500명 중에서, 컴퓨터를 이용한 적이 있는 비율이 남성은 40%인 반면, 여성은 24%에 불과하다. 컴퓨터 통신의 경우는 남성과 여성 중 이용자의 비율이 13% 대 4%, 인터넷은 3.7% 대 1.4%로 차이가 난다. 여성은 정보화 의식이나 이용 능력을 중시하는 분위기에 대해서도 남성보다 덜 수용적인 태도를 보이고 있고, 향후의 이용 계획에서도 소극적이다. 특히 가정 주부는 다른 어떤 집단보다도 컴퓨터 이용 능력이 낮은 수준에 머물러 있다(한국정보문화센터, 1996).

이러한 남녀간 정보 격차는 다시 노동 시장에서의 성별 격차로 나타나고 있다. 1994년 우리나라 노동력 전체에서 여성이 차지하는 비율은 40%인 데 반해, 정보, 지식 관련 서비스업 종사자 중 여성의 비율은 약 21%이며, 그 중 정보 처리 및 기타 컴퓨터 운용 관련 산업의 여성 비율은 약 17%에 불과하다(김애실, 1995).

그렇다면 성별 정보 격차는 왜 발생하는 것일까? 이에 대해서는 무엇보다 성역할의 사회화 과정이 유력한 설명이 될 수 있다. 성역할에 대한 학습은 유아기에 시작되는데, 사춘기에 들어서면 사람들은 자신의 성에 맞는 역할 규범을 내면화하게 된다. 성역할 규범의 학습에는 부모, 학교, 대중 매체, 또래 집단 등이 영향을 미친다. 이러한 사회화 과정에서 정보 기술에 대한 관심 면에서 남녀간의 차이가 발생하는데, 그것이 결국 남녀간 정보 격차를 초래한다는 것이다. 예컨대 부모들은 딸보다는 아들에게 컴퓨터를 배우라고 권장하고, 대중 매체에 등장하는 정보 통신업계의 유명 인사들은 거의 남성이다. 또한 남학생들은 여학생들에 비해 주위 친구들로부터 컴퓨터를 익혀야 한다는 압력을 더욱 많이 받는 경향이 있다(Rogers, 1988).

또 다른 설명으로는 남성 위주로 이루어진 컴퓨터 문화의 성격을 들 수 있다. 어린이들이 처음 컴퓨터를 대하게 될 때 사용하는 게임이나 교육용 소프트웨어가 주로 폭력, 전쟁, 스포츠 등 남성들이 좋아하는 내용으로 구성되어 있어 남자 어린이들은 여자 어린이들보다 많은 시간을 컴퓨터 앞에서 보내게 된다. 이미 이때부터 남성은 여성에 비해 정보 기술을 더욱 친밀하고 편안하게 느끼게 되고, 결과적으로 남녀간 정보 격차가 발생한다는 주장이다(Kiesler et al., 1985; Huff and Cooper, 1987).

II. 사이버 스페이스의 남성 문화

현실 세계에서의 커뮤니케이션은 남성이 지배한다. 여성이 '수다스럽다'는 통념에도 불구하고, 조금이라도 공적 public인 성격을 띤 자리에서는 여성보다는 남성이 더 자주, 더 오랫동안 말한다. 주로 남성이 화제를 정하고 더 자신 있게 자기의 견해를 주장하며, 남성이 대화의 중심 축을 차지한다. 남성과 여성이 함께 이야기하는 상황을 관찰해보면, 타인의 발언을 중단시키는 행동은 여성의 발언 도중에 남성이 끼여드는 경우가 압도적이라고 한다. 남성의 경우 화제를 정하고 대화와 논쟁에 적극적으로 참여하면 그것이 유능함과 효과적인 커뮤니케이션의 징표로 인정되고 '칭찬'을 받는 반면, 여성의 경우에는 똑같은 행동이 나쁜 성격과 비효과적인 커뮤니케이션의 징표로 인정되어 '벌'을 받는다. 미국에서 조사된 바에 의하면, 여성과 남성이 섞여 있는 상황에서 30% 이상의 대화 공간을 점하는 여성들은 예외 없이 남성들로부터 '못됐다' '남자 기를 죽인다' '잘난 체한다' '보스처럼 군다'는 등의 부정적인 평가를 받는다.

사이버 스페이스cyber space에서는 여성들이 현실 세계에서보다도 더욱 '과묵'하며, 사이버 스페이스의 커뮤니케이션은 '혼성 대화'라기보다는 '남성 독백'의 성격을 띠고 있다는 연구 결과들이 나와 있다. 우선 사용자 중 남녀 비율을 보면 1996년 기준으로 우리나라의 PC 통신은 약 8 대 2, 미국의 인터넷은 2 대 1 정도다. 실제로 게시물을 올리는 데서는 더 큰 차이가 난다. 전통적으로 학생회나 노동조합, 전문 단체(의사·변호사) 등 남녀 혼성 조직 내에 여성들끼리 자유롭게 대화를 나누고 경험을 공유할 수 있는 별도의 모임이 만들어지듯이, 사이버 스페이스에서도 이와 비슷한 공간으로 여성 전용 대화방이나 뉴스 그룹 등이 만들어지고 있다. 그러나 'alt.feminism'이라는 페미니스트 뉴스 그룹에서도 1993년 남성이 74%의 게시물을 올린 반면, 여성의 게시물은 17%에 불과하였다(Broadhurst, 1997; Spender, 1995: 161~223).

사이버 스페이스에서도 남성은 커뮤니케이션의 주도권을 장악하고자 하며 여성들에게 위협적인 방식으로 행동한다. 자신이 좋아하지 않는 게시물에 대하여 공격적이고 심술궂은, 그리고 상당수는 노골적이고 모욕적인 성적(性的) 표현이 포함된 게시물을 계속 올리는 것이 흔히 사용되는 방법이다. 현실 세계와는 달리 실제로 신체적 학대나 폭행을 당할 위험성이 별로 없음에도 불구하고, 심리적인 공포 때문에 사이버 스페이스에서의 여성에 대한 대화 방해나 위협이 여전히 효력을 발휘한다.

오히려 사이버 스페이스에서는 여성에 대한 무례함과 위협이 현실 세계보다도 더 쉽게 그리고 정도가 더 심하게 일어날 수 있다. 첫째 이유는 커뮤니케이션에 참여하는 남녀의 성비 불균형이 더욱 심하기 때문이다. 둘째는 익명성 때문이다. 직접 얼굴을 맞대는 현실 세계에서는 아무리 불쾌하더라도 대화 당사자들이 어느 정도의 자제력을 발휘하게 된다. 그런데 현실 세계에서 술에 취하여 자제력을 잃고 나면 격렬한 말다툼과 몸싸움이 일어나기 쉽고, 남을 비열하게 비방하는 투서는 보통 익명으로 이루어지듯이, 사이버 스페이스에서의 익명성도 쉽사리 언행의 자제력을 잃도록 한다.

현실 세계와 마찬가지로, 커뮤니케이션에서 여성이 주변화되는 현상은 사이버 스페이스에서도 재현되고 있다. 현재 '자유로운 접근 free access'과 '자유로운 의사 표현 free speech'의 이념을 표방하는 사이버 스페이스에서 여성이 차지하는 대화 공간은 현실 세계보다도 오히려 적다. 그러나 사이버 스페이스의 규범과 관행은 아직 형성 과정에 있으며, 현행 네티켓 netiquette의 남성 지배적 요소는 바뀔 수 있는 여지가 있다. 사이버 스페이스에서 여성의 배제가 제도화되고 견고한 뿌리를 내리기 전에 변화의 노력을 기울일 때, 그 효과는 더욱 커질 것이다.

4. 여성의 삶은 어떻게 달라질까

I. 노동 조건과 재택 근무

정보화가 여성의 일에 미치는 영향에 대하여 1980년대까지는 서구의 많은 페미니스트들이 비관적인 진단을 하였다. 이들은 정보 기술의 도입이 두 가지 과정을 통하여 직장에서 여성의 지위를 위협한다고 보았다. 첫째, 여성들은 압도적으로 비숙련 노동에 종사하고 있는데, 정보화에 수반되는 자동화의 일차적 대상이 바로 비숙련 노동이

기 때문에 여성의 실직이 증가한다는 점이다. 둘째는 정보화는 본질적으로 기존의 근로자들을 통제하기 쉬운 비숙련 노동자로 최대한 전환시키기 위한 경영 전략의 일환이며, 결과적으로 경영진의 노동 통제가 더욱 강화되고 여성의 노동 조건도 악화된다는 점이다. 이들은 정보화의 결과 직무의 파편화 fragmentation, 직무 모니터링, 품삯일 piecework, 교대 근무 등 여성들에게 불리한 새로운 노동 관행이 도입·강화될 것으로 예측하였다. 남녀를 불문하고 정보화가 노동을 위협하고 그 성격을 단순 조립 작업으로 변환시키지만, 특히 여성이 더 심한 타격을 받게 된다는 것이 이들의 논지다.

그러나 실제로 1980년대 서구에서 여성의 실직이 증가한 것은 아니었다. 오히려 취업 여성의 수가 증가하였다. 주로 여성이 종사하는 비서, 사무원, 판매원 등의 직업은 숫자가 줄어들기보다는 직무 수행 방식이 변형되었다. 백화점의 점원을 예로 들자면, 고객을 대하고 전표를 작성하며 포장하는 일의 본질에는 변화가 없지만, 과거에는 전표를 손으로 기록하던 데서 자동화된 상품 판독기나 금전 등록기를 사용하는 점이 달라진 것이다. 비서직의 경우에는 다양한 정보 기술이 도입되었고, 그 결과 직무의 탈숙련화 de-skilling가 아니라 재숙련화 re-skilling가 일어났다는 평가를 받고 있다. 오늘날의 워드프로세싱은 과거의 타이핑보다도 더 높은 수준의 숙련을 요구하며, 기타 복잡한 문서 양식이나 그래픽 자료 구성, 전자우편 등 새로운 기술에 익숙해야 한다는 것이다. 문제는 비서직이 이렇게 상당히 높은 수준의 정보 통신 기술 구사 능력을 요구함에도 불구하고, 여전히 여성 전유의 직종으로 인식되고 있고, 따라서 급여와 사회적 지위가 직무 내용에 비해 상대적으로 낮게 매겨져 있다는 사실이다(Kirkup, 1992; Tremblay, 1997; Webster, 1994; 1995).

다른 한편 1960년대부터 미래학자들은 '전자 주택 electronic cottage'의 개념과 함께 여성의 일과 관련하여 상당히 낙관적인 전망을 제시하였다. 이들은 집에서 생계 활동을 영위할 수 있는 기회, 이른바 재택 근무telework, telecommuting, homeworking가 증대되는 현상을 정보화가 가져오는 가장 가시적인 변화 중의 하나로 꼽았다. 재택 근무는 사무실 유지나 통근에 들어가는 시간과 노력, 비용을 절약할 수 있을 뿐만 아니라, 어린 자녀가 있는 기혼 여성이나 신체 장애인처럼 바깥의 직장으로 통근하기가 어려운 사람들에게 새로운 고용의 기회를 제공할 수 있다. 직장 동료나 데이터 베이스와 연결된 컴퓨터 하나만 설치하면, 다른 가족이나 집 안 일에 별로 불편함이 없이 집 안에서도, 그리고 시간에 구애받지 않고 일을 할 수 있다는 것이다. 재택 근무는 보험료 처리, 자료 입력, 타이핑 등의 단순 서비스 작업부터 고도의 전문 지식을 요구하는 컴퓨터 프로그래밍이나 시스템 분석, 컨설팅, 자료 분석에 이르기까지 광범위한 직종에서 가능하기 때문에, 여성의 고용 기회 확대와 함께 직종 다변화 및 전문성 제고에도 기여할 것이라는 기대가 자연스럽게 받아들여지게 되었다.

서구 선진 산업국에서도 재택 근무가 어느 정도로 확산될 수 있을지에 대하여 논란이 있어왔다. 물론 재택 근무는 지속적으로 증가하고 있다. 통계마다 약간의 차이는 있지만, 미국에서는 1997년말 재택 근무자가 전체 근로자의 약 10%인 1,110만 명에 이르고, 최근 실시된 설문 조사에서는 25%의 응답자가 재택 근무가 가능한 직장으로 옮기기를 원하는 것으로 나타났다(중앙일보, 1998. 1. 17). 그러나 비판적인 입장에서는 재택 근무의 확산 속도가 예상보다 훨씬 완만하며, '전자 가옥'의 환상적인 이미지와는 달리 현실적으로 심각한 어려움이 있다고 지적한다. 간단한 예로, 낙관론자들이 주장했듯이 "침실을 작업 공간으로 사용"하기는 대단히 어렵고 집 안에서도 사무실처럼 별도의 공간이 필요하다는 것이다. 또한 재택 근무자들은 가족 관계의 긴장과 갈등, '남의 눈'과 사회적 지위에 대한 우려, 고립감, 컴퓨터 공포증 등으로 고통을 겪는다(Forester, 1989).

서구에서 여성의 재택 근무를 실증적으로 분석한 결과를 정리해보면 다음과 같다(Fothergill, 1994; Haddon and Silverstone, 1995; Tremblay, 1997).

재택 근무자의 구성: 1980년대까지는 어린 자녀가 있는 30대의 저임금, 단순 사무직 여성이 재택 근무자의 대부분을 차지하였다. 이들은 가사 노동과 함께 전일제 full-time 재택 근무를 수행하였으며, 물리적·심리적 고립 상태에서 승진 기회도 박탈당하였다. 따라서 이들을 재택 근무의 '수혜자'로 보기는 어렵다. 최근에는 재택 근무가 전문직과 남성으로 확산되고 있으며, 전일제보다는 시간제 part-time 근무가 압도적이다.

재택 근무의 동기: 여성은 자녀 양육과 취업을 병행할 수 있는 대안으로 재택 근무를 스스로 '선택'하는 반면, 남성은 해고나 실직 때문에 '떠밀려서' 참여하게 되는 경향이 높다.

재택 근무의 직종: 정보 기술의 발전으로 새로이 재택 근무가 가능해진 직종도 있지만, 여성의 재택 근무는 압도적으로 전부터 이미 재택 근무가 이루어졌던 전통적인 직종, 즉 워드프로세싱(타이핑), 자료 입력, 번역, 원고 작성, 편집 및 교열 등의 분야에서 이루어지고 있다.

유연성: 재택 근무가 제공할 수 있는 시간적·공간적 유연성이 현실적으로는 사회적 요인들 때문에 상당한 제약을 받고 있다. 다른 재택 근무자나 사무실에 있는 동료들의 근무 시간 또는 가족들의 생활 주기에 맞추다보면, 결국 재택 근무의 작업 시간도 사무실 근무 시간과 거의 다를 바 없고, 거주지도 사무실에서 멀리 떨어진 곳으로 옮

기기 어렵다.

　성역할gender roles: 재택 근무자들의 일상 생활을 보면, 여성의 경우 재택 취업 활동이 가사 노동 부담을 경감시키지 않는다. 남성 재택 근무자는 자신의 일차적 역할을 경제적 부양breadwinning으로 규정하고, 일반 남성 근로자나 재택 근무 이전과 비교해서 가사 노동 시간이 유의미한 정도로 증가하지 않는다. 또한 여성이 집 안에서 상당한 첨단 기술과 장비를 이용하여 소득을 올린다는 사실이 가족간의 지위나 권력, 자원 배분에 미치는 영향은 거의 찾아볼 수 없다. 요컨대, 아직까지는 재택 근무가 가정에서 전통적인 성역할과 성별 분업에 유의미한 변화를 가져오지 못하고 있다.

　사회적 관계: 특히 여성 재택 근무자들은 가족과 친지, 이웃, 고용주나 고객, 동료들을 상대로 일과 가정(개인) 생활을 분리하고, 직무에 충실한 근로자로서 인상 관리 impression management를 하는 데 커다란 어려움을 겪고 있다.

　이상의 연구 결과에 의하면, 미래학자들이 주장했던 재택 근무의 혁명적인 가능성이 아직 광범위하게 실현되지 못하고 있다는 추론이 가능하다.
　우리나라의 재택 근무는 아직 초보 단계다. 1988년 3개 기업에서 223명을 대상으로 도입하여, 1994년에는 14개 기업에서 350명이 참여하였다. 이 중에서 200명 정도는 전문 번역사이며, 나머지는 컴퓨터 프로그래밍이나 자료 입력 작업을 하는 기혼 여성들이다. 극소수인 남성 재택 근무자는 주로 시차(時差) 때문에 저녁 시간에 처리해야 할 국제 업무가 많은 근로자들이다. 다시 말하면 우리나라에서는 재택 근무가 주로 기혼 여성들의 이직(離職)을 방지하는 데 단편적으로 활용되고 있으며, 재택 근무제를 이미 도입한 기업에서조차 일반 근로자들이 재택 근무에 대하여 갖고 있는 구체적인 정보나 관심은 매우 낮은 수준에 머무르고 있다. 생활 시간 분석에 의하면 여성 재택 근무자는 평일과 주말에 상관없이 일반 취업 여성은 물론 전업 주부보다도 가사 활동에 훨씬 더 많은 시간을 할애하고 있는 것으로 나타남으로써, 재택 근무는 여성에게 취업 활동과 함께 가사 노동도 전담시키는 이중부담을 안기고 있다고 볼 수 있다(조성혜, 1997).

II. 가사 노동

집 또는 가정이라는 단어는 보통 안락과 휴식의 공간이라는 이미지를 떠올리게 한다. 그러나 집이 안락과 휴식의 공간으로 되기 위해서는 실제로 집에서 해야 되는 '일'이 대단히 많다. 청소, 세탁, 다리미질, 장보기, 요리, 육아, 가계 관리, 경조사 챙기기 등 '가사 노동 housework'은 육체 노동과 관리 능력이 요구될 뿐만 아니라 무거운 책임이 따르는 광범위한 작업을 포괄하고 있다. 현재는 여성이 가사 노동의 대부분을 담당하고 있다. 정보화가 진전되면 가사 노동에는 어떤 변화가 일어나며, 여성의 삶에 어떤 영향을 미칠 것인가?

1980년 어느 미래학자는 다음과 같은 예측을 하였다.

소형 컴퓨터와 전기 동력의 결합으로 우리(남성과 여성)는 일상적인 가사 노동의 고역에서 진정으로 해방될 수 있을 것이다. 이렇게 되면, 우리에게 오히려 여가의 '부담'이 더해지게 되며, 우리 중에서 일부는 별로 어렵지 않은 허드렛일을 함으로써 근육 운동과 정신적 휴식을 취하는 대안을 선택할지 모른다.〔……〕물론 앞으로 기술적으로 가능하다고 하여 모든 것이 실현되는 것은 아니다. 기업에서는 이러한 기술적 가능성을 최대한으로 활용하고자 하겠지만, 많은 부분이 경제 여건, 희귀한 자원을 '사소한' 용도에 사용하는 데 대한 사회적 태도,

그리고 개별 고객들의 상식과 구매 저항에 따라 달라질 것이다 (Grundy, 1996: 33).

정보화가 가정 생활에 지대한 변화를 가져온다는 통념과는 달리, 실제로는 정보화에 관한 대부분의 논의에서 가사 노동이 거의 도외시되었다. '전자 주택'에 대한 높은 관심에도 불구하고, 그 논의는 주로 교육, 의료, 통신, 직업 및 경제 활동에 집중되었다. 즉, 이전에는 집 밖에서만 가능했지만 정보 기술의 도입으로 집 안으로 끌어들일 수 있게 된 이른바 공적 영역 public sphere의 활동은 정보화의 중요하고 적절한 대상으로 인식된 반면, 바로 앞의 인용문처럼 가사 노동의 정보화는 '사소'하거나 거의 낭비에 가까운 것으로 치부되었다.

현재 가사 노동 부문은 정보 기술의 도입에서 가장 뒤떨어져 있다. 흔히 가정에서 사용하는 전자 제품을 '백색 기구 white goods'와 '갈색 기구 brown goods'로 구분한다. 백색 기구란 일상적인 가사 노동에 사용하는 세탁기, 냉장고, 오븐 등을 지칭하며, 주로 여성 고객을 대상으로 한다. 반면 갈색 기구——실제로는 대부분 흑색 제품이다——는 텔레비전, 오디오, 비디오, 캠코더 등 주로 오락과 여가 활동에 사용되는 기구로서, 신(新)기술 제품으로 인식되고 남성 고객 위주로 마케팅을 한다.

그러면 컴퓨터는 백색 기구인가, 갈색 기구인가? 현재 집에서 컴퓨터가 어디에 놓여 있는지, 그리고 누가 사용하는지를 생각해보면, 이 문제에 대한 답은 자명해진다. 1997년 필자가 조사한 바에 의하면, 우리나라 가정에서 컴퓨터를 구입하는 가장 중요한 이유는 자녀 교육을 위해서이고, 주로 중학생 이하와 대학생 자녀들이 게임, 통신, 워드프로세싱에 사용한다. 주부들이 가사와 관련하여 컴퓨터를 사용하는 경우는 지극히 드물다. 주부들은 자신의 생활에 별 도움이 되지 않고, 고장을 내거나 잘하지 못하면 남편과 자식에게 창피를 당할지 모른다는 두려움 때문에 컴퓨터 사용을 주저한다. 주부들이 자신을 위해서 컴퓨터 구입과 학습에 '돈과 시간을 투자할' 의사는 거의 없었다(윤정로·조성겸, 1997). 1997년 1월 집계된 결과에 의하면, 주부들의 일손을 덜어줄 것으로 예상됐던 PC 홈쇼핑 서비스 고객의 90%는 남성인 것으로 나타났다(한국일보, 1997. 1. 13). 물론 퍼지 세탁기처럼 백색 가전 제품에도 컴퓨터 기능이 장착된다. 그러나 간단히 스위치 작동만을 요구하는 퍼지 세탁기와 개인용 컴퓨터의 사용은 엄청난 차이가 있지 않은가?

현재 우리 가정에서 보편화된 가사 기술(家事技術)의 발전 과정과 그것이 실제로 미친 영향을 살펴보면, 앞으로 정보화 시대 가사 노동의 새로운 모습에 대하여 생각하는 데 많은 도움을 얻을 수 있다. 20세기초 서구 사회에서 전기가 사용되면서 가정 내에서도 급속한 '산업 혁명'이 일어나게 되었다. 즉, 상하수도와 가스, 전기 냉장고, 전기 세탁기, 전기 다리미, 진공 청소기 등의 가전 제품이 급속히 확산되었다. 통념에 의하면, 이러한 기술의 발전으로 많은 부분의 가사 노동이 기계화되고 표준화됨으로써, 여성의 가사 노동의 강도(强度)와 시간이 줄어들고, 여성만이 아니라 남성도 가사 노동에 참여할 수 있게 되어 가사 노동의 성별 분화도 완화되어야 한다. 예를 들어, 세탁과 청소에 빨래판이나 손걸레 대신 전기 세탁기와 진공 청소기를 사용하게 되면, 그 작업이 육체적으로 훨씬 수월해지고 시간도 절약된다. 또 이런 기계의 작동은 특별한 기법이나 노하우를 요구하지 않고 바닥에서 몸을 구부려 일할 필요도 없기 때문에, 남성도 심리적 부담 없이 쉽게 세탁과 청소를 할 수 있게 된다는 것이다. 따라서 여성들은 더 많은 여가와 함께 가정 밖의 사회 활동에 참여할 수 있게 되고, 궁극적으로는 성별 불평등이 해소되는 방향으로 나아갈 것이라고 여러 학자들이 전망하였다.

그러나 실증적 연구 결과들은 이런 낙관적 전망과 부합하지 않고 있다. 놀랍게도, 1920년대부터 1960년대말까지 미국의 전업 주부들이 가사 노동에 사용한 시간을 보면, 전기간에 걸쳐 그 총량에 거의 변화가 없다. 새로운 가사 기술의 이용 정도에 상당한 차이가 있는 농촌과 도시간에도 주부의 가사 노동 시간에는 별 차이가 없다. 가사 노동의 종류별로 보면, 청소 시간에는 거의 변화가 없고, 쇼핑과 가계 관리, 육아에 들어가는 시간은 증가한다. 놀라운 사실은 실내 수도와 온수 공급 시설, 다양한 종류의 세제와 자동 세탁기, 구김살 없는 직물 등 현저한 기술의 발전으로 가장 많은 시간 절약이 예상되는 세탁 작업에 소요되는 시간이 오히려 증가되었다는 점이다. 그 이유는 과거에 비하여 보유한 옷가지의 수가 증가하고, 세탁과 관련된 기술의 발전과 함께 사회적으로 요구하는 청결과 옷매무새에 대한 기준도 높아졌기 때문에, 훨씬 자주 세탁하고 다림질을 하지 않으면 안되게 되었기 때문이라는 데 있다. 기술의 발전으로 일부 가사 노동이 수월하게 된 것도 사실이지만, 다른 한편으로는 새로운 종류의 가사 노동이 출현하고(쇼핑, 운전, 공과금 처리와 은행일 등), 기존의 가사 노동에 대한 기대 수준이 높아졌으며(세탁, 청소 등), 결국 가사 노동의 총량과 여성과 남성의 부담 정도나 분업 유형, 가사 노동에 대한 사회적 인식에는 거의 변화가 없다. 더구나 서구에서 20세기 가전 제품의 급속한 확산과 함께, 주부의 가사 노동이 귀찮고 힘든 허드렛일이 아니라 가족에 대한 애정과 헌신의 표현으로 상징화되는 이데올로기의 재구성이 수반되었다(윤정로, 1995c).

이처럼 과거에 가전 제품의 도입이 여성의 가사 노동 부담을 크게 덜어주지 못하였듯이, 앞으로 정보 기술도 가사 노동에 자동적으로 변화를 몰고 오는 것은 아니다. 프랜시스 게이브Frances Gabe라는 여성은 가사 노동을 현저히 줄일 수 있는 '자동 청소형 주택 self-cleaning house'을 고안했다. 더러워진 것을 깨끗이 만든다는 종래의 청소 개념과는 달리, 자동 청소형 주택은 집 안의 물건과 공간이 제자리에서 스스로 세척되도록 함으로써 깨끗한 것을 깨끗한 채로 유지한다는 개념에 입각한다. 예컨대, 그릇장과 식기 세척기를 따로 두는 것이 아니라 그릇을 놓아두면 그 자리에서 설거지가 되어 그릇을 꺼내 정리할 필요가 없는 기구, 사람이 움직이면서 사용하는 진공 청소기 대신 벽이나 바닥, 천장에서 일정한 압력의 기화(氣化) 온수를 뿜어내서 집 안을 자동적으로 청소하는 방법 등을 고안해냈다. 이런 장치는 기존의 기술로 실현 가능하며 건축 비용도 평균 이상 들지 않는다. 그러나 이런 아이디어를 실제로 구현하는 데 부딪힌 첫번째 장벽이 건축 허가를 내주는 공무원, 건축 설계사, 건축업자들에게 이런 개념을 납득시키는 일이었다고 한다(Grundy, 1996: 44).

앞의 인용문에서 지적한대로, 정보화가 가사 노동과 여성의 삶에 혁명적 변화를 가져오기 위해서는 가사 노동에 대한 지금까지의 인식이 바뀌어야 한다. 즉 자동 청소형 주택이나 '스마트 하우스' 아이디어를 구현하기 위하여 첨단 과학 기술을 개발하고 활용하는 것이 '사소'하거나 '낭비'에 가까운 용도가 아니라, '스타워즈 Star Wars' 프로젝트를 위해서 신예무기를 개발하는 것과 맞먹거나 더 중요한 의미를 가진다는 인식의 변화가 있어야만, 가사 노동이 정보화에서 앞선 영역으로 탈바꿈할 수 있다.

III. 성(性)과 아이덴티티

우리는 PC 통신이나 전자우편, 인터넷 주소에서 자신을 나타내는 이름ID을 각자 마음대로 정하고, 또 한 사람이 여러 개의 이름을 갖기도 한다. 컴퓨터 네트워크에서 개인의 신상에 대한 정보는 자신이 제공하는 것이 전부다. 대부분의 커뮤니케이션은 컴퓨터 모니터 위에 나타나는 텍스트로 이루어지고, 상대방과 대면(對面)할 필요나 기회가 없다. 물론 사진, 동영상, 음성을 이용할 수 있지만, 사진과 음성을 마음대로 합성하고 조작할 수 있는 상황에서 사이버 스페이스상의 신상 정보가 사실인지 아닌지 확인할 길이 별로 없다. 즉, 사이버 스페이스에서 우리의 존재는 물리적 신체에서 분리되고, 현실 세계의 구속에서 벗어날 수 있으며, 익명성을 띠게 된다.

이런 사이버 스페이스에서 일어나는 일들은 '내가 누구인가'의 문제, 이른바 개인의 아이덴티티 identity에 관하여 종래의 관념에 심각한 도전을 가하고 있다. 특히 '성 바꾸기 gender swapping' 또는 '변장 crossdressing'이라고 불리는 현상이 주목된다. 이는 '남성인가, 여성인가?'라는 성(性)에 대한 구분이 가장 근본적이고 중요한 인간의 아이덴티티를 이루고 있기 때문이다. 실례를 들어보자.

자신은 중증의 신체 장애자로서 머리에 매단 막대기로 컴퓨터 자판을 두드리는 독신 여자 노인이라고 소개한 인물이 1985년 뉴욕의 한 PC 통신 게시판 Bulletin Board System(BBS)에 나타났다. 컴퓨터 네트워크상에서는 신체 장애가 보이지 않을 뿐만 아니라 아무런 문제가 되지 않는다. 항상 "HI!!!!!!"로 시작하는 그녀의 통신문은 정답고 따뜻하기 그지없었으며, 넓은 아량과 다른 사람을 보살피는 마음이 넘쳤다. 통신망에서 그녀에게 곧 수많은 친구가 생겼다. 친구들은 자신의 가장 내밀하고 난처한 문제까지 상의하고, 냉철하고 사려 깊은 그녀의 충고를 경청하게 되었다.

그런데 몇 년 후에, 이 인물의 정체는 실제로 중년의 남성 정신과 의사라는 사실이 밝혀졌다. 처음 BBS에 접속해서 어느 여성과 대화를 나누게 되었는데, 이 여성이 자신을 여자로 착각했다는 것이다. 이런 착각 속에 대화를 나누다 보니, 남녀간의 대화 방식에 엄청난 차이가 있으며 여자들의 대화가 훨씬 깊이있고 복잡한 것을 깨닫고 더 알고 싶어졌다. 그래서 몇 주일 간 고심해서 여자들과 대화를 나누는 데 꼭맞는 인물 persona, character을 만들어냈는데, 거동할 수 없는 독신 노인 여성이라고 하면 다른 사회 생활이 거의 없기 때문에 BBS에서 여러 사람과 활발히 교류해도 의심받지 않고 상대방 여성들이 편하게 여길 것 같았다는 해명이었다.

어느 열렬한 여성 숭배자가 수년 간 통신한 후에 실제로 대면하고 싶어한 결과 정체가 밝혀지게 된 것이었는데, 이에 대한 BBS에서의 반응은 익살, 체념, 분노 등 다양한 형태로 나타났다. 충격받은 여성들은 "강간당한 것 같다"고 표현하였고, 자신들이 얻은 혜택도 사기와 농간에 의한 것이기 때문에 인정할 수 없다는 입장까지 취했다 (Stone, 1991).

현재 인기를 누리고 있는 인터넷 게임 MUD에서는 이런 현상이 더 쉽게 일어날 수 있다. MUD는 보통 수백 명의 플레이어들이 프로그램이 설치되어 있는 컴퓨터에 접속해서, 문자 텍스트 text로 자신의 행동과 감정을 표현하고 대화를 나눈다. 우정, 말다툼, 데이트, 파티, 결혼, 이혼 등 우리가 생각할 수 있는 모든 인간 관계와 사회 생활이 MUD의 사이버 스페이스에서 이루어지고 있다.

MUD에 들어가면, 우선 이름이나 성(性), 외모, 성격 모두 마음대로 하나의 인물 character을 만들어서 자기를 다른 플레이어들에게 소개한다. 이 게임은 참여자 모두 자신의 아이덴티티를 의식적으로 '구성'해야만 하고, '구성된 아이덴티티'에 의거하여 행동하도록 되어 있다. MUD 게임에서 플레이어들은 자신의 아이덴티티와 상관없이 여러 가지 배역을 맡아 연기하는 배우와 같은 경험을 할 수 있으며, 자신의 실제 모습이 전혀 드러나지 않기 때문에 성(性)까지 바꿀 수 있다.

익명성으로 인하여, MUD 인물 설정에 있어서 성 바꾸기가 실제로 어느 정도 일어나고 있는지 정확히 알기는 어렵다. 플레이어들은 등장 인물들에 대하여 무엇보다도 먼저 성이 무엇인지에 관심을 갖고 불분명한 인물에 대하여는 끈질기게 밝혀내려고 하며, 등장 인물의 배후에 있는 실제 플레이어의 성에 대하여 지대한 관심을 보인다. 이는 플레이어들이 성 바꾸기의 가능성에 대하여 인식하고 있고 상당히 광범위하게 실행하고 있음을 간접적으로 보여준다. 성 바꾸기를 체험한 플레이어들은, 실제의 자신과 다른 자신의 '가상적' 아이덴티티에 맞게, 특히 성을 바꾸어 행동하는 것이 얼마나 어려운지를 고백한다(Turkle, 1995).

이렇게 사이버 스페이스는 현실과 분리된, 그리고 현실에서는 불가능한 아이덴티티의 재구성을 가능하게 한다. 이것은 지금까지의 틀로는 해결할 수 없는, 어렵고 복잡미묘한 심리적 · 사회적 · 윤리적인 문제를 제기한다. 유명한 사례를 하나 들자.

1993년 3월 어느 월요일 저녁 람다무 LambdaMOO라는 MUD 게임의 '거실'에서 여러 플레이어들이 모여 유쾌하게 대화를 나누는데, 벙글 Mr. Bungle이라는 인물이 나타났다. 그는 자신을 뚱뚱하고 얼굴에 기름기가 흐르며, 어릿광대 복장에 노골적인 성희롱 문구를 새긴 장식이 있는 벨트를 하고 있다고 소개했다. 저녁 10시쯤 벙글은 거실에서 성(性)이 불분명한 어느 인물에게 마술을 걸어 성희롱하기 시작했는데, 피해자가 욕설을 퍼부어 거실에서 쫓겨나게 되었다. 그러자 그는 어느 방에 숨어서, 기분 나쁜 웃음 소리와 함께 멀리서 마술을 거는 방법으로 성희롱을 계속했다. 이번에는 거실에 있는 스타싱어 Starsinger라는 여성 인물에 대하여 그녀의 의사에 상관없이 거실 안의 다른 인물들과 성관계를 맺도록 하였다. 벙글의 공격은 점점 거칠어져서, 스타싱어는 부엌칼로 자신을 자해하도록 하고 또 다른 인물에게는 자신의 체모를 삼키도록 만들었다. 이런 횡포는 어느 플레이어가 선량하고 강력한 마법사(경험이 많은 플레이어)를 불러 벙글을 자신의 마력이 미칠 수 없는 우리에 가둘 때까지 계속됐다.

나중에 현실의 벙글은 젊은 남성이고, 스타싱어는 여자 대학생으로 밝혀졌다. 마술을 거는 방식은 대상 인물이 타이프한 텍스트가 모니터에 나타나지 못하도록 만들고, 대신 자기가 타이프한 텍스트가 대상 인물 이름으로 나타나도록 하는 것이었다. 다시 말하면, 컴퓨터 네트워크상에서 상대방 인물을 무력화(無力化)시키고 자기 마음대로 통제하는 방법이다. 벙글의 희생자들은 자신들의 경험을 '사실상의 virtual' 거세 또는 강간이라고 표현하였다. 그리고 시간이 지날수록 충격이 커진다고 하였다. 벙글이 람다무LambdaMOO에서는 쫓겨났지만, 만약 다른 MUD에 나타나거나 또는 다른 호스트 컴퓨터에서 다른 이름으로 들어오는 경우 저지할 길이 별로 없다(Dibbell, 1993).

사이버 스페이스에서 여성으로 '변장'한 남성 정신과의사를 어떻게 보아야 하는가? 사이버 스페이스의 성 바꾸기 경험은 당사자 개인에게, 그리고 사회적으로 어떤 영향을 미칠 것인가? 벙글의 행위는 진정으로 성추행인가? 가상적 존재인 MUD 게임의 인물은 현실의 아이덴티티와 어떤 관계인가? 사이버 스페이스에서 일어나는 가상 인물끼리의 인간 관계와 행동은 현실 세계와 어떤 관계에 있는가? 사이버 스페이스의 행동은 규제되어야 하는가? 어떤 방식으로 규제할 것인가? 우리의 몸과 마음, 현실과 가상의 경계, 그리고 진정한 아이덴티티는 무엇인가?

5. 맺음말

정보화가 제공할 수 있는 가능성을 묘사하는 데 자주 사용되는 비유가 고속도로다. 고속도로가 사회 구성원 누구나 이용할 수 있도록 개방되어 있듯이, 앞으로 정보 고속도로information super-highway도 네티즌netizen 누구에게나 통신 · 교육 · 오락 등의 전자 매체 세계를 열어줄 것이라는 의미를 함축하고 있다. 그러나 고속도로가 약속한 기동성과 더 높은 삶의 질이 누구에게나 전달된 것은 아니다. 예나

지금이나 여성이나 노약자보다는 건장한 남성이 자동차로 고속도로를 달리고, 아직도 일부 아랍 국가에서는 여성의 자동차 운전이 금지되어 있다. 지역간, 도농간 균형 발전을 약속한 고속도로는 오히려 도시의 팽창과 지역간 불균형을 심화하는 결과를 낳기도 한다. 또한 고속도로의 편익에 대한 대가로, 우리는 대형 교통 사고, 대기 오염 등의 부작용을 감내하지 않으면 안된다. 이제 건설이 시작된 정보 고속도로에 대해서도 우리는 '허풍'을 경계해야 한다. 현재의 정보 고속도로 건설과 활용 계획에 관하여 다각적이고 진지한 성찰과 그 문제점의 시정을 위한 적극적인 노력 없이는 우리는 앞으로 다시 정보 고속도로의 부작용에 대하여 엄청난 규모의 사회적 비용을 지불하지 않으면 안될 것이다.

"산업화는 뒤졌지만 정보화는 앞서가자"는 구호처럼, 우리나라에서도 정보화를 촉진하고 또 그에 따른 사회적 변화에 대응하기 위하여 많은 노력을 기울이고 있다. 그러나 여성의 정보화에 대하여는 별다른 관심을 기울이지 않고 있는 것이 우리나라의 현실이다. 인구의 반 이상을 차지하는 여성의 정보화 없이는, 정보화에 앞서갈 수도, 정보 대국을 이룰 수도 없다. 또한 현재 여성의 사회적 위상과 처우 문제에 적극적인 관심을 기울이지 않는 한, 미래의 정보화 사회에서 여성의 지위가 향상되리라는 기대도 할 수 없다. 우리가 현재 안고 있는 사회 문제들은 사이버 스페이스에서도 재현되기 때문이다. 정보화는 혁명적인 사회 변화를 일으키는 것이 아니라 오히려 기존의 사회에 순응하고, 또 다른 현상 유지의 요인으로 작용할 수 있다는 진단에 귀를 기울여야 한다.

참고 문헌

김애실(1995), 「정보 기술의 발전과 성별 분업」, 한국여성학회 제11차
춘계학술발표대회 발표 논문.

오정훈(1997), 「통계로 살펴본 우리나라 여성 정보화의 현주소와 그 대
책」, 『21세기 포럼』, 한백연구재단.

윤정로(1995a), 「과학 기술과 한국 사회」, 김병익 외 편, 『오늘의 한국
지성, 그 흐름을 읽는다: 1975~1995』, 문학과지성사, pp.
421~42.

─────(1995b), 「과학 기술과 사회: 이론적 쟁점」, 충남대학교 사회과학
연구소, 『과학 기술 발전과 한국인의 삶의 질』, 교육부 연구 보고
서, pp. 8~12.

─────(1995c), 「과학 기술의 발전과 가정 생활의 변화: 가사 기술을 중
심으로」, 충남대학교 사회과학연구소, 『과학 기술 발전과 한국인
의 삶의 질』, 교육부 연구 보고서, pp. 72~83.

윤정로 · 조성겸(1997), 「한국의 컴퓨터 수용 과정」, 한국사회학회 후기
사회학 대회 발표 원고.

조성혜(1997), 「재택 근무와 근로 문화」, 『한국 사회와 정보 문화』, 한국
정보문화센터, pp. 51~92.

한국정보문화센터(1996), 『국민 생활 정보화 의식 및 실태 조사』, 연구
보고 96-06.

Broadhurst, Judith(1997), "Gender Differences in Online Communication,"
M. David Erman et al.(eds.), *Computers, Ethics and Society*, New
York: Oxford University Press, pp. 152~57.

Davies, Margery W.(1988), "Women Clerical Workers and the Typewriter:
the Writing Machine," Cheris Kramarae(ed.), *Technology and*

Women's Voices, London : Routledge and Kegan Paul, pp. 29∼40.

Dibbell, Julian(1993), "A Rape in Cyberspace," *Village Voice*, December 21, pp. 36∼42.

Fischer, Claude S.(1988), "The Telephone Industry Discovers Sociability," *Technology and Culture* 29, pp. 32∼61.

Forester, Tom(1989), "The Myth of the Electronic Cottage," Tom Forester(ed.), *Computers in the Human Context*, Cambridge : MIT Press, pp. 213∼27.

Fothergill, Anne(1994), "Telework : Women's Experiences and Utilization of Technology in the Home," Alison Adam et al.(eds.), *Women, Work and Computerization : Breaking Old Boundaries-Building New Forms*, Amsterdam : Elsevier, pp. 333∼48.

Grundy, Frances(1996), *Women and Computers*, Exeter : Intellect Books.

Haddon, Leslie and Roger Silverstone(1995), "Telework and the Changing Relation of Home and Work," Nick Heap et al.(eds.), *Information Technology and Society*, London : Sage, pp. 400∼12.

Huff, C. and J. Cooper(1987), "Sex Bias in Educational Software : The Effect of Designers' Stereotypes on the Software They Design," *Journal of Applied Social Psychology* 17, pp. 519∼32.

Kiesler, S., L. Sproul, and J. S. Eccles(1985), "Pool Halls, Chips, and War Games : Women in the Culture of Computing," *Psychology of Women Quarterly* 9, pp. 451∼62.

Kirkup, Gill(1992), "The Social Construction of Computers," Gill Kirkup and Laurie Smith Keller(eds.), *Inventing Women*, Cambridge : Polity, pp. 267∼81.

Negroponte, Nicholas(1995), *Being Digital*, New York : Knopf(백욱인 역, 『디지털이다』, 박영률출판사).

Rakow, Lana F.(1988), "Women and the Telephone: The Gendering of a Communications Technology," Cheris Kramarae(ed.), *Technology and Women's Voices*, London: Routledge and Kegan Paul, pp. 207~28.

Rogers, Everett M.(1986), *Communication Technology: The New Media in Society*, New York: Free Press(김영석 역[1988], 『현대 사회와 뉴미디어: 커뮤니케이션 테크놀러지』, 나남).

Spender, Dale(1995), *Nattering on the Net: Women, Power and Cyberspace*, North Melbourne: Spinifex.

Stone, Allucquere R.(1991), "Will the Real Body Please Stand Up?," Michael Benedikt(ed.), *Cyberspace: First Steps*, Cambrdige: MIT Press, pp. 81~118.

Toffler, Alvin(1980), *The Third Wave*, New York: Bantam Books(이규행 감역[1989], 『제3의 물결』, 한국경제신문사).

Tremblay, Diane-Gabrielle(1997), "Change and Continuity: Transformation in the Gendered Division of Labor in a Context of Technological and Organizational Change," A. F. Grundy et al.(eds.), *Women, Work and Computerization: Spinning a Web from Past to Future*, Berlin: Springer, pp. 293~304.

Turkle, Sherry(1997), *Life on the Screen*, New York: Touchstone.

Webster, Juliet(1994), "Gender and Technology at Work: 15 Years on," Alison Adam et al. (eds.), *Women, Work and Computerization: Breaking Old Boundaries-Building New Forms*, Amsterdam: Elsevier, pp. 311~24.

———(1995), "What Do We Know about Gender and Information Technology at Work," *European Journal of Women's Studies* 2, pp. 315~34.

제12장
한국의 정보화와 전업 주부

1. 머리말

현재 가속화되고 있는 정보화가 문명사적 전환점이라는 인식이 폭넓은 공감대를 형성하고 있다. 불확실성을 동반하는 어느 사회 변동과 마찬가지로, 정보화도 다수의 사회 구성원들에게 혼란과 불안, 두려움을 일으키는 동시에, 다른 한편으로는 더욱 다양한 능력 계발과 풍요로움, 삶의 질을 높일 수 있는 새로운 가능성을 제공하기도 한다.

컴퓨터에 대한 접근과 활용은 정보화에 대응하고 새로운 삶의 방식과 기회를 누리는 데 있어서 필수조건이다. 문자 매체 위주로 움직여온 종래의 사회에서는 문자 구사 능력literacy이 그 구성원으로서의 권리와 의무 수행에 요구되는 기본적인 자질이었다. 마찬가지로, 전자 매체 위주로 전환되고 있는 앞으로의 사회에서는 컴퓨터 구사 능력computer literacy, computer proficiency이 시민권 행사의 조건으로 될 것이다.

그러나 문제는 컴퓨터 기술이 비약적으로 발전된다 하더라도, 이것이 사회 구성원 누구나 골고루 그 혜택을 누릴 수 있음을 보장하지 못한다는 사실이다. 현실적으로 컴퓨터에 대한 접근과 구사 능력은 계층, 성, 세대, 지역 등 다양한 사회 경제적 변수에 따라 구조적 차이를 보이고 있다. 과거에 문자 구사 능력이 사회적 특권의 기반이고 문맹이 사회적 제약과 불이익을 초래하였듯이, 앞으로는 컴퓨터에 대한 차별적 접근이 사회적 차별과 배제의 기제로 작용할 수 있는 위험을 내포하고 있다. 이런 위험을 미연에 방지하고 부작용을 줄이기 위해서는, 컴퓨터 사용자의 입장에서 그 수용 과정에 대한 이해가 필요하다. 앞으로 우리 사회에서 누구나 컴퓨터에 쉽게 접근할 수 있고 바람직하게 활용할 수 있도록 유도하기 위한 방안을 마련하기 위해서는 특히 정보화 취약 집단에 대한 실증적 분석이 필요하다.

이 글에서는 현재 우리나라에서 정보화에 가장 뒤처진 사회 집단 중 하나인 전업 주부의 컴퓨터 수용 과정에 대한 분석을 통하여 지금까지의 우리나라 정보화에 대한 반성과 앞으로의 개선 방안을 도출하고자 한다. 먼저 우리나라의 정보화 추진 전략과 개인의 정보화에 대한 연구 동향에서 나타나는 공급자 중심의 시각을 비판하고 앞으로 수용자 중심의 관점을 보완할 필요성을 강조한다. 다음으로 전업 주부가 아직 정보화에서 소외되어 있는 현실에 대해 주의를 환기한다. 그 다음에는 심층 면접 자료를 바탕으로 전업 주부들의 컴퓨터 수용 과정을 분석하고, 분석 결과가 함축하고 있는 의미를 파악한다.

2. 우리나라의 정보화 추진 전략과 연구 동향

"산업화는 뒤졌지만 정보화는 앞서가자." 이 구호는 최근 우리나라의 정보화 열기를 압축하여 나타내고 있다. 우리나라의 정보화 추진 방식은 1960~1970년대의 산업화와 유사한 면모를 보이고 있다. 과거에 '조국 근대화'의 기치를 걸고 정부 주도 아래 가능한 한 최단시간 내에 최대한의 경제 성장률을 달성하고자 하였듯이, 이제는 '국가

경쟁력 강화'를 목표로 정보화를 최대한의 속도로 밀어붙이고자 한
다. 1988년부터 1995년까지 우리나라의 정보화 지수는 연평균 40.2%
라는 세계 최고의 성장률을 기록하였고, 현재도 고삐를 늦추지 않고
있다.

  이렇듯 정부 주도적으로 급속히 추진된 우리나라의 정보화에서는
공급과 경제적 요인, 기술적 추진력technological push의 측면이 강조
된 반면, 이에 상응하는 사회적 수요와 수용, 사회적 견인력social
pull의 측면에 대한 고려는 상대적으로 적은 비중을 차지하였다. 구체
적으로, 국가적 차원의 초고속 정보 통신망 구축으로 물리적 기반을
확보하여 첨단 기기와 기술, 소프트웨어를 보급하고, 국내의 관련 산
업 육성과 기술 개발에 주력하며, 우선적으로 행정 기관과 기업 등
대규모 기관의 정보화를 추진하는 전략이 기본 골격을 이루고 있다.

  그러나 구축된 정보 통신망과 정보 통신 설비 및 상품은 실제로 이
용된 연후에야 기대 효과를 거둘 수 있으며, 따라서 이용할 의사와
능력을 갖춘 수요자들의 존재가 대단히 중요한 요소가 된다. 수요 측
면을 보면, 초기 단계에서는 집중적인 공공 부문과 대기업의 정보화
가 촉발 요인으로 중요하지만, 정보화가 진전될수록 민간 부문의 수
요가 점점 더 큰 비중을 차지하고, 궁극적으로는 개인과 가정이 가장
광범위하고 지속적인 기반을 제공하게 된다. 사회적 차원의 정보화
를 위해 개인은 최종 수요자로서뿐만 아니라 공공 및 산업 부문에서
요구되는 인적(人的) 자원의 공급원으로서 중요한 의미를 지닌다(손
연기, 1997; 1998; 김영삼, 1998).

  우리나라에서 개인의 정보화에 대한 기존의 연구는 대부분 효율적
인 정보화 촉진 정책과 홍보 전략 수립에 필요한 기초 자료를 제공하
기 위해 실시되었다. 이들은 대체로 전국적인 설문 조사를 통해 응답
자들의 정보화에 대한 태도와 정보 통신 기기 보유 및 서비스의 이용
실태를 사회 경제적 변수와 연관지어 파악하는 데 주안점을 두고 있

다(한국정보문화센터, 1996a; 1996b; 1996c; 1996d; 1998). 이러한 연구 내용과 방법은 미국과 유럽에서 1980년대초 개인용 컴퓨터가 주요 내구성 소비재로 부상했을 때, 소비자나 광고, 매스컴 관련 부문에서 이루어진 조사 연구들과 흡사하다. 당시 서구의 연구는 '혁신의 확산diffusion of innovations'이라는 관점에 입각하여 주로 컴퓨터 구입자의 속성과 성향 및 행태, 구입을 저해하는 요소를 밝히고자 하였고, 효율적인 판매와 보급 전략을 수립하고자 하는 공급자의 입장을 대변하였다(Danko and MacLachlan, 1983; Dickerson and Gentry, 1983; Hall et al., 1985; Rogers, 1983).

이렇게 특정 시점의 컴퓨터 보급 현황에 대한 스냅 사진을 제공하는 것과 같은 접근 방법은 실제로 컴퓨터를 수용하는 개인의 관점과 그 과정의 역동성 및 사회적 맥락을 파악하는 데 한계가 있다. 개인이 컴퓨터를 수용하는 과정은 단순하지 않기 때문이다. 첫째, 흔히 새로운 기술을 수용하는 과정은 인지awareness→흥미interest→평가evaluation→시험test→수용adoption 등 일정한 단계를 거친다고 한다(Rogers, 1983). 그러나 컴퓨터의 경우에는 단선적이고 단계적인 과정unilinear and stage process으로 보기 어렵다. 기술 발전의 속도가 빠르고 융통성이 큰 만큼, 수용 경로가 다양할 수 있다. 예컨대 당장 업무 수행에 필요한 직장인, 컴퓨터 학원에 다니는 초등학생이나 취미로 배우는 주부들의 수용 경로와 단계에는 차이가 난다는 것이다.

둘째, 개인의 컴퓨터 수용은 일회적으로 완결되는 것이 아니라 장시간에 걸쳐 지속되는 과정이다. 새로운 가전 제품이나 의약품들은 일단 구입하기만 하면, 그 이후의 활용은 일정하고 단순하다. 반면, 컴퓨터는 구입한 이후에 어떠한 용도에 어떠한 방식으로 활용하는가, 끊임없이 나오는 새로운 용도와 기술에 대하여 어떻게 대처하는가 등이 크게 다를 수 있다. 따라서 컴퓨터의 수용 과정은 최초의 도입뿐만 아니라, 그 이후의 활용의 폭과 깊이, 인식의 변화를 통시적

diachronic으로 파악할 필요가 있다.

셋째, 컴퓨터가 사회적으로 그리고 개인의 삶에서 갖는 의미는 끊임없이 재규정되고 있으며, 누가 수용자가 되어야 하고 무엇이 바람직한 활용 방식인지에 대한 관념도 바뀐다. 따라서 개인의 컴퓨터 수용 과정은 가용(可用) 자원과 사회적 네트워크, 가치와 규범, 관습, 인성 등 다양한 사회 구조적 · 문화적 · 심리적 요인들의 상호 작용에 의하여 구조화되는 '사회적 배태성 social embeddedness'을 갖게 된다.

3. 전업 주부의 정보 격차

정보화에 대한 논의에서 일찍이 가정 · 집 home은 정보화의 요충지로 인식되었고, 가정의 정보화는 여성, 특히 전업 주부에게 무한한 가능성을 열어준다는 것이 통념이다. 정보화가 진전될수록, 경제 · 정치 · 문화 · 교육 · 오락 등 점점 더 다양한 사회적 활동이 집 안에서 이루어지게 된다. 토플러 Alvin Toffler의 '전자 주택 electronic cottage'이라는 비유가 시사하듯이, 산업 혁명 이전의 가내 수공업 cottage industry 시대에 모든 가정에서 물레를 사용했던 것처럼, 정보화 시대에는 집 안에 설치된 컴퓨터를 사용하여 일상 생활과 생계 활동을 영위하게 된다. 이것은 지리적으로 분산되어 있는 가정을 사회의 중심지로 만드는 것과 동시에 개인에게 권한을 부여 empowerment하고 사회를 분권화 decentralization하는 거대한 사회 혁명으로 귀결된다(Forester, 1989; Toffler, 1980). 이 과정에서 주부들이 가사 노동에서 해방되고 사회 활동에 참여할 수 있는 시간과 기회가 늘어날 뿐만 아니라, 밖으로 나가지 않고 집 안에서도 다양한 사회적 활동에 자유롭게 참여할 수 있게 된다는 것이다.

그러나 통념과는 달리, 주부들이 담당하는 가사 노동은 실제로 정보화 논의에서 도외시되었다. 현재 가사 노동은 정보 기술의 도입에서 가장 뒤떨어진 부문에 속한다. '전자 주택'에 대한 높은 관심에도 불구하고, 그 논의는 주로 교육 · 의료 · 통신 · 직업 및 경제 활동에 집중되었다. 즉, 이전에는 집 밖에서만 가능했지만 정보 기술의 도입으로 집 안으로 끌어들일 수 있게 된 이른바 '공적(公的)' 영역의 활동은 정보화의 중요한 대상으로 인식된 반면, 여성의 '사적(私的)' 영역으로 인식되는 가사 노동의 정보화는 사소하거나 거의 낭비에 가까운 것으로 치부되는 것이 현실이다.

미국의 프랜시스 게이브Frances Gabe라는 여성이 가사 노동을 현저히 줄일 수 있는 '자동 청소형 주택self-cleaning house'을 고안하여 실현하는 데 부딪친 첫번째이자 가장 큰 장벽이 건축 허가를 내주는 공무원, 건축업자들에게 이런 아이디어가 쓸모 있는 것임을 납득시키는 일이었다. 또한 1980년대 미국의 허니웰, 주택건설업자협회 등에서 미래의 최첨단 가정 정보화 모델로 내세운 '스마트 하우스smart house' 프로젝트도 주부들의 관심이나 이해 관계와는 거리가 멀었으며, 실제로 가사 노동을 줄일 수 있는지의 여부는 중요한 관심사가 아니었다. 우리나라에서도 가사 노동의 성격과 수행 방식을 획기적으로 변화시킬 수 있는 청소, 세탁, 요리 등 가사 보조용 로봇의 개발과 이용에 대한 지지도가 다른 신기술에 비하여 상대적으로 낮다(윤정로, 1998; 1999; Berg, 1995; Gabe, 1983).

현실적으로 우리나라에서 전업 주부는 정보화에서 가장 뒤처진 집단의 하나로 꼽힌다. 1996년 전국의 13세 이상 1,500명을 대상으로 한 설문 조사 결과에 의하면, 컴퓨터를 이용하고 있는 전업 주부는 9.5%로서, 생산직(3.6%)을 제외하고 가장 낮은 수준이었다. 컴퓨터를 이용하는 여성의 비율이 24%인 데 비해서도 큰 차이가 나는 수치다. 또한 정보화 의식이나 앞으로의 이용 계획에 있어서도 전업 주부는 매우 소극적이었다(정보문화센터, 1996d). 유사한 방식으로 1998년 12월에 실시된 설문 조사에서는, 컴퓨터를 이용하는 주부의 비율이 19%로 크게 증가했음에도 불구하고, 여전히 농림 어업(4.2%)과 생산직(12.1%) 종사자를 제외하고 가장 낮은 수준이다. 전업 주부 바로 다음으로 컴퓨터 이용자 비율이 낮은 자영업자(37%)와 비교해도, 약 절반에 불과한 수준이다(정보문화센터, 1998). 1999년 5월에 표본을 3,000명으로 확대한 조사에서는 전업 주부 중 컴퓨터 이용자가 10.9%인 것으로 나타나, 이용자 비율 추정치가 표본에 따라 크게 차이가 난다. 그러나 전업 주부가 농림 어업 종사자(3.8%) 다음으로 컴퓨터 이용자 비율이 낮고 자영업자(23.6%)의 절반 수준에도 미치지 못한다는 사실은 일관성 있게 나타나고 있다(한국정보문화센터, 1999). 이러한 정보 격차는 노동 시장에서의 격차로 나타나고 있다. 예컨대 1994년 우리나라 노동력 전체에서 여성이 차지하는 비율은 40%인 데 반해, 정보 처리 및 컴퓨터 운용 관련 산업 종사자 중 여성의 비율은 17%에 불과하다(김애실, 1995). 이는 가정 주부들이 앞으로 컴퓨터 구사 능력의 결핍으로 사회적 불이익을 당할 가능성이 대단히 높다는 것을 시사한다.

우리나라에서 정보화를 촉진하고 또 그에 따른 사회적 변화에 대응하기 위하여 많은 노력을 기울이고 있다. 그러나 여성, 특히 전업 주부의 정보화에 대해서는 별다른 관심을 기울이지 않고 있다. 우리나라의 성별 정보 격차에 대한 연구는 극히 드물고, 정보 격차 현황과 해소 방안에 관한 보고서에도 성별 격차는 제외되어 있는 현실이다(오정훈, 1997; 한국정보문화센터, 1996c). 그러나 신문 기사의 제목처럼, "여성 없는 정보 대국 없다"(조선일보, 1997. 1. 22). 현재 전업 주부의 정보 격차 해소에 적극적인 관심을 기울이지 않는 한, 앞으로 전업 주부의 컴퓨터 활용 능력이 향상되고 정보화에 적극적으로 동참할 수 있으리라는 기대를 할 수 없다. 현재의 정보 격차는 우리의 의도적이고 적극적인 개입이 없는 한 앞으로 지속될 뿐만 아니라 더욱 확대될 위험마저 안고 있다. 정보화는 기존의 사회 질서에 혁명적 변화를 일으키는 것이 아니라, 오히려 기존의 사회에 순응하고 또 다른 현상 유지의 요인으로 작용할 수 있음을 인식해야 한다.

4. 전업 주부의 컴퓨터 수용 과정

우리나라 전업 주부 정보 격차의 원인을 밝히고 개선 방안을 모색하기 위해서, 현재 전업 주부들의 컴퓨터 수용 과정을 경험적으로 파악하고자 한다. 여기에서 특히 주목하는 점은 전업 주부의 컴퓨터 이용률이 우리나라 가정의 컴퓨터 보유율보다 훨씬 낮다는 사실이다. 앞서 언급한 1996년, 1998년, 1999년 설문 조사에서 가정의 컴퓨터 보유율이 각각 20.7%, 44.5%, 51.8%로 나타난 데 비해, 전업 주부 중 컴퓨터를 사용하는 비율은 9.5%, 19%, 10.9%에 불과하여 컴퓨터 보유율의 절반에도 미치지 못하고 있다.[1] 집 안에 고가의 컴퓨터를 구입해놓고서도, 전업 주부들이 사용하지 않는 이유는 무엇이며, 또 어떻게 하면 앞으로 활용할 수 있도록 할 것인가?

이 문제에 대한 답을 얻기 위해서 컴퓨터 수용 과정을 통시적 차원에서 3단계로 구분하여 살펴보고자 한다. 첫째는 컴퓨터를 처음 접하고 배우기 시작하는 도입 단계다. 전업 주부들이 컴퓨터에 관심을 갖고 사용하게 되는 동기나 계기는 무엇인가? 컴퓨터를 도입하지 않은

---

1) 상식적 추론과 달리 통계적으로 컴퓨터를 사용하는 전업주부의 비율이 1998년과 1999년 사이에 19%에서 10.9%로 감소한 것으로 나타나는데, 이는 표본 추출상의 문제에서 기인하는 것으로 보인다. 우리나라 정보화 실태에 대한 설문 조사 결과는 표본에 따라 상당한 차이가 있으며, 인용한 조사는 동일한 기관에서 실시한 전국 조사임에도 불구하고 이런 차이가 나타난다.

사람들은 무슨 이유와 제약 조건 때문인가? 둘째는 컴퓨터의 도입 후 현재까지의 활용 단계로, 컴퓨터 활용의 폭과 깊이, 그리고 컴퓨터에 대한 인식에 어떤 변화가 있는지에 관심을 갖는다. 셋째는 미래의 수용 단계인데, 이것은 현재 자신의 컴퓨터 수용에 대해 어떻게 평가하고 있으며 앞으로 어떻게 대응해나갈 것인지에 대한 인식과 밀접히 연결되어 있다. 이 글에서는 심층 면접을 통하여 전업 주부들의 컴퓨터 수용 과정에 대한 민족지적 기술 ethnographic description을 시도한다. 주로 10명의 사례에 입각해서 구성된 기술은 대표성에 있어서 한계가 있다. 그러나 문제 제기와 탐색적 heuristic 유용성에 분석의 의의를 두고, 기존의 관련 문헌과 연구 결과를 참고함으로써 방법론적 한계를 보완한다.[2]

I. 분석 자료

분석에 사용하는 자료는 1997년 3월과 7월 대덕연구단지에 거주하는 전업 주부들을 대상으로 한 심층 면접 자료다. 면접 대상자는 30대 후반의 대학 졸업자로서, 초등학교에 다니는 자녀를 둔 10명의 주부들이다. 이들과의 비교를 위해 중·고등학생 자녀를 둔 40대 주부 2명과 자녀가 없거나 미취학 자녀를 둔 30대 초반 주부 2명에 대한 심층 면접 자료를 참조한다. 대학과 연구소가 밀집되어 있는 입지 여건과 일부 아파트가 초고속 정보화 시범 지역으로 지정되어 있기 때문에 정보화에 노출될 가능성이 높고, 기존의 조사 자료 결과에 의하면(한국정보문화센터, 1996a; 1996d; 1998; 1999) 전업 주부 중에서는 비교적 나이가 젊은 고학력 중산층 주부, 특히 초등학생의 어머니들이 컴퓨터와 정보화에 가장 관심이 높을 것이라는 판단 아래 이들을 연구 대상으로 선택하였다.

---

2) 심층 면접에 입각한 민족지적 기술에 대한 방법론과 사례는 Turkle(1984; 1995)을 참조하라.

면접 대상자는 면접원들이 교회나 이웃을 통해 추천을 받은 전업 주부들 중에서, 컴퓨터 구사 능력에 따라 지체 집단 4명, 중간 집단 4명, 선도 집단 2명을 선정하였다. 컴퓨터로 문서 작성이나 게임 정도가 가능한 수준을 중간 집단으로 보고, 지체 집단은 컴퓨터에 문외한이거나 배웠어도 사용할 수 없는 사람, 선도 집단은 통신과 인터넷도 이용하며 자타가 컴퓨터에 능숙하다고 인정하는 주부들이다. 선도 집단이 2명인 것은 그 대상자를 찾기가 어려웠기 때문인데, 여기에 바로 전업 주부의 정보 격차가 드러나고 있다.

심층 면접에서 중요한 응답자와 면접원 사이의 친숙한 분위기 rapport 형성을 위하여, 응답자와 동일한 사회적 배경을 가진 전업 주부 2명을 선발하여 면접원으로 활용하였다. 면접원에게는 연구의 목적과 배경, 연구 방법에 대한 설명과 토론, 대학생을 대상으로 한 예비 면접 등을 통한 교육을 실시하였다. 또한 면접원이나 응답자의 가정을 면접 장소로 선택하고, 연구 목적이 컴퓨터 구사 능력을 판정하기 위한 것이 아니라는 사실을 주지시킴으로써, 편안한 분위기에서 자연스럽게 대화를 나누도록 진행하였다. 면접원은 대화가 단절되거나 방향이 빗나가지 않도록 화두를 던지는 형식으로 진행하였으며, 응답자들은 10분 이내에 녹음기를 의식하지 않고 농담이 오갈 정도로 친근하고 활발하게 대화를 나누었다. 지침으로 주어진 대화의 주제는 현재 컴퓨터 사용의 폭과 깊이, 컴퓨터 도입의 계기, 도입과 활용에 있어서의 제약과 만족 정도, 앞으로의 대응 자세, 컴퓨터에 대한 주관적 판단과 다른 매체 및 여가 활용 방식과의 차이 등이었다.

II. 분석 결과

1) 컴퓨터의 도입

면접 대상자들의 컴퓨터 구사 능력은 켜보지도 않는 정도부터 다양한 서비스를 자유로이 이용하는 수준까지 차이가 있지만, 모두 가정에 컴퓨터를 보유하고 있었고 접해볼 기회도 있었다. 가정에 컴퓨터를 보유하게 된 이유는 무엇보다도 자녀의 교육과 남편의 업무 수행에 이용하기 위해서였다. 자신이 컴퓨터를 자주 이용하지 않는 주부들은 구입하자마자 가격이 떨어지고 기기 업그레이드와 소프트웨어에 계속적으로 비용이 들어가는 것을 부담스러워했다.

집 안에 컴퓨터를 보유하고 있는데도 컴퓨터를 사용하지 않는 주부들은 그 이유가 무엇일까? 첫째는 컴퓨터 학습의 어려움을 들었다. 컴퓨터 판매업체나 사회 교육 기관에서 실시하는 교육이 '내용 부실'이거나 '이론이나 하드웨어 설명 위주로 어렵기만 하여' 실질적으로 도움이 되지 않았다고 한다. 여기서 주목되는 바는 전업 주부들이 가족 내의 위신과 분위기 때문에 컴퓨터에 접근하기를 더욱 어려워한다는 점이다. "남(남편이나 자녀)의 것을 만졌다가 고장내거나 저장된 자료를 날리면 잔소리 들을까봐" 또는 "설명을 해주는데 못 알아들어서 머리 나쁘다는 생각이 들까봐" 컴퓨터 배우기가 무섭고, 남편은 "아이들한테는 고장내더라도 하라고 하지만 나(부인)한테는 배우라고도 안하고" 아이들은 "엄마 이거 해봤어? 또 모르지? 이렇게 무시하니까 더 하기가 싫어진다"고 한다. 또한 자신의 컴퓨터에 대한 무관심과 학습의 어려움을 "원래 기계 만지기를 싫어하는 '여성적' 성격" 탓으로 돌리는 주부가 여럿 있었고, 이런 고정관념에 대해 컴퓨터에 능통한 주부와 면접원까지도 수긍하는 반응을 보였다.

둘째 이유는 실생활에서 필요성이 적다는 점이다. 흥미롭게 여러 응답자들이 운전에 비유해서 설명했는데, "운전은 당장 필요하니까 흥미도 생기고 배울 수 있었던 반면 컴퓨터는 먼 세계라고 생각한다." 이외에 전자파에 의한 건강 침해를 우려하는 응답자도 있었다.

그러면 컴퓨터를 사용하는 주부들은 처음에 어떤 동기나 계기로 시작했을까? 다수의 주부들이 상당히 막연하게 '미래를 준비'하기 위해서라는 이유를 꼽았다. "미래는 정보화 시대고 모든 것이 '속도전'

이기 때문에, 가만히 앉아서 빨리 정보를 듣고 보고 해야 하니까 여러 면에서 컴퓨터가 더 필요할 것 같기" 때문이라고 한다. 신문을 비롯한 대중 매체를 통해 막연하지만 컴퓨터를 알아야 한다는 압박감을 느낀다고 한다. 정보화를 강조하는 사회 분위기 속에서, 당장 필요하지는 않더라도 배워두어야 한다는 것이다.

아래의 인용문에서 나타나듯이, 현실적인 계기로 가장 뚜렷이 드러나는 것은 자녀 교육이다.

초등학교 4학년 딸이 가족 신문을 만들었는데, 반 친구 한 명이 워드로 쳐서 가족 신문 만든 것을 보고, 자기도 그렇게 해서 상 받고 싶다고 하여 해봤다. 먼저 원고를 쓰고 아빠가 저녁 늦게 쳤다. 그때 '나도 해봐야겠다'고 생각했다…… 예전엔 책을 봐도 몰랐는데, '그 이후에는' 내가 필요한 부분은 눈에 들어오더라.

이외에 "아이들이 물어볼 때 대답해주고 싶고 엄마는 모르는 사람이라고 생각할까봐" 또는 "아이들이 좋아하는 컴퓨터 게임을 같이함으로써 공감대를 형성"하거나 "아이들이 컴퓨터로 무엇을 하는지 알고 감시하기 위해서" 등의 이유를 들었다.

컴퓨터 구입 이유에서 예상할 수 있듯이, 남편의 일을 도와주는 것도 또 하나의 현실적 계기였다. 그러나 다른 한편으로는 주부들이 "컴퓨터를 잘하면, 남편이 다 맡기고 해달라고 해서 일이 더 늘어날까봐" 걱정한다는 점이 흥미롭다.

2) 도입 후의 활용

컴퓨터의 수용은 최초의 도입과 함께 완결되는 것이 아니라 그 이후의 활용 방식과 인식이 중요한 변수로 작용한다. 주부들이 컴퓨터의 사용법을 배운 후 그 활용의 폭과 깊이가 어떻게 변화하며 그 이유는 무엇인가?

　소수의 주부만이 주로 자녀 교육과 자신의 취미로 계속 적극적으로 활용하고 있을 뿐, 대다수의 응답자는 처음보다 활용 정도가 감소하는 것으로 나타났다. 첫째로 지적한 이유는 실용성 부족이다. 매스컴에서나 남편은 컴퓨터를 가계부나 문서 작성 및 편지 쓰기, 홈뱅킹, 홈쇼핑에 이용하면 편리하다고 하지만, 실제로는 오히려 "더 복잡하고 귀찮게 느껴지고" "신뢰감이 안 간다"고 한다. 특히 홈쇼핑에 대해서는 모두 부정적이었다. 시간에 별로 구애를 받지 않고 셔틀버스 등 교통 편의가 무료로 제공되는 여건 아래서는, 쇼핑이 주부들의 스트레스 해소를 위한 외출 기회가 되고, "발로 뛰어 눈으로 확인하는" 편이 생생하고 즐겁게 저렴한 상품을 구입할 수 있는 반면, "컴퓨터는 신빙성이 없고 통신 판매 상품은 안 팔리는 상품인 것 같고 값도 비싸다"는 평가를 내렸다. 통신이나 인터넷도 실생활에는 유용하지 않았다고 한다. "처음에는 컴퓨터 하면 굉장한 것으로 알았는데, 통신 들어가도 별로 볼 것이 없었고" "인터넷 교육 상담을 봤는데, 잡지에 나오는 정도의 수준이라 별 도움이 안되었다"는 것이다.

　둘째로, 주부들은 통신과 인터넷을 사용하는 데 드는 비용(전화료)을 들었다. 주부들은 "일단 남편과 아이들이 자리잡게 한 후 내 자리를 찾는다"는 입장으로 "시간적·경제적 여유가 없는" 상황에서, 자신을 위해 가외로 들어가는 통신 비용을 부담스러워한다. "인터넷을 켜놓으면 돈이 들어가니까 그것에 매달려야 하고, 그러면 다른 일을 할 수 없다"고 한다.

3) 컴퓨터 수용 인식과 대응 방식

　그러면 현재 자신의 컴퓨터 수용에 대한 인식과 앞으로의 대응 방식을 보자. 컴퓨터를 적극적으로 활용하는 주부들은 "옛날에 문맹으로도 살 수 있었지만 즐겁게 살려면 글자를 배워야 하듯이, 지금은 컴퓨터를 몰라도 살 수는 있지만 컴퓨터를 알게 됨으로써 다른 세계를 알고 삶의 질이 좋아지기 때문"에, 주부들도 반드시 배워야 한다고 본다. 그러나 주변의 다른 주부들과 컴퓨터를 화제로 이야기하거나 사용법을 가르쳐줄 기회가 거의 없음을 안타까워한다.

컴퓨터 활용에 소극적인 대다수 주부들의 반응은 두 가지로 나뉘어진다. 첫째, 현재 자신이 컴퓨터를 배워야 한다는 부담을 느끼면서 제대로 하지 못하고 있어 불안하다는 반응이 가장 자주 나타난다. 여러 주부들이 컴퓨터가 필요하기는 하지만 자신은 배울 가능성이 없다고 포기하면서, "나는 안돼" "나는 무능하니까" 등 자기 비하적 태도를 보였다. 실제로 컴퓨터를 배워야 하는 이유로 지적한 것은 "TV나 신문에서 보면 앞으로는 컴퓨터가 살아가는 데 필요한 하나의 생활 수단이 될 것 같다"거나 "편리함보다는 낙후되기 싫으니까 알아야 된다"고 생각하는, 미래에 대한 막연한 불안감이 대부분이었다.

둘째는 자기 합리화 유형으로, 현재로서는 자신의 삶에 별로 필요성이 없으니까 컴퓨터를 적극적으로 수용하지 않아도 된다고 여긴다. 이들은 자신의 컴퓨터 구사 능력에 대한 불안감이나 스트레스가 적기 때문에, 실제로 컴퓨터 학습에서 가장 뒤처질 가능성이 있다. 그러나 이들은 후에 언젠가 필요하면 배우겠다는 입장을 취하고 있어서 관건은 실제적 필요성에 있다. 이들은 "실생활에 도움이 되도록," 강사나 같이 배우는 사람들이 "이것도 모른다고 생각하지 않고 창피함을 느끼지 않도록" "친한 사람과 함께" 배우기를 희망한다.

여기에서 눈에 띄는 점은 대다수의 주부들이 자신은 컴퓨터를 잘 사용하지 못하지만, 자녀들의 경우에는 잘해야 된다고 생각하고, 특히 자신들이 못하기 때문에 자녀들은 더욱 잘해야만 한다고까지 생각한다는 점이다. 주부들이 "자신은 컴퓨터 사용을 안 하지만 아이들에게는 하라고 다그친다." 한 응답자의 발언이 현재 우리나라 주부들의 입장을 대변하고 있다.

시대의 흐름 때문에 안 하면 불안하지만, 안되니까 포기한다. 안 해도 옛날 할머니들처럼 살 수 있다고 생각한다. 이래서는 안 되는데, 배워야 되는데…… 그러나 그건 내 능력이 아닌 것 같고 많이 노력해야 하고. 답답하다. 애들이나 잘했으면 싶다. 미술·음악보다 컴퓨터를 빨리 접하게 하고 싶다. 옛날 할머니들이 농사짓고 가정 생활하고 밥 먹듯이 내 후세들이 나를 보고 그렇게 느낄 거고. 전에 컴퓨터 접할 때 그랬고 영화 속에서도 어려움에 부딪쳤을 때 컴퓨터로 길을 찾거나 대처하는데, 우리는 모르니까 몸으로 때운다. 불안하다.

5. 결론 및 제언

이 글은 정보화 추세 속에서 새로운 사회적 배제의 기제로 작용할 수 있는 사회 집단간 컴퓨터 구사 능력의 구조적 차이를 해소하기 위해서는, 공급자 위주의 시각에서 벗어나 사용자의 입장에서 컴퓨터의 수용 과정을 이해하고, 취약 집단에 대한 분석이 필요하다는 문제 의식을 바탕으로, 우리나라 전업 주부의 컴퓨터 수용 과정을 분석하였다. 구조화된 설문 조사보다는 심층 면접을 통하여, 여타 신기술 품목과는 달리 컴퓨터의 수용 과정에서 나타날 수 있는 다양성과 역동성, 사회적 배태성을 파악하고자 했다. 소수의 사례 분석이 갖는 방법론적 한계에도 불구하고, 정보화와 컴퓨터에 대한 관심과 노출 가능성이 가장 높을 것으로 판단되는 초점 집단, 즉 대덕연구단지의 초등학생 자녀를 둔 30대 후반 고학력 전업 주부에 대한 분석은 특히 전업 주부의 컴퓨터 이용률이 가정의 컴퓨터 보유율의 절반에도 미치지 못하는 현상을 설명하는 데 있어서 탐색적 유용성이 있다고 본다.

분석 결과를 요약하면, 첫째 우리 사회에서 정보화 담론은 커다란 영향력을 발휘하고 있다. 정보화를 강조하는 사회적 분위기는 전업 주부들이 컴퓨터를 도입하는 동기로서 큰 영향력을 갖고 있으며, 앞으로 정보화 확산에 적극적으로 기여할 가능성이 있는 것으로 나타난다. 둘째, 전업 주부의 컴퓨터 수용 과정은 우리 가정과 사회의 남성 중심성 그리고 성역할에 대한 고정관념을 드러내고 있으며, 이것이 전업 주부의 정보 격차로 연결된다. 우선 전업 주부는 사회적 경험의 제한으로 컴퓨터 수용의 필요성을 느끼는 데서 뒤처지고 있고, 여자는 원래 컴퓨터, 즉 기계를 잘 못 다루게 되어 있다는 '여성성'에 대한 고정관념, 남편과 자녀 중심의 가족 내에서 불안정한 위신과 이의 손상에 대한 두려움, 자아 정체성과 자신감의 결핍 등으로 컴퓨터에 접근하기를 어려워한다. 컴퓨터 수용의 계기도 자녀 교육을 담당하는 어머니나 남편의 업무 보조자로서의 역할이 우선하며, 경제적으로 비교적 안정된 가운데서도 자기 자신을 위해서 컴퓨터 학습과 활용에 별도로 비용을 지출하는 것을 주저한다. 셋째, 우리 사회의 정보화 담론과 현실 사이의 간극이 전업 주부의 컴퓨터 수용 과정에 여실히 드러난다. 어려움을 극복하고 컴퓨터를 배운 전업 주부들도 컴퓨터의 현실적 유용성에 대하여는 실감하지 못하고 있다. 생활 현실에서 실용성에 의해 뒷받침되지 못함으로써, 컴퓨터를 사용하고자 했던 사람들이 사용을 중단하거나 축소하고 있다. 이처럼 현재 우리 사회에서는 정보화의 담론과 현실 사이의 간극과 더불어 개인과 가정, 사회에 깊이 각인되어 있는 성역할에 대한 고정관념 속에서 우리나라 전업 주부는 심각한 정보화 지체 집단을 이루고 있다. 경제적으로 안정된 고학력 주부들조차 컴퓨터 수용과 정보화 대응 능력에 대한 확신을 갖지 못한 채, 자녀들에게 컴퓨터 학습의 성취를 강요함으로써 역기능이 파생될 수 있는 소지를 안고 있다.

이상의 분석이 시사하는 바는 무엇보다도 우리나라의 정보화 추진 방식이 종래의 하드웨어 보급에서 탈피하여 앞으로는 소프트웨어 확충에 역점을 두는 방향으로 전환되어야 한다는 점이다. 컴퓨터 기기의 보급을 강조하던 방식에서 벗어나 컴퓨터의 활용 방식과 용도가 사회 구성원 개인의 생활 속에서 실용적 욕구에 부응하도록 만들어 나가는 데 더 많은 노력을 기울여야 한다. 컴퓨터의 수용은 사용자의 지속적인 노력이 요구되기 때문에, 동기 부여가 계속되지 않는다면 컴퓨터 수용은 중단되거나 정체될 가능성이 높고, 이것은 개인적으로나 사회적으로 적지 않은 낭비를 수반한다.

구체적으로 전업 주부의 정보 격차 해소를 위하여 제언을 하자면, 첫째 전업 주부가 정보화의 주요 대상 집단으로 인식되어야 한다. 문제 상황을 개선해나가는 첫걸음은 그 문제를 명확히 인식하는 것이다. 즉 전업 주부의 정보 격차가 중요한 문제라는 인식이 없으면, 이 상황을 개선하기 위해 적극적인 개입 조치를 취할 수 없다. 전업 주부의 심각한 정보 격차는 사회 구성원 모두의 삶의 질 제고라는 '사회적' 가치 실현을 위해서뿐만 아니라, 기술적으로 새로운 가능성이 열린 인적(人的) 자원의 활용이라는 '경제적' 측면에서도 커다란 손실이 된다.

둘째, 정보화에 대한 홍보와 교육이 차별화 · 다양화 · 유연화되어야 한다. 일반적으로 여성은 기계를 잘 다루지 못한다는 고정관념 때문에 컴퓨터에 대해 막연한 두려움을 갖고 있고, 따라서 컴퓨터 사용이나 정보화를 어렵고 재미없는 것으로 치부해버리는 경향이 있다. 전업 주부들은 가족이나 강사, 동료 수강생들에게 창피를 당할지 모른다는 두려움 때문에 컴퓨터에 접근하기를 꺼린다. 전업 주부 대상 프로그램은 연령 · 학력 등 사회 경제적 변수와 더불어 이러한 문화적 · 심리적 특성을 고려하는 것이 효과적이다. 또한 컴퓨터 교육 과정을 수강생이 일차적으로 느끼는 욕구를 신속히 충족시킬 수 있도록 다양화하고 탄력적으로 운영해야 한다. 일례로, 대다수의 교육 프로그램이 컴퓨터 기기나 용어 설명, 문서 작성 프로그램에서 시작하는 방식에서 탈피하여, 오락에 관심 있는 사람에게는 오락 프로그램을, 인터넷 채팅에 관심 있는 사람에게는 인터넷 채팅을 가장 먼저, 되도록 빨리 할 수 있도록 가르치는 방식으로 운영해야 한다는 것이다.

셋째, 통신 요금 체계를 조정해야 한다. 오늘날 컴퓨터는 네트워크 이용이 급속히 확대되는 추세고, 현재 우리나라 가정에서는 압도적으로 전화선을 이용하여 컴퓨터 네트워크에 접속한다. 현행 종량제 아래서는 전업 주부들이 정보 통신 서비스 이용에 있어서 통신료 부담을 상당히 느끼는 것으로 밝혀졌다. 앞으로 전화 이용료를 낮추어야 할 뿐만 아니라 종량제와 정액제를 복합적으로 도입하여 요금 체계를 다양화함으로써, 전업 주부들이 추가적 통신료 부담 없이 시행착오를 하더라도 정보 통신 서비스를 이용하기 시작하고 자유롭게 활용할 수 있도록 해야 한다.

참고 문헌

김애실(1995), 「정보 기술의 발전과 성별 분업」, 한국여성학회 춘계학술
　　대회 발표 논문.
김영삼(1998), 「한국 정보 정책의 방향과 실제」, 『기술혁신학회지』 1권 1
　　호, pp. 23~36.
손연기(1997), 「뉴미디어 시대의 정보 생활」, 『한국 사회와 정보 문화』,
　　한국정보문화센터.
──(1998), 「우리나라 정보화 정책의 약사」, 한국정보사회학회 편,
　　『정보 사회의 이해』, 나남, pp. 463~79.
오정훈(1997), 「통계로 살펴본 우리나라 여성 정보화의 현주소와 그 대

책」, 『21세기 포럼』, 한백연구재단.

윤정로(1998), 「정보화와 여성」, 한국정보사회학회 편, 『정보 사회의 이
해』, 나남, pp. 297~321.

―――(1999), 「가사 기술의 발전과 여성의 일상 생활」, 심영희 · 정진
성 · 윤정로 편, 『모성의 담론과 현실: 어머니의 일, 삶, 정체성』,
나남(출판 예정).

한국정보문화센터(1996a), 『정보 통신 이용자 실태 조사』, 연구 보고
96-01.

―――(1996b), 『초고속 정보 통신 대국민 여론 조사 보고서』, 연구 보고
96-02.

―――(1996c), 『멀티 미디어 시대의 정보 격차 해소 방안에 관한 연구』,
연구 보고 96-04.

―――(1996d), 『국민 생활 정보화 의식 및 실태 조사』, 연구 보고 96-
06.

―――(1998), 『국민 정보화 인식 및 정보 생활 실태 조사』, 조사 보고
98-04.

―――(1999), 『새천년을 맞이하는 한국인의 정보 생활 현황』.

Berg, Anne-Jorunn(1995), "A Gendered Socio-Technical Construction:
The Smart House," Nick Heap et al.(eds.), *Information Technology
and Society: A Reader*, London: Sage.

Danko, W. D. and J. M. MacLachlan(1983), "Research to Accelerate the
Diffusion of a New Invention: The Case of Personal Computers,"
Journal of Advertising Research 23(3), pp. 39~43.

Dickerson, M. and J. Gentry(1983), "Characteristics of Adopters and Non-
Adopters of Home Computers," *Journal of Consumer Research* 10,
pp. 225~34.

Gabe, Francis(1983), "The Gabe Self-Cleaning House," Jan Zimmernan (ed.), *The Technological Woman: Interfacing with Tomorrow*, New York: Praeger.

Hall, P. H., J. J. Nightingale and T. J. MacAulay(1985), "A Survey of Microcomputer Ownership and Usage," *Prometheus* 3, pp. 156~73.

Murdock, Graham, Paul Hartmann and Peggy Gray(1995), "Contextualizing Home Computing: Resources and Practices," Nick Heap et al.(eds.), *Information Technology and Society: A Reader*, London: Sage.

Rogers, E. M.(1983), *Diffusion of Innovations*, 3rd, New York: Free Press.

Silverstone, R.(1991), "From Audiences to Consumers: The Household and Consumption of Communication and Information Technologies," *European Journal of Communications* 6, pp. 135~54.

Silverstone, R. and E. Hirsch(eds.)(1992), *Consuming Technologies: Media and Information in Domestic Spaces*, London: Routledge.

Toffler, Alvin(1980), *The Third Wave*, New York: Bantam Books(이규행 감역[1989], 『제3의 물결』, 한국경제신문사).

Turkle, Sherry(1984), *The Second Self*, New York: Touchstone.

───(1995), *Life on the Screen*, New York: Touchstone.

제13장
가사 기술과 한국 여성의 삶

1. 머리말

현대 사회에서 과학 기술이 인간의 삶에 심대한 변화를 일으키는 중요한 요인으로 작용하고 있음은 언급할 필요조차 없다. 최근 우리나라 학계에서도 과학 기술 혁명, 탈산업 사회, 정보화 사회 등의 논의와 관련하여 과학 기술과 사회 변화 사이의 상호 작용에 대한 관심이 높아지고 있다. 대부분의 논의는 주로 산업 기술과 정보 통신 기술의 발전에 수반되는 조직과 일의 성격, 경제 및 정치·군사·행정 활동의 구조와 성격 변화 등 상당히 거창한 방식의 변화에 관심을 집중하고 있다. 그러나 과학 기술은 이런 거창한 방식의 변화와 함께 매일매일의 일상 생활을 영위하는 방식에 엄청난 변화를 일으키고 있으며, 이런 일상 생활의 변화는 다른 어떤 변화에 못지않은 중대한 사회적 함의를 갖고 있다.

가정 생활은 현재 여성은 물론 사회 구성원 대다수의 일상 생활에서 중요한 비중을 차지하고 있다. 산업화와 함께 1970년대 이후 우리 가정 생활의 모습은 그 범위나 속도에 있어서 기술적으로 커다란 변화를 겪어왔다. 현재 보편화된 옥내 상·하수도와 가스 시설, 전기밥솥, 세탁기, 냉장고 등 다양한 가전 제품은 대단한 가사 기술

household technology, domestic technology상의 변화를 의미한다. 역사학자인 코완Ruth S. Cowan이 지적했듯이, "빨래통으로부터 세탁기로의 변화는 수직기(手織機)로부터 동력 직기(動力織機)로의 변화에 못지않게 의미심장하며, 펌프로부터 수도꼭지로의 변화는 수작업(手作業) 계산으로부터 전자 계산기로의 변화에 못지않게 전통적 습관에 파괴적이다"(Cowan, 1976: 8~9). 이러한 가사 기술의 발전과 확산은 가사 노동과 여성의 생활 양식에 변화를 가져올 뿐만 아니라, 보다 거시적 수준의 사회 조직화 방식에도 근본적인 변화를 일으킬 수 있는 가능성을 내포하고 있다.

이 글은 우리나라에서 가사 기술의 발전이 가사 노동과 가정 생활, 특히 여성의 일상 생활과 어떤 관련을 맺고 있는지에 대해 분석해보고자 한다. 여기에서 사용하는 자료는 1995년 3월 서울과 대전, 충청남·북도 지역의 20세 이상 성인을 대상으로 실시한 면접 조사 결과다. 분석에 사용된 표본의 크기는 총 478명 중 여성 246명, 남성 232명으로 이루어져 있으며, 전체적으로 만족스러운 수준의 대표성을 갖고 있다.[1] 이 조사는 과학 기술이 한국인의 삶의 질에 미치는 영향을 파악하기 위하여 실시한 것으로, 여성의 일상 생활에 초점을 맞추어 분석하기에는 한계가 있다. 따라서 이 글에서 제시한 경험적 분석 결과는 탐색적 성격을 띠고 있다. 우리 사회에 대한 분석에 앞서, 먼저 과학 기술이 가사 노동의 수행 방식과 여성의 일상 생활에 미치는 영향에 대한 논의를 20세기초에 크게 발전된 가사 기술과 현재 진행되고 있는 정보화를 중심으로 살펴보고자 한다.

---

1) 조사 방법과 표본의 성격에 대한 자세한 논의는 충남대학교 사회과학연구소에서 간행된 연구보고서(1995)를 참고하라.

2. 가사 기술 · 정보화 · 가사 노동

과학 기술의 발전이 가정 생활에 미치는 충격에 대하여는 일찍이 구조 기능주의 학파의 사회학자들이 정식화된 설명을 제공하였다. 근대 과학 기술의 발전과 함께 산업화가 진전되면서, 이전에는 경제적 생산을 비롯하여 생활 전반의 욕구를 충족하던 가족의 포괄적 기능이 소비, 어린이의 사회화, 가족간의 정서적 지지와 긴장 관리 기능만을 담당하는 정도로 축소된다. 가족의 규모가 작아지고 구조도 단순화되어 핵가족 중심의 도시 가족 형태로 변화되며, 가족간의 사회적 유대도 약화된다. 이런 변화 속에서 여성의 가정 내 역할과 가사 노동 부담도 줄어들게 되며, 따라서 여성들의 여가 시간이 증대된다는 것이다(Goode, 1964; Ogburn and Nimkoff, 1955; Parsons, 1971).

현재 집 또는 가정이라는 단어는 보통 안락과 휴식의 공간이라는 이미지를 떠올리게 한다. 구조 기능주의자들의 주장처럼 이렇게 축소된 가족의 기능을 수행하기 위해서도, 실제로 집에서 해야 되는 '일'이 엄청나게 많다. 청소, 세탁, 다리미질, 장보기, 요리, 육아, 가계 관리, 경조사 챙기기 등의 가사 노동 housework은 육체 노동과 다양한 종류의 관리 능력이 요구될 뿐만 아니라 무거운 책임이 따르는 광범위한 작업을 포괄하고 있다. 실제로 가사 기술이 발전되면서 이러한 가사 노동과 여성의 삶에 어떤 변화가 일어났는가?

20세기초 서구 사회에서 전기가 사용되면서 드디어 가정 내에서도 급속한 '산업 혁명'이 일어나게 되었다. 즉, 상하수도와 가스, 전기 냉장고, 전기 세탁기, 전기 다리미, 진공 세탁기 등의 가전 제품이 급속히 확산되었다. 일터에서의 산업 혁명으로 인간의 노동에 구조적인 변화가 일어났듯이, '가정 내의 산업 혁명'(Cowan, 1976)도 가사 노동에 근본적인 변화를 가져옴으로써 여성의 삶의 질을 향상시키는 데 커다란 기여를 해왔다는 것이 통념이다. 상하수도, 가스 공급 등 여러 가지 편의 시설과 함께 다양한 용도의 가전 제품이 도입되면서, 여성의 가사 노동의 강도(强度)와 시간이 줄어들고, 여성만이 아니라 남성도 가사 노동에 참여할 수 있게 되어 가사 노동의 성별 분화가 완화된다. 예를 들어, 세탁과 청소에 빨래판이나 손걸레 대신 전기 세탁기와 진공 청소기를 사용하게 되면, 그 작업이 육체적으로 훨씬 수월해지고 시간도 절약된다. 또 이런 기계의 작동에는 특별히 숙련 된 기법이나 노하우가 필요하지 않고, 바닥에서 몸을 구부린 자세로 일할 필요도 없어지기 때문에, 남성들도 심리적 부담 없이 쉽게 세탁 과 청소를 할 수 있게 된다는 것이다. 따라서, 여성들은 더 많은 여가 를 누리고 가정 밖의 다양한 사회 활동에 참여할 수 있게 되며, 궁극 적으로는 성별 불평등이 완화되고 해소되는 방향으로 나아갈 것이라 는 전망이 널리 받아들여지게 되었다.

그러나 1970년대 이후 이러한 통념에 강력한 반론을 제기하는 실 증적 연구 결과들이 나오고 있다. 소위 '노동 절약적' 가사 보조 기기 의 사용이 여성의 가사 노동 부담을 감소시키지 못한다는 것이다. 놀 랍게도, 1920년대부터 1960년대말까지 미국의 전업 주부들이 가사 노동에 사용한 시간을 비교해보면, 전기간에 걸쳐 그 총량에 거의 변 화가 없다.[2] 새로운 가사 기술의 이용 정도에 상당한 차이가 있는 농 촌과 도시간에도 전업 주부의 가사 노동 시간에는 별 차이가 없다.

---

2) 전업 주부의 주당 노동 시간은 1924년 52시간, 1960년대에는 55시간이며, 이 기간 중 51시간에서 56시간까지의 범위에서 편차를 보이고 있다. 이것은 당시 취업 근 로자의 주당 평균 노동 시간보다 길다. 반면 취업 여성의 경우에는 주당 평균 가사 노동 시간이 26시간 정도다. 사회 계급, 가족 구성, 혼인 상태를 통제하는 경우에 도 미취업 여성과 취업 여성의 가사 노동 시간에는 현저한 차이가 보인다. 흥미로 운 점은 미취업 여성과 취업 여성의 가사 노동 시간이 주중에는 하루에 2시간 반 정도의 격차를 보이는 데 비하여 주말에는 그 격차가 30분 미만으로 현격히 감소 한다는 것이다(Vanek, 1974).

가사 노동의 종류별로 보면, 청소 시간에는 거의 변화가 없고, 쇼핑과 가계 관리, 육아에 들어가는 시간은 증가한다. 전기간에 걸쳐 가장 많은 시간이 들어가는 가사 노동은 조리와 설거지인데, 그 양은 시간이 지나면서 약간 감소하는 추세를 보인다. 놀라운 사실은 수도와 온수 공급 시설, 다양한 종류의 세제와 자동 세탁기, 간편하게 사용할 수 있는 전기 다리미, 구김살 없는 새로운 직물의 도입 등 현저한 기술의 발전으로 가장 많은 시간이 절약되었을 것으로 예상되는 세탁 작업에 소요되는 시간이 오히려 늘어났다는 점이다. 그 이유는 과거에 비하여 각자 보유한 옷가지의 수가 증가하고, 세탁과 관련된 가사 기술의 발전과 함께 사회적으로 요구하는 청결과 옷매무새에 대한 기준도 높아졌기 때문에, 예전보다 훨씬 자주 세탁하고 다림질을 하지 않으면 안 되게 되었기 때문이라는 데 있다(Cowan, 1976; Vanek, 1974).

　가사 기술의 발전으로 조리와 설거지 등 일부 가사 노동이 용이해지고 소요되는 시간도 감소한 것이 사실이다. 그러나 다른 한편으로는 새로운 종류의 가사 노동이 출현하고(쇼핑, 운전, 공과금 처리와 은행일 등), 기존의 가사 노동에 대한 기대 수준이 높아졌기 때문에(세탁, 청소 등), 결국 가사 노동 시간의 총량에는 거의 변화가 없다. 가사 노동의 시간뿐만 아니라, 여성과 남성의 부담 정도나 분담 유형, 가사 노동에 대한 사회적 인식과 여성의 만족도에도 가사 기술의 확산이 별다른 영향을 미치지 못한다는 분석 결과들이 제시되고 있다.

　더구나 서구에서는 20세기초 가전 제품의 급속한 확산과 함께, 주부의 가사 노동이 힘들고 귀찮은 허드렛일이 아니라 가족에 대한 애정과 헌신의 표현으로 상징화되는 이데올로기의 재구성이 수반되었다(Boris, 1994; Cowan, 1976; 1979; 1983). 이전에는 경제적인 여건이 허락되기만 하면 하인이나 고용인에게 맡기는 것이 당연시되었던 가사 노동이, 이제 여성과 어머니로서의 정체성 identity과 결부된 것이다. 요컨대, 눈부신 가사 기술의 발전에도 불구하고 가사 노동에 소요되는 시간과 효율성, 가사 노동 수행자의 성(性)——여성——이나 만족도, 사회적 지위에는 본질적으로 변화가 일어나지 않고 있으며, 오히려 모성(母性) 이데올로기를 강화하였다는 것이다. 이것이 최근 서구에서 광범위하게 호응을 얻고 있는 '가사 노동의 항상성 constancy of housework' 명제다(Day, 1992; McGaw, 1982; Oakley, 1974; Rothschild, 1983; Vanek, 1978; Wajcman, 1991).

그러면 이제 정보화는 가사 노동에 어떤 변화를 일으키고 여성의 삶은 어떻게 달라질 것인가? 20세기초 가전 제품의 보급과 마찬가지로, 앞으로 정보화의 최대 수혜자도 여성이라는 것이 통념이다. 일찍이 가정·집home은 정보화의 전략적 요충지로 주목을 받았다. 토플러Alvin Toffler의 전자 주택electronic cottage이라는 비유가 시사하듯이, 산업 혁명 이전의 가내 수공업cottage industry 시대에 모든 가정에서 물레를 사용했던 것처럼, 정보화 시대에는 집 안에 설치된 컴퓨터와 네트워크를 이용하여 생계 활동과 일상 생활을 영위하게 된다. 전자 민주주의, 재택 근무, 재택 교육, 홈쇼핑, 홈뱅킹, 홈엔터테인먼트 등 다양한 사회적 기능을 집 안으로 끌어들임으로써, 정보화는 지리적으로 분산되어 있는 가정을 사회의 중심지로 만드는 것과 동시에 개인에게 권한을 부여하고 사회를 분권화하는 거대한 사회 혁명을 일으킬 것이라고 한다.

전통적으로 가정은 여성의 영역으로 치부되기 때문에, 이러한 정보화는 누구보다도 바로 여성에게 혜택을 줄 것으로 여겨진다. 가전 제품의 개발로 가능해진 기계화mechanization 단계에서 더 나아가, 정보화는 가사 노동의 자동화automation를 가능하게 한다. 따라서 여성이 진정으로 가사 노동에서 해방되고, 집 밖에서뿐만 아니라 집 안에서도 다양한 공적·사적 활동에 자유롭게 참여할 수 있게 된다는 것이다. 더구나 정보화로 인하여 대부분의 직업이 육체적 힘을 필요

370

로 하지 않게 되고, 특히 새로운 지식과 아이디어를 기반으로 정보 사회에서 각광받는 '골드 칼라golden-collar' 직종은 섬세함과 감성 등 '여성적 feminine' 특성이 요구되기 때문에 여성의 사회 진출이 더욱 활발해질 것이라고 한다. 정보화는 지금까지는 유례가 없던, 여성에게 무한한 가능성을 열어주는 절호의 기회를 제공한다는 것이다.

정보화가 가정 생활에 지대한 변화를 가져온다는 전망과는 달리, 실제로는 정보화에 관한 대부분의 논의에서 가사 노동이 거의 도외시되었다. 현재 가사 노동 부문은 정보 기술의 도입에서 가장 뒤떨어져 있다. '전자 주택'에 대한 높은 관심에도 불구하고, 그 논의는 주로 교육, 의료, 통신, 직업 및 경제 활동에 집중되었다. 즉, 이전에는 집 밖에서만 가능했지만 정보 기술의 도입으로 집 안으로 끌어들일 수 있게 된 이른바 공적 영역 public sphere의 활동은 정보화의 중요하고 적절한 대상으로 인식되는 반면, 가사 노동의 정보화는 '사소'하거나 거의 '낭비'에 가까운 것으로 치부된다(윤정로, 1998).

미국의 프랜시스 게이브Frances Gabe라는 여성은 27년에 걸쳐 가사 노동을 현저히 줄일 수 있는 '자동 청소형 주택 self-cleaning house'을 고안했다. 더러워진 것을 깨끗이 만든다는 종래의 청소 개념과는 달리, 집 안의 물건과 공간이 제자리에서 스스로 세척되도록 함으로써 깨끗한 것을 깨끗한 채로 유지한다는 아이디어다. 예컨대, 그릇장과 식기 세척기를 따로 두는 것이 아니라 그릇을 놓아두면 그 자리에서 설거지가 되어 그릇을 꺼내 정리할 필요가 없는 기구, 사람이 움직이면서 사용하는 진공 청소기 대신 벽이나 바닥, 천장에서 일정한 압력의 기화(氣化) 온수를 뿜어내서 집 안을 자동으로 청소하는 방법 등을 고안한 것이다. 이런 장치는 기존의 기술로 실현 가능하며 건축 비용도 평균 이상 들지 않는다. 그러나 이런 아이디어를 실제로 구현하는 데 부딪힌 첫번째 장벽이 건축 허가를 내주는 공무원, 건축 설계사, 건축업자들에게 이런 개념을 납득시키는 일이었다고 한다

(Gabe, 1983).

정보화가 가사 노동과 여성의 삶에 근본적 변화를 가져오기 위해서는 가사 노동에 대한 지금까지의 인식이 바뀌어야 한다. 즉 '자동 청소형 주택' 아이디어를 구현하기 위하여 과학 기술을 개발하고 활용하는 것이 '사소'하거나 '낭비'에 가까운 용도가 아니라, 스타워즈 Star Wars나 인간 게놈 Human Genome 프로젝트와 맞먹거나 더 중요한 의미가 있다는 인식의 변화가 있어야만, 가사 노동이 정보화에서 앞선 영역으로 탈바꿈할 수 있다.

3. 가사 기술에 대한 사회적 인식

1991년 11월 30일을 기준으로 실시된 가구 소비 실태 조사에 의하면, 전국 가구(家口)의 가사용 내구재 보유율이 냉장고 99.9%, 가스 레인지 98.5%, 세탁기 80.9%, 전기 보온 밥솥 79.1%, 전자 레인지 23.8%, 진공 청소기 23.6%에 이른다(통계청, 1993). 냉장고 6.5%, 세탁기 1.0%에 불과하였던 1975년의 전국 보유율과 비교하면, 지난 20년 간 가사용 가전 제품이 급속히 확산됨과 동시에 그 종류도 대단히 다양해졌음을 쉽사리 짐작할 수 있다. 보유율의 변화 추세를 살펴보면, 냉장고는 1975년부터 1985년 사이에, 세탁기는 이보다 약간 뒤늦은 1985년부터 1990년 사이에 가장 급속히 증가하였다(통계청, 1994: 249).

1995년 3월에 본 연구를 위하여 실시한 설문 조사에서도 세탁기 보유율이 서울에서는 95.8%, 대전 91.5%, 중소 도시 96.1%, 농어촌 69.0% 정도며, 비교적 새로운 가전 제품인 진공 청소기와 전자 레인지도 각각 응답자의 48.7%와 46.9%가 자주 이용하는 것으로 나타났다. 따라서 현재 우리 사회에서 가사 기술이 상당히 광범위하게 이용

<표-1>   과학 기술 개발에 대한 태도   (단위: %)

품목	반드시 해야 한다	되도록 해야 한다	아무래도 관계없다	되도록 안해야 한다	절대 안해야 한다
가사 보조용 로봇	18.4	41.8	17.8	19.8	1.7
초고속 여객기	19.7	53.3	21.5	4.2	0.8
화상 전화	28.0	47.1	17.2	6.1	1.5
지하 도시	11.9	33.1	37.6	18.6	4.8
수명을 연장시키는 의학	6.7	24.7	19.5	39.7	9.2

되고 있으며, 이에 대한 인지도도 상당히 높은 것으로 추정할 수 있다.

그러면 새로운 가사 기술의 개발에 대하여는 어떤 태도를 가지고 있는가? 설문 조사에서는 청소나 세탁, 조리 등에 이용될 수 있는 가사 보조용 로봇의 개발에 대한 응답자들의 의견을 물어보았다. 인간의 수명을 100세 이상으로 연장시키는 의학, 태평양을 2시간에 횡단하는 초고속 여객기, 얼굴을 보며 전화할 수 있는 화상 전화, 지하 도시라는 4개의 품목과 함께, 우리나라에서 일반인들이 어떤 종류의 과학 기술이 개발되는 것을 바라고 있는지를 알아보기 위한 것이었다. <표-1>에 의하면, 가사 보조용 로봇에 대하여 18.4%는 적극적 지지, 41.8% 소극적 지지, 17.8% 중립적, 19.8% 소극적 반대, 1.7%가 적극적으로 반대함으로써, 대체로 긍정적인 견해를 나타내는 것으로 볼 수 있다. 그러나 다른 종류의 과학 기술 품목에 대한 응답과 비교하면, 가사 보조용 로봇에 대한 지지도는 화상 전화나 초고속 여객기보다 상당히 뒤떨어진다. 이런 결과는 일단 상품화된 가사 보조용 기기가 광범위하게 이용되고 있기는 하지만, 가사 노동의 성격과 수행 방식에 혁신적 변화를 가져올 수 있는 기술 도입에 대하여는 소극적인 입장을 취하는 것으로 해석할 수 있다.

<表-2>　　　　　　　　　가사 보조용 로봇 개발에 대한 태도　　　　(단위: %)

		여 성	남 성	전체 응답자
	평균	3.61	3.50	3.56
연령	20대	3.85	3.78	3.82
	30대	3.52	3.45	3.49
	40대	3.69	3.46	3.56
	50~64세	3.23	3.28	3.26
	65세 이상	3.50	3.37	3.40
혼인	미혼	4.02	3.66	3.83
	결혼	3.48	3.46	3.47
교육 수준	국졸 이하	3.22	3.29	3.26
	고졸 이하	3.53	3.37	3.46
	전문대 이상	4.04	3.74	3.87
직업	전문·관리직	3.94	3.71	3.76
	사무직	3.44	3.56	3.53
	판매·서비스	3.44	3.47	3.46
	생산직	3.43	3.42	3.47
	농·어업	3.50	3.28	3.36
	학생	4.33	3.61	3.97
	주부	3.48	—	3.48

주: 위 점수는 응답자 의견을 다음과 같이 5점 척도로 환산하여 계산한 평균을 의미한
다. 1=절대 개발해서는 안 된다, 2=개발하지 않는 편이 좋다, 3=아무래도 관계
없다, 4=개발하는 편이 좋다, 5=반드시 개발해야 한다.

〈표-2〉에서 응답자 속성에 따라 나타나는 가사 보조용 로봇 개발에
대한 태도의 편차는 상당히 흥미로운 양상을 보이고 있다. 가장 부정
적인 반응을 1점, 가장 긍정적인 반응에 5점까지 점수를 매겨 평균을
계산해보았다. 예상되는 바와 같이, 교육 수준과 생활 수준이 높을수
록 긍정적 반응을 나타내며, 통계적으로 유의미한 수준은 아니지만

374

거주 지역별로는 서울이 가장 긍정적이다. 연령별로는 20대(3.82), 40대(3.56), 30대(3.49), 65세 이상(3.40), 50~64세(3.26)의 순서로 긍정적 반응을 나타냄으로써, 대체로 젊을수록 긍정적인 것으로 볼 수 있다. 65세 이상이 50~64세보다 더 적극적인 태도를 나타내는 것은 65세 이상 응답자의 67.5%가 농촌 거주자로서 농촌 거주 노인의 대부분이 노인만으로 이루어진 가구에 속하며 따라서 노쇠한 몸으로 직접 가사 노동을 담당해야만 한다는 사실에서 이유를 찾을 수 있다고 본다.

그런데 성별·직업별 응답은 상당히 의외의 결과를 보인다. 즉, 남성(3.50)보다 여성(3.61)의 태도가 약간 긍정적이기는 하지만, 그 차이가 통계적으로 유의미한 수준은 아니라는 것이다. 또한 직업별로는 학생(3.97), 전문·관리직(3.76), 사무직(3.53), 주부(3.48), 생산직(3.47), 판매·서비스(3.46), 농어업(3.36)의 순서로 긍정적 반응을 보인다.

여기서 주목되는 점은 가사 보조용 로봇 개발로 가장 명백하게 일차적인 수혜자가 될 것으로 예상되는 여성, 특히 전업 주부가 별달리 적극적인 반응을 보이지 않는다는 점이다. 여성 응답자의 40.6%(100명)가 전업 주부인 점을 감안하면, 전업 주부의 태도가 이런 응답 결과의 주요 변수로 작용하였다고 볼 수 있다. 조사 결과에 나타난 전업 주부의 생활을 살펴보면, 가장 많은 여가와 휴식 시간을 갖고 있으며, 자신의 삶에 대한 만족도도 가장 높다. 따라서 비교적 시간상 여유가 있는 현재 생활에 만족하고 있는 전업 주부들에게는 보다 노동 절약적인 가사 기술 개발의 매력이 크지 않은 것으로 볼 수 있다. 이런 맥락에서 보면, 가사 보조용 로봇의 개발이 가사 노동의 사회적 중요성을 축소시킴으로써 전업 주부로서의 지위에 위협을 가하는 잠재 가능성이 있음에도 불구하고, 전업 주부들이 대체로 호의적 반응을 보이는 것에 대한 설명이 요청된다. 이는 아마도 과학 기술 발전에 대하여 호의적인 한국 사회 전반의 분위기에서 전업 주부들의 경우에도 예외가 아닌 데 기인하지 않을까 추측해본다.

　여성 응답자에 국한하여 가사 보조용 로봇 개발에 대한 태도를 분석한 결과는 전체 응답자에 대한 분석 결과와 상당한 차이를 나타냄으로써, 가사 기술 개발에 대한 태도에 있어서 상당한 성별 차이가 존재함을 드러내고 있다. 인구학적·사회 경제적 속성에 있어서 연령, 교육 수준, 혼인 여부, 직업이 통계적으로 유의미한 차이를 보이는 반면, 거주지나 주거 형태, 생활 수준이나 소득 수준은 통계적으로 유의미한 차이를 보이지 않고 있다. 연령별로는 남성 응답자의 경우와 마찬가지로, 20대(3.85)가 가장 긍정적이며 대체로 젊을수록 긍정적인 반응을 보인다고 할 수 있다. 교육 수준에 의한 차이는 여성 응답자의 경우 더 뚜렷이 나타난다. 주관적으로 평가한 생활 수준이나 소득 수준별 차이는 별로 없지만, 하류층 여성이 뚜렷이 구분되어 부정적인 반응을 보인다는 점이 이채롭다. 거주지별 응답도 근소한 차이기는 하나 서울(3.62)보다는 중소 도시(3.57)와 농어촌(3.67)에서 긍정적 반응을 보이고 있다. 주거 형태별로는 더 편리한 시설이 갖추어진 것으로 판단되는 아파트(3.79), 연립 주택(3.63) 거주자들이 단독 주택(3.55)이나 상가(3.43) 거주자들보다도 긍정적 반응을 보이고 있다. 여성 응답자들에게 가장 일관성 있게 뚜렷한 태도의 차이가 나타나는 변수는 학력, 혼인 여부, 직업으로서, 전문대 이상의 고학력(4.04), 미혼(4.02) 그리고 학생(4.33)과 전문·관리직(3.94)에 종사하는 여성들이 대단히 긍정적인 평가를 내리고 있다.

　여기에서 여성 응답자의 태도가 특히 직업별로 뚜렷이 양극화되는 양상을 보이고 있음에 주목할 필요가 있다. 학생과 전문·관리직에 비하여 사무직(3.44), 판매 및 서비스(3.44), 생산직(3.43), 농어민(3.50), 주부(3.48)의 가사 보조용 로봇 기술 개발에 대한 지지도가 상당히 낮다는 것이다. 이것은 가사 기술 개발의 혜택이 전사회적으로 일률적이며 보편적 uniform and universal인 것이 아니라 사회 경제적 지위에 따라 차별적 differential으로 배분되는 현상과 관련이 있다고 생각된다. 여러 나라에서 가사 보조용 가전 제품은 교육과 소득 및 생활 수준이 높은 계층에서 먼저 보급되고 더 적극적으로 활용되는 경향을 보이고 있다(이정우·이정숙, 1986; Day 1992; Wajcman, 1991). 따라서 교육 수준과 소득 수준이 높은 전문·관리직 여성의 경우에는 가사 보조용 로봇 같은 새로운 가사 기술의 개발에 대하여 자신이 즉각적으로 누릴 수 있는 혜택을 기대할 수 있는 반면, 교육 수준과 소득 수준이 낮은 여성들은 자기 자신에게 돌아오는 가시적 혜택을 기대하기가 어렵다는 데서 이러한 태도의 차이가 기인하는 것으로 추정할 수 있다. 미혼 여성과 특히 학생들의 호의적 반응은 미래에 자신이 누릴 수 있는 혜택에 대한 기대와 더불어 젊은 세대의 여성들 사이에서 널리 확산되고 있는 가사 노동과 가정 생활 전반에서의 성역할 gender role에 대한 새로운 인식과도 관계가 있다고 볼 수 있다.

4. 가사 기술과 일상 생활의 변화

가사 기술이 가사 노동과 일상 생활에 미치는 영향을 파악하기 위하여 설문 조사에서는 구체적으로 세탁기를 연구 대상으로 선택하였다. 가사 기술을 대표하는 품목으로 세탁기를 선택한 것은 노동 절약적 효과가 가장 크게 기대되는 가전 제품이며,[3] 또한 이미 보편적으로 보급되어 있어 응답자들이 이용 효과에 대하여 익히 알고 있으므

---

3) 우리나라에서 1975년에 조사된 바에 의하면, 가사 노동의 강도와 시간을 줄이는 데 도움이 되도록 주부들이 보유하기를 희망하는 가사 기구나 설비로 세탁기가 압도적인 우위를 차지하였다(윤복자, 1975).

로 정확한 응답을 기대할 수 있다고 생각하였기 때문이다. 설문 조사
에서는 세탁기의 보유 여부, 사용 정도 및 일상 생활에 미치는 영향
에 대하여 물어보았다.

　예상했던 대로, 농어촌 지역(69.0%)을 제외하고는 세탁기의 보유
율이 응답자 속성에 따라 커다란 차이 없이 90%를 상회하였다. 사용
정도에 대한 응답은 매우 많이 사용한다 19.2%, 많이 사용한다
34.7%, 가끔 사용한다가 28.9%의 비율을 차지하여, 대체로 자주 사
용하고 있는 것으로 나타났다. 사용한 적이 없다는 응답이 10.7%로
상당히 높게 나타나는데, 이들 중 대다수(66.7%)는 50세 이상의 응
답자들이다. 65세 이상은 45.0%, 50~64세는 19.8%가 세탁기를 사
용한 적이 없다고 응답하였다. 노년층 응답자가 농어촌에 집중되어
있고 농어촌의 세탁기 보유율이 낮은 사실을 감안하면 쉽사리 이해
가 되는 결과다.

　〈표-3〉은 여성들의 세탁기 이용 정도가 인구학적·사회 경제적 변
수에 따라 통계적으로 유의미한 차이가 있음을 보여주고 있다. 분석
결과는 일관성 있게 나이가 젊고, 도시에서 아파트나 연립 주택에 거
주하며, 학력과 생활 수준 및 소득 수준은 높고, 학생이거나 화이트
칼라 직종에 종사하는 여성일수록 세탁기를 더 많이 사용하는 것으
로 나타나고 있다. 그런데 의외로 취업과 혼인 상태에 있어서는 기혼
여성보다는 미혼 여성이, 그리고 취업 여성보다는 미취업 여성이 더
많이 사용하고 있는 것으로 나타난다. 이것은 미혼 여성이 압도적으
로 젊은 연령층으로 구성되어 있으며, 미취업 여성 응답자(140명)의
대다수가 전업 주부(100명)로 구성되어 있고 이 중에서 많은 수가 농
어촌의 고령자라는 점에서 그 이유를 찾을 수 있을 것이다. 또한 미
혼 여성의 응답은 부모로부터 독립하여 사는 경우를 제외하고는 현
재 직접 자기 자신이 사용하고 있는 정도가 아니라 가정에서 사용하
는 정도나 또는 앞으로 자기가 결혼한 후 사용하게 되리라고 예상하

〈표-3〉 여성 응답자 속성별 세탁기 이용 정도

혼인 상태	기혼	2.57	취업	취업	2.64
	미혼	2.16		미취업	2.35
연령	20대	2.18	직업	전문 · 관리직	2.12
	30대	2.24		사무직	2.00
	40대	2.31		판매 · 서비스	2.26
	50~64세	3.26		생산직	2.57
	65세 이상	4.00		농어민	3.77
				학생	2.19
				주부	2.32
학력	국졸 이하	3.41	거주지	서울	2.15
	고졸 이하	2.28		대전	2.51
	전문대 이상	2.00		중소 도시	2.28
				농어촌	3.22
소득	100만원 미만	3.29	주거 형태	아파트	2.04
	100~250만원	2.21		연립 주택	2.17
	250만원 이상	1.83		단독 주택	2.73
				기타	2.29

주: 위 점수는 세탁기의 이용 정도를 다음과 같이 5점 척도로 환산하여 계산한 평균을 의미한다. 1=매우 많이 사용한다. 2=많이 사용한다. 3=가끔 사용한다. 4=별로 사용하지 않는다. 5=사용한 적이 없다.

는 정도를 추측하여 응답한 것이 복합적으로 뒤섞여 있는 것이 아닐까 하는 의심이 들기도 한다. 그러나 앞서 언급한 대로 여타 가사 기술의 소산과 마찬가지로 세탁기의 경우에도 대체로 사회 경제적 지위가 높은 도시의 여성들이 그 이점(利點)을 더욱 많이 누리고 있다는 일반화가 가능한 것으로 보인다.

　그러면 세탁기는 여성의 일상 생활과 어떤 관계를 맺고 있는가? 조사 결과에 의하면, 남성과 마찬가지로 여성도 세탁기는 자유 시간

확보에 기여를 한다고 믿고 있다. 학력과 생활 및 소득 수준이 높을
수록, 그리고 학생이나 화이트 칼라 직종 종사자와 비교적 젊은 여성
들이 세탁기의 기여에 대하여 더욱 긍정적으로 평가하고 있다. 그러
나 응답자들의 세탁기 이용 정도와 실제로 확보하는 자유 시간 사이
에는 부의 상관 관계가 나타나고 있다(충남대학교사회과학연구소,
1995: 70). 이런 결과는 세탁기가 여성의 자유 시간 확보에 뚜렷한 기
여를 하지 못하며, 한국에서도 '가사 노동의 항상성'의 명제가 어느
정도 설득력이 있음을 시사한다고 볼 수 있다.[4]

5. 맺음말

이 글의 분석 결과는 다음과 같다. 현재 한국 사회에서는 가사 기
술이 상당히 광범위하게 이용되고 있으며 이에 대한 인지도도 상당
히 높다. 한국 가정에서 가장 광범위하게 사용되고 있는 세탁기의 이
용과 그것이 여성의 일상 생활에 미치는 영향이 사회 경제적 변수에
따라 차별적으로 나타난다. 세탁기 사용은 가사 노동을 전담하는 여

---

4) 1989년 서울에 거주하는 주부를 대상으로 한 조사를 바탕으로, 김선미 · 이기영
   (1989)은 세탁기 사용이 손세탁보다 시간이 덜 드는 것은 아니지만, 손세탁보다
   힘이 덜 들고 세탁기가 돌아가는 동안 다른 일을 할 수 있다는 점에서 노동 절약적
   효과에 대하여 긍정적으로 평가하였다. 그러나 김성희(1996)는 세탁기의 보급이
   주부의 세탁 작업 자체에 들어가는 시간과 노고는 덜어주고 가족원들에게 더욱 청
   결한 의생활을 가능하게 해준 반면, 세탁물의 양과 세탁 빈도, 작업의 단조로움과
   고립감, 다중 작업을 증가시킴으로써 세탁 관련 가사 노동 부담이 오히려 증가되
   었음을 지적하였다. 김성희는 가사 기기의 도입이 갖는 특정 노동 과정에서의 시
   간 절약 효과가 새로운 가사 노동의 창출, 가족의 증대된 욕구, 가사 노동의 주부
   일인 집중, 새로운 피로 요소의 유발 등에 의하여 상쇄됨으로써 가사 기기가 급속
   히 보급된 1975년과 1983년 사이에 주부의 가사 노동 시간과 만족도에 변화가 없
   다는 주장을 함으로써, 가사 노동의 항상성 명제를 지지하고 있다.

성의 자유 시간 확보에 뚜렷한 기여를 하지 못하며, 가사 노동의 항상성 명제가 한국 사회에서도 설득력이 있음을 시사한다. 가사 기술에 대한 사회적 인식을 보면, 가사 노동의 성격과 수행 방식을 획기적으로 변화시킬 수 있는 가사 보조용 로봇의 개발과 이용에 대한 지지도가 상대적으로 높지 않다. 이런 기술 개발의 일차적 수혜자가 될 것으로 예상되는 여성, 특히 전업 주부들이 적극적인 반응을 보이지 않는다는 점이 흥미롭다. 여성 중에서는 고학력 소지자, 전문 · 관리직 종사자와 학생, 미혼자 집단이 가사 로봇의 개발에 대하여 긍정적으로 평가하는 경향이 나타난다. 이러한 태도의 차이는 가사 기술의 혜택이 차별적으로 배분되는 현상과 함께 여성의 지위와 성역할에 대한 인식과 관련이 있을 것으로 추정된다.

이 글에서는 과학 기술과 사회의 관계에 있어서, 가사 기술이 사회에 미치는 영향을 분석하는 데 초점을 맞추었다. 그러나 분석 결과는 역으로 사회가 가사 기술에 미칠 수 있는 영향에 대해서도 중요한 시사점을 제공하고 있다. 첫째, 가사 기술에 부여되는 의미가 다양한 사회 집단에 따라 달라진다는 점이다. 시간적으로 여유가 있는 전업 주부들에게는 새로운 가사 기술이 가사 노동의 시간 절약과 남성의 가사 분담을 촉진하는 수단이라는 데 일차적 의미가 있는 것이 아니다. 이들은 오히려 가사 노동 시간은 늘어나고 작업 과정이 복잡하더라도 결과물의 질과 심리적 만족감을 높일 수 있는 방향으로 가사 기술 발전과 활용을 선호할 수 있다. 둘째, 젊은 세대의 여성들에게 확산되고 있는 여성의 지위와 성역할에 대한 새로운 인식이 가사 기술에 대한 욕구에 영향을 미칠 수 있다는 점이다. 이것은 한국 사회에서 가사 기술의 사회적 파급 효과뿐만 아니라 향후 가사 기술의 발전 방향과 활용 방식이 사회적 여건에 따라 가변성contingency이 있을 것이라는 함의를 갖고 있다. 따라서 한국 사회의 구체적인 사회 문화적 맥락 속에서 가사 기술과 일상 생활의 상호 작용을 실증적으로 규

명하는 작업은 현실적으로 바람직한 가사 기술 발전과 활용 방안을
모색하는 데 있어서 중요한 과제다.

참고 문헌

김선미 · 이기영(1989), 「가계의 세탁기 사용 방식과 사용 정도에 관한
    연구」, 『한국가정관리학회지』 7(2), pp. 95~107.

김성희(1996), 「가정 기기 도입에 따른 가사 노동의 변화」, 서울대학교
    소비자아동학과 박사학위 논문.

윤복자(1975), 「가사 노동 및 작업 시간」, 『대한가정학회지』 13(2), pp.
    59~77.

윤정로(1998), 「정보화와 여성」, 한국정보사회학회 편, 『정보 사회의 이
    해』, 나남, pp. 297~321.

이정우 · 이정숙(1986), 「도시 가정의 소형 전기 기구의 구매와 사용 관
    리에 관한 연구」, 『대한가정학회지』 24(2), pp. 93~112.

충남대학교 사회과학연구소(1995), 『과학 기술 발전과 한국인의 삶의
    질』, 교육부 인문 · 사회과학 분야 중점 영역 연구 보고서.

통계청(1993), 『1991 가구 소비 실태 조사 보고서』.

──────(1994), 『한국의 사회 지표』.

Boris, Eileen(1994), "Mothers Are Not Workers: Homework Regulation
    and the Construction of Motherhood," *Mothering: Ideology,
    Experience, and Agency*, edited by E. N. Glenn, G. Chang, and L.
    R. Forcey, New York: Routledge, pp. 161~80.

Cowan, Ruth Schwarz(1976), "The Industrial Revolution in the Home,"
    Technology and Culture 17, pp. 1~23.

──────(1979), "From Virginia Dare to Virginia Slims: Women and

Technology in American Life," *Technology and Culture* 20, pp. 51~63.

———(1983), *More Work for Mother: The Ironies of Household Technology from the Open Hearth to the Microwave*, New York: Basic Books.

Day, Tanis(1992), "Capital-Labor Substitution in the Home," *Technology and Culture* 33, pp. 302~27.

Gabe, Frances(1983), "The Gabe Self-Cleaning House," *The Technological Woman: Interfacing with Tomorrow*, edited by J. Zimmerman, New York: Praeger, pp. 75~82.

Goode, William J.(1964), *The Family*, Englewood Cliffs, NJ: Prentice-Hall.

McGaw, Judith A.(1982), "Women and the History of American Technology," *Signs* 7, pp. 798~828, Reprinted in Harding, Sandra and F. O'Barr (eds.), *Sex and Scientific Inquiry*, pp. 47~77.

Ogburn, W. F. and M. F. Nimkoff(1955), *Technology and the Changing Family*, Cambridge: Harvard University Press.

Oakley, Ann(1974), *The Sociology of Housework*, New York: Pantheon.

Parsons, Talcott(1971), *The System of Modern Societies*, Englewood Cliffs, NJ: Prentice-Hall.

Rothschild, Joan(1983), "Technology, Housework, and Women's Liberation: A Theoretical Analysis," *Machina Ex Dea: Feminist Perspectives on Technology*, edited by J. Rothschild, New York: Pergamon, pp. 79~93.

Vanek, Joann(1974), "Time Spent in Housework," *Scientific American* 231 (5), pp. 116~20.

———(1978), "Household Technology and Social Status: Rising Living Standards and Status and Residence Differences in Housework,"

Technology and Culture 19, pp. 361~75.

Wajcman, Judy(1991), *Feminism Confronts Technology*, University Park, Pennsylvania: Pennsylvania State University Press.

논문의 원제와 출전

이 책에 수록된 논문의 원제와 출전은 다음과 같다. 각 논문의 제목과 내용을 부분적으로 수정하여 이 책에 실었다.

제1장 「과학 기술과 한국 사회」, 김병익 · 정문길 · 정과리 엮음, 『오늘의 한국 지성, 그 흐름을 읽는다: 1975~1995』, 문학과지성사, 1995.

제2장 「과학기술사회학: 과학 기술 · 사회 · 인간」, 한국사회학회 엮음, 『21세기의 한국 사회학』, 문학과지성사, 1994.

제3장 「과학에서의 보상 체계」, 『한국 산업 사회의 현실과 전망』, 한국사회사연구회 논문집 제38집, 문학과지성사, 1992.

제4장 「'새로운' 과학사회학: 과학지식사회학의 가능성과 한계」, 과학사상연구회, 『과학과 철학』 제5집, 통나무, 1994.

제5장 「한국의 산업 발전과 국가: 반도체 산업을 중심으로」, 『현대 한국의 생산력과 과학 기술』, 한국사회사연구회 논문집 제22집, 문학과지성사, 1990.

제6장 「과학 기술 기초 연구 육성 전략」, 『대학교육』 86호, 한국대학
　　　 교육협의회, 1997년 3 · 4월.

제7장 「미국의 국방 정책과 군수 산업: 산업 정책으로서의 국방 정
　　　 책」, 한국산업사회학회, 『경제와 사회』 제32호, 한울, 1996.

제8장 「일본의 첨단 기술 개발과 군수 산업: 전자 산업의 스핀-온 전
　　　 략」, 교육부 지역 연구 학술 연구 보고서, 1997.

제9장 「과학 기술과 여성, 무엇이 그리고 왜 문제가 되는가?」, 『물리
　　　 학과 첨단 기술』 제8권 3호, 한국물리학회, 1999년 3월.

제10장 「한국의 여성 과학 기술 인력」, 『한국여성학회 추계 학술 대
　　　 회 자료집』, 한국여성학회, 1998.

제11장 「정보화와 여성」, 정보사회학회 편, 『정보 사회의 이해』, 나
　　　 남, 1998.

제12장 「한국의 정보화와 전업 주부」, 『정보화 저널』 제6권 2호, 한
　　　 국전산원, 1999년 6월.

제13장 「가사 기술과 한국 여성의 삶」, 심영희 · 정진성 · 윤정로 공
　　　 편, 『모성의 담론과 현실: 어머니의 성 · 삶 · 정체성』, 나남,
　　　 1999.